書城大家

敫昂慷慨，作为后生小子，
，却慑于顾炎武学问太大，

道那副掷地有声的对联
f辈明末东林书院顾宪成
，耳食的知识不太可靠，
去借了几册《日知录》，还
库”本，每一册都薄薄的，
几二十来册。翻开《日知
证与随感的学术札记，经
大精深。《日知录》的《目
得辄记之，其有不合，时
平论《日知录》说：“炎武
事必详其始末，参以证佐
抵牾者少。”顾炎武的读书
读群书，读书必须“心到
L记是“为己之学”，不急

赏心乐事谁家院

多元文化与审美情趣

郑培凯 著

文匯出版社

到“天下兴亡，匹夫有责”，很是
虽然心向往之，想看看《日知录》
没敢到图书馆去借阅。

到了高中，读书渐多，才
不是顾炎武作的，是他的本家
(1550–1612) 所撰，也由此憬
必须眼见为实。于是，到图书馆
记得是老商务印书馆的“万有文
比手掌略大一点，总共大概有十
录》，发现这是部记录读书之后
史子集无所不包，林林总总，博
录题辞》说，“愚自少读书，有
有改定”。《四库全书总目提要》
学有本原，博赡而能通贯，每一
而后笔之于书。故引据浩繁，而
法给我很深刻的印象，就是要
手到”，若有心得就写成札记。

着发表，以后遇上新材料，也不可“臆必固我”，要能随时修正不太妥善的论点。

顾炎武形容他写《日知录》是“采铜于山”，像矿工一样，在群书的山峦之中开矿，以辛劳的汗水，披沙拣金，孜孜矻矻饱览群籍，日日夜夜爬梳书牍，获取有用的宝贵知识。他读书问学的方法对我影响很大，觉得做学问写文章，第一先要多读书，其次要读得透彻，再来要有自己独到的心得，绝对不可“天下文章一大抄”，假充学问家。写文章要有内容，而且是温故知新确有自身体会的内容，绝对不能像《孟子》描绘的齐人，每天到坟上去乞食，餍足了酒食，回家还要“骄其妻妾”，当一个恬不知耻的学术乞丐。然而，学海无涯，就如庄子所说：“吾生也有涯，而知也无涯，以有涯随无涯，殆矣。”怎么办呢？

据说顾炎武曾有名言“一事不知，儒者之耻”，反映了他好学的精神，然而他并不是漫无目的去求知，像书蠹虫那样死啃书籍，贪多嚼不烂。他曾写过一篇《广师》，指出自己学问有不及友朋之处，需要与益友切磋砥砺，以增长见闻："学究天人，确乎不拔，吾不如王寅旭；读书为己，探赜洞微，吾不如杨雪臣；独精三礼，卓然经师，吾不如张稷若；萧然物外，自得天机，吾不如傅青主；坚苦力学，无师而成，吾不如李中孚；险阻备尝，与时屈伸，吾不如路安卿；博闻强记，群书之府，吾不如吴志伊；文章尔雅，宅心和厚，吾不如朱锡鬯；好学不倦，笃于朋友，吾不如王山史；精心六书，信而好古，吾不如张力臣。"也就是说，以一人之力，不可能穷尽天下之学问，何况《礼记·学记》早就说过"独学而无友，则孤陋而寡闻"。每个人的性向与兴趣都有独特之处，顺应自己的个性，追求适合自己的学问，就能在不同的知识领域有长足的发展，超越群伦，有所建树。

读书求学的过程中，能够遇到良师益友，"奇文共欣赏，疑义相与析"，实在是人生之大幸。我高中决定报考文科，进大学研习文学，是因为我在青年成长阶段结交了一批爱好文学的朋友，接触到文学对生命意义的思考，触动了我青春的稚嫩心灵，日积月累，终于决定以写作为终身职志。或许这只是文艺青年涉世未深，不懂世事艰难的冲动，遭到父亲的强烈反对，警告我诗人历来半生蹉跎，一事无成，还是攻读理工是实际的谋生之道。我天生个性倔强，又值青年叛逆的成长阶段，执意要研读西洋文学，与父亲约法三章：考不上台大文学院，就不读大学，自谋生路当工人去；上大学不用家中一文钱，自筹学费；我的人生自己规划，不需要父亲为我操劳。回想起来，年轻时候的叛逆顶撞确实任性，一定伤了父亲的权威与尊严，违背了传统“孝者顺也”的标准，而没被赶出家门，倒显示了父母的睿智与爱心。一方面是他们宽容大度，另方面也反映了时代变化影响了他们的思想观念，可以勉强接受儿女自主的决定，不再认为那是大逆不道的忤逆行为。准备高考的高三时期，我有幸得遇两位名师，国文老师祝茂如先生与英文老师周复先生，两位老师都认为我在语文方面有特殊天赋，指点我阅读中外名著，鼓励我创作诗文，为我奠下了坚实的文史基础，让我进入台大外文系之后游刃有余，除了旁听叶嘉莹老师的古典诗词，还同时兼修了历史系的课程，拓展了我的视野与兴趣。

二

十年前我和一群钻研中日文化交流的朋友，成立了“东亚文化交涉学会”（Society for Cultural Interaction of East Asia），推展东亚地区历史文化交互影响的研究，特别关注十六世纪早期全球化以来，东亚文化交流的内容开始错综复杂，掺入了西方因素，成了现代东亚文明步入全球化，却又各具特色的历史文化现象。在北京举办第九届年会之际，学会希望出版一份年会场刊，邀请我谈谈自己的学术道路，发给我一份详细的问卷。我从问卷提出的议题中，发现学界对我多元多样的研究面向十分好奇，隐约感到其中有一种内在联系，希望我能从跨学科方法论的角度，探讨我的治学方向。

这份问卷相当有趣，虽然涵盖的只是我在近十几年出版著作中的研究课题，却也反映了现代学术专业化之后学术同行的困惑，认为我研究的课题各有其专精的范畴，却又像下跳棋那样，从这个领域跳到那个领域。表面上似乎毫不相干的学术课题，为什么会吸引我去研究呢？我且把问卷列在下面，再做些回应：

一、您的研究涉及了明代戏曲、茶、陶瓷、电影，乃至非物质文化的口传心授等诸多问题，这些研究在题材、时间、领域上都是具有一定的跨越性。请问这些研究之间是否具有某些内在的关联或者一致性？您这种“跳跃式”的研究背后，除了“有意思”之外，更深层的动机和思考是什么呢？进而言之，是否有一条或几条问题意识的红线始终贯穿在您以往的学术研究当中？

二、您独辟蹊径地选取汤显祖，作为进入晚明文化的通道，是如何从“文化美学”这个“方法论”上展开阐释的，能简单地介绍一下吗？

三、我们知道近代以来中国遭遇了“三千年未有之大变局”，您认为作为士大夫的汤显祖和他的戏曲创作，乃至实存的人生经验，给今天的人们提供的有意义的启示都有哪些？

求，应该是“为己之学”，为什么会有社会意义？为什么会引发别人的注意，甚至要我述说学术追求的心路历程？我读书思考，经常会从古人的生命处境中得到似曾相识的（deja vu）感悟，还会从脑海深处，下意识地跳出“无可奈何花落去，似曾相识燕归来”的诗句，引出充满诗意的联想。读黑格尔与马克思的哲学论述，有时也会联系到中国经典的哲思，甚至有点不可思议的是，会联想到晋唐书法的遒劲开张。这种天马行空式的思维转换，并非有意为之，而是自然天成的涌现，好像阳明学说强调的“活泼泼地”，总不可能完全是“良知本能”吧？其中一定牵扯了我自己的生命历程，以及成长过程中浸润的文化影响。

三

我虽然在青岛出生，却在台湾长大，从小就对中国近代历史文化的理解充满了怀疑与好奇，对中共的崛起及国民政府退居台湾一隅感到费解，对台湾从二十世纪五十年代到六十年代（也就是我成长的时期）的反共教育与禁书政策极为反感。我喜欢古典文学，同时热爱文艺创作，听长辈说起五四以后的新文学及电影，心向往之，却因左翼文艺是共产党的同路，在台湾一概全禁，不能看鲁迅、茅盾、老舍、巴金、沈从文等，不知道曹禺、艾青、穆旦，只能读朱自清、徐志摩、梁实秋，感到一种茫然的挫折与气闷，觉得生命只是社会牢笼的囚禁。当时我热衷现代诗写作，并参与现代实验剧场的活动，追随台湾现代派的“横的移植”文艺潮流，沉浸于法国存在主义哲学，以抗拒国民党提倡的反共文学。所以，当我选择大学读文学专业，考的是台湾大学外文系，研读西方文学，学了一套当时流行的“新批评”文本细读分析方法。因此，对文本的字斟句酌成了我的基本训练，但却对文学研究不理会历史文化背景与思维语境感到不满，转而研习历史学，印象最深刻的是研习上古史，受到李济与许倬云两位老师的启迪，思考非文献的考古资料如何展现历史生活的实况，拟想物质生活与精神文明发展的关系。回顾我大学的求学经验，对学问的兴趣，只是个人生命意义的追求，是要了解：社会的生态变化如何影响了文化思想与文艺创作，艺术审美与历史文化变迁到底对我有什么意义，又展现了什么样的文明进程。更进一步想理解，文学与艺术的杰作为何可以超越时代的限制，成为后世崇尚的不朽著作，为人类文明作出重大贡献。

我一九七〇年负笈美国，师从夏威夷大学研究中国近代思想史的郭颖颐教授，攻读历史学硕士学位，研究从晚清到民国时期的思想文化变迁，特别关注文学与社会变化的互动关系。在一九七〇年至一九七二年期间，为了满足被长期剥夺的阅读自由，几乎夜以继日，孜孜不倦，遍读美国各地图书馆能找到的五四以来的新文学材料，开始了海阔天空、不受羁绊的知识追求道路。在毫无功利的泛读过程中，我觉得周作人对晚明文学的崇尚，涉及晚明时期出现个人主体觉醒的集体意识，是中国文化转型的前兆，也就开始思考晚明文化的世界史意义。一九七二年我进入耶鲁大学攻读历史学博士学位，受到法国年鉴学派与布罗代尔研究十六世纪环地中海区的影响，兴趣转为探索晚明以来中国文化与思维的历史波折，思考早期全球化过程中世界历史重心转移到西方的变化。先是研究李贽与泉州海外贸易的历史背景，后来又研究汤显祖与晚明戏曲发展的关系，希望联系起商品经济发展、个人主体思维探索、文艺创作创新、戏剧演艺跨越不同社会阶层等课题，想借着具体的历史案例，探讨文艺审美风尚发展的文化意义。

在耶鲁大学期间，我跟随鲍默（Franklin L. Baumer）教授，认真研究十六世纪以来的西方思想史，想弄清楚文艺复兴以来西方思潮的脉络，特别关注马克思主义美学理论的现代发展，专注于卢卡奇与布莱希特对古典主义与现代主义的理论冲突，希望藉此建立一个比较文化的参照系，深入理解中国近代文化转型的结构性意义。由此接触了新马克思主义对异化与人道精神的探索，翻转了马列教条式的“经济基础决定上层建筑”观点。又因经常受到导师史景迁（Jonathan Spence）与余英时两位先生的耳提面命，开始细致考察不同历史阶段各种社会阶层的生活经历，进而思考历史浪潮中每一个具体个人的生命意义，不再以概念化的分析手段去研究历史，而是设身处地，去理解历史人物的真实生命历程。

一九七六年我第一次探访中国大陆，想亲炙我出生及研究的神州大地，居然被台湾政府视为左派异端，吊销了我的护照，使我在美国流亡二十年，直到一九九〇年底才能回台探望父母。二十年流亡的生活经历，让我深刻体会，身为中国人，要随时提防政治迫害无孔不入的霜刀冰剑，也明白了明遗民在流离困顿之中坚持的精神支柱与追求，相信只有通过个人不懈的努力，让文化种子得以妥善保存，让优秀的艺术传统得以持续，才能发挥自己生命的意义。顾炎武的生命历程，先是直接参加抗清活动，后来为了延续文化传统的元气，转为毕生从事学术研究，对我有了崭新的启发意义。王勃《滕王阁序》有句："老当益壮，宁移白首之心？穷且益坚，不坠青云之志。"讲的也是这个意思。从一九八〇年开始，我穿梭于哈佛、耶鲁、哥伦比亚、普林斯顿之间，联系各校师友，参与香港出版的《抖擞学刊》，之后更创办《九州学刊》，鼓励美国华裔学者以中文发表学术观点，整合美国的汉学研究。我生活在人文荟萃的纽约，除了在大学讲授中国文化史，研究汤显祖、晚明文化与戏曲，日常接触的是西方歌剧与各类艺术表演，同时也接触到一批修复的二十世纪三四十年代的中国老电影，又对港台及大陆的“新浪潮”电影发生兴趣，也就很自然地写起电影评论，研究中国电影的历史文化背景与人文精神。

台湾结束戒严之后，一九九一年春季我回母校台大讲授“明代文化意识史”，综合探讨明代三百年社会经济与文化意识演变的关系，全面融入一切明清文献（包括戏曲小说）与书画园林实物遗存，探索明代的生活环境与精神心态。同时也开始研究茶文化自唐宋以来的历史转折，企图厘清茶道的传承，分析茶饮的物质性习俗与精神性礼仪的关系，并由此对陶瓷茶具的物质文化与审美品位发生兴趣。一九九八年我来到香港创办城市大学中国文化中心，规划中国文化教学的新方案，策划全方位的中国文化讲座，同时自己投入茶文化、陶瓷下西洋、昆曲传承等大型研究项目，结合了文化意识史与物质文明史的研究。当今学术研究出现专业范畴过于单向钻研的偏差，使得不少学者呼吁“跨学科”

(interdisciplinary）的研究法，其实与古人强调的“文史不分家”有异曲同工之处。我认为，中国传统的人文教育值得借鉴，必须文史哲兼通，结合现代西方的实证主义探索方法，才能高屋建瓴，达到跨学科研究的理想成果。

我的问学之道是曲折的，一开始并没有清楚的问题意识，只是顺着自己的强烈求知欲望，不断追求与探索引人入胜的知识领域。人生道路不可能规划清楚，更难以避免无妄之灾带来的挫折与困顿，因此，我遭遇的颠沛流离不应该是年轻人学习的样板，也不可能作为榜样来复制。我只是坚持“天生我材必有用”，从未放弃理想与学习，相信“为己之学”，居然因缘际会，一生得到无数师友的提携，走到今天。我探索表面上完全不同的学术领域，一方面是因为自己兴趣广泛，另一方面则是隐约感到不同领域的学问，都是息息相关的，都涉及审美追求对文明发展的意义。汤显祖成长的晚明社会，文化人都有澄清天下的道德期许，然而官场现实的利欲熏心与蝇营狗苟，很容易就让人腐化，迫使汤显祖做出坚守节操的选择，开创文学戏曲的新天地。汤显祖的现代启示，和陶渊明与苏东坡的选择类似，面对自己的人生选择，是道德节操的决定，也是自己人格塑造的审美追求，与人类追求美好的理想是分不开的。中国文化在精神与物质领域的审美追求，如何在历史发展中具体展现，以及个人创造的“文化美学”贡献又如何启迪后世，是我一贯关心的问题，或许也就是串起我跨越文学、哲学、历史、艺术不同领域的“一条红线”。

我一九七四年开始研究汤显祖，或许是个“历史的偶然”，然而，四十年来我一直研究他展现的文化意义，并由此延伸出历代审美追求的课题，却是我从未间断的“为己之学”选择。我从汤显祖身上看到了中国文化的耿介高洁，从他的人生挫折学到了如何坚守文化与道德理念，从他的生花妙笔看到文人可以“立言”，可以为文化与艺术创造光辉灿烂的风景。赞颂汤显祖不畏强权、独立自主的伟大人格，是我的历史体会，也是从未动摇的文化信念。我皓首穷经，却关心人类文明的发展，希望人们浸润美好的生活环境与人生体验，学习传统中追求优美的品质，提高人们的审美品位，祛除利欲熏心的贪婪想念，让社会不再沉沦。中国文化经历了近代的天崩地解，面临信念丧失的危机，必须从历史文化的研究中重新体会古人也曾面临的危机与挑战，建立自己的独立人格与自信，才能无负于传统留给我们的文明精华。

我一直探索的近代历史进程，是从十六、十七世纪早期全球化到二十世纪的全面全球化。这个历史阶段，涉及全球经济的变化，影响东亚思想文化与物质文明的流动，更促成西方政经军事与文化霸权的兴起，统治世界达两个世纪之久，可以从各个不同角度探索其冲击东亚文明的意义。俗语说，众人拾柴火焰高，学问研究也是如此。这四百年来的世界史，因东亚文化传统转型的动荡波折，出现人类文明发展中令人瞩目的契机，是需要我们努力思考与发掘的。

四

感谢上海新华发行集团与文汇出版社，特别是《书城》杂志执行主编顾红梅女士，敦促我把近十几年所写的随笔札记与序跋文字结集成书。这些文章有长有短，大多数是读书思考的心得，也有四方游历的记录，都是我生命历程的展现，有感而发，没有徒托空言的应酬文字。也要在此感谢董桥兄邀约我为他主编的星期日《名采副刊》撰文，才有书中许多关于历史人物的篇章。至于大量的序跋，则是我在负责香港城市大学中国文化中心期间，为策划各类研究丛刊以及艺术展览图录所写，反映了我规划中国文化教学架构的想法，致力于提升大学生的文化修养与艺术品位。

这套书的资料收集整理，颇费了一番心思，迁延逾年，得感谢《书城》编辑部同仁的耐心，不厌其烦为我编排设计，以期呈现比较完整的面貌。其中《多元文化与审美情趣》，涉及茶道、昆曲、园林与人文风景的文化审美追求；《历史人物与文化变迁》，反思历史人物的具体历史处境，希望藉此探讨文化变迁展现的历史意义转变；《文化审美与艺术鉴赏》，则从具体评论学术著作与艺术展览，反映了我个人对学术文化及艺术实践的观察与期望。

至于我自题的总名“赏心乐事谁家院”，当然是取自汤显祖《牡丹亭·惊梦》中杜丽娘小姐唱的“皂罗袍”一曲：

“原来姹紫嫣红开遍，似这般都付与断井颓垣。良辰美景奈何天，赏心乐事谁家院。”汤显祖和莎士比亚一样，都是善于转化古人名句的天才，经常扭转陈词滥调为锦绣文章。“良辰美景”“赏心乐事”是古人已经用滥的词语，但是经过汤显祖生花妙笔一挥，多了“奈何天”与“谁家院”，就出现了幽深无限的曲折变化，点铁成金，气象万千。《滕王阁序》中，有“四美具，二难并”的句子，“四美”指的是良辰、美景、赏心、乐事；“二难”指贤主、嘉宾难得。典故来自谢灵运《拟魏太子邺中集诗序》：“天下良辰、美景、赏心、乐事，四者难并。”王勃用典的方式很灵活，借用谢灵运的文章，把难并的“四美”拆开来，说“四美”都已具备，又说贤主、嘉宾都已莅临，“二难”并在。本来是四美难并，经王勃一扭，成了四美俱在；汤显祖再做了一番文字扭转，就刻画入微，点出了杜丽娘生命的困惑，青春美丽易逝，不知芳华沦落谁家。

我借用“赏心乐事谁家院”作为书名，另有典故，灵感来自周作人的散文集《自己的园地》，可算是敝帚自珍，在自家后院耕耘文字，自得其乐。文章千古事，得失寸心知。

古典文人郑培凯

李欧梵

郑培凯的朋友满天下，我也是其中之一。我猜所有的朋友都有一个共同的感觉：他不仅是教授、作家，而且更是一个具有古典风貌的中国文人。“文人”这个称呼不是随便可以给的，它源自晚明，甚至更早。古时候的文人，非但学问好，而且琴棋书画样样皆通。文人和“士大夫”的区别在于：士大夫“学而优则仕”，而文人的理想不在官场，而在“文坛”。五四时代的知识分子群中，不少属于文人典型，丰子恺就是一个代表。现在又有所不同，专业训练使得不少文人进入学院，变成教授，培凯就是其中之一。他和我一样，在台大念的是外文，但他更热爱中国古典文化，所以后来在耶鲁师从史景迁教授（Jonathan Spence）和余英时教授学中国历史，博士论文题目是汤显祖。我第一次见他，就是在耶鲁校园，我陪夏志清教授参加一个学术讨论会。培凯当时还是一个研究生，但看来早已头角峥嵘，恐怕连史教授也教不下他了。至少这是我个人的印象。

于是我和培凯变成朋友。君子之交淡如水，我只有站在“边缘”遥看他从事的各种活动，偶尔也参加，例如他每年冬天移师到哈佛来举办的中国文化沙龙，请到各路英雄豪杰，聆听他们的高谈阔论，我从中获益良多，也逐渐对于中国文化传统有一份亲切感，虽然我学的是现代思想史和现代文学。

培凯是一个领导人才，在这一方面，他绝非传统文人可以比拟。因此当香港城市大学的前任校长张信刚请他主持该校的中国文化中心的计划，我双手赞成，深庆得人。十多年来，这一个中心的成就，有目共睹，不但令无数学子体会到中国文化的多彩多姿的内涵，而且这个中心也变成了香港最有意义的文化活动的中心。我家住九龙塘，和城大近水楼台，时常参加文化沙龙，和培凯的友情也由浅而深，由淡而浓，当然受惠的还是我，在此应该聊表谢意，光是他请我和妻子吃的无数餐饭，就感激不尽了。

培凯和我的背景相似，都是以外来者的身份定居香港，成为永久居民，也常在报刊发表文章，为香港文坛尽一份绵薄。最令我吃惊的是：多年来他在百忙之中竟然写出无数专栏文章，为香港的文坛植下不少中国传统文化的种子。我也做过专栏作家，知道这种文章实在难写，因为要赶工，没有时间细细琢磨文字。然而培凯的文字又如此精炼，几乎是字字珠玑，他的文体是现代的，但每一篇都洋溢着古典的情操，从《史记》到茶道，从戏曲到饮食，他样样精通。没有多年的积累，写不出这类文章。但是他哪里有时间写？我“冷眼旁观”，看他每天为各种事务奔波忙碌，每天送往迎来，为海峡两岸的各路学者专家服务，而且还要上课，开会，宴客……哪里有时间写文章？直到最近，他的贤内助鄢秀才透露一个秘密：他每天清晨四点钟就醒了，于是起床写文章。看来他和拿破仑一样，每天只需要四五个钟头的睡眠。相形之下，我们这些朋友都变成“懒困猪”了。

培凯最近从城市大学退休，不但恢复自由身，也使得他有更多的时间从事他最喜欢的文人爱好——书法。培凯的书法与众不同，其他书法家练得一身武功之后，就禁不住露其“体”(style)，有时候反而弄巧成拙，因为尚欠火候。而培凯多年来练书法，却是来自“抄书”。别人喜欢写大楷，他偏偏喜欢小楷，而且字迹工整，不随便炫耀，然而也因此独树一格。他的朋友圈，每年都会收到他寄来的“贺岁诗”，不是抄诗，而是独创，不是文言，而是白话，不是电脑打字，而是亲笔书写。我视为珍品。培凯也是一位现代诗人，在诗中流露的是一股现代知识分子的情操，感时忧国，偶尔也自我调侃。他的亲笔书写，代表的是一种“文如其人”的古风。他自己告诉我：他上课时所用的powerpoint也是他亲笔写出来的。以书法来驾驭无处不在的科技，也真是一绝。

在这个科技挂帅的时代，金融统治的社会，做一个古典文人的意义何在？郑培凯为我们树立一个独一无二的榜样。

目 录

陆羽与茶道审美

今天来跟大家讨论讨论陆羽与茶道，特别是从唐代起通过饮茶所发展出的审美观，涉及了非常有意义的文化现象。关于茶的历史资料，我是很偶然进入的。我一直在美国教书，一九九一年我回到我的母校台湾大学教明代文化意识史，探讨社会经济演进与人们心理意识变化的关系。那个时候台湾发展茶室文化，提倡品茶，希望借着喝茶审美，从中体会中国传统文化。有一位朋友说，日本人发展茶道，我们中国人也可以发展茶艺。我就说，道和艺之间是有区别的，道涉及形而上的思考、文化价值的思考，“茶艺”，只会引向技艺方面的提升，层次是比较低的。他说，你学历史的，请你去找点茶文化资料，整理整理，让我们知道中国历代到底是怎么喝茶的。给他们这么一激励，我就去整理了有关茶的历史文化。

我做的这些研究，是研究茶的历史文化，研究茶饮文化的历史进程。本来只是为了厘清历代饮茶方式的不同，解释茶道发展的原因，说明为什么其中出现了审美意识，影响了中国人的生活美学。没想到一发不可收，出了很多跟茶有关的书，有的大陆出了简体字版，有的大陆没出版。在二〇〇〇年左右，我跟南京农业大学的朱自振先生一起做中国历代茶书校注，包括散佚的，一共有一百一十四种，做了全面的、世界性的普查，校注了各种存世的版本，在二〇〇七年出了《中国历代茶书汇编校注本》上下两册。这个工作我们带着一个团队，整整做了六年，需要一些助理去全国各地图书馆查一些孤本，或者是秘而不宣的珍本，再进行校对。这套书到目前为止，应该是资料最好用的书。很可惜，在大陆不是很好买，因为是香港商务印书馆出的。时常有朋友说，可不可以帮我买一套，我又不好意思，只好买了送他们，很贵。后来我就跟香港商务印书馆说，你们还是应该跟大陆出版社安排安排，在大陆出，结果因为版权及版税

《撵茶图》 宋　刘松年

没谈拢，到目前还没出大陆版，只能网购。去年朱自振先生通知我，广西有一对父子剽窃了这套书，删削改编出版了简体版，气得他要到法院提告维权。这套书涉及很多学术、校注的问题，立论比较审慎，而且编辑得体，删削了大量重复数据，又标明重复引述的来源，很好用，最近印行了第三版，虽然算不上畅销，倒是本长销书。

《茶书隽语》这本书就把历代跟茶有关系的精粹语录摘录出来，是从《中国历代茶书汇编校注本》里面选出来的；《茶道的开始》这本书大陆出版了，原先是我为台湾出版社写的，价钱不菲，后来他们把版权卖给了海豚出版社，出了简体字版，很便宜，才二十块钱；香港艺术馆的分馆茶具博物馆，收藏了很多历代茶具，我帮他们办了一个展览，出了《茶饮天地宽》这一部书，基本上是带有说明的图录；《茶与中国文化》是一本学术研讨会的论文集，广西师范大学出版社出版，分成三大部分：一部分是茶的历史文化；一部分是茶科研，是研究茶的生物学、生化学，研究茶多酚、氨基酸等等东西，我不是很了解，有一位农业科学院的陈宗懋院士负责那个部分。还有一部分就是茶产业，现在茶叶生产销售成了一个很大的产业，在二〇〇七年的时候，茶产业才刚刚开始起飞，就有一些论文探讨茶产业发展的前景；《茶香与美味的记忆》这本书，是我为台湾出版社写的，最近好像是吉林文史出版社出版了一个简体字版。内地出版这些书的情况，我不是很了解，都是出来以后朋友告诉我的，也就是说，是我被人“转卖”之后，才有人来通风报信，说给人“卖掉”了。

我们讲茶文化，讲到头来，最了不起的，在人类历史上开创了茶文化深刻内涵的，就是陆羽先生，因为他写了一部《茶经》。这部《茶经》是在唐代写的，其中特别说到：“茶之为用，味至寒，最宜精行俭德之人。”他讲茶的功用，先讲了茶的药用。从古代一直到唐朝，茶作为一个可以解毒的药物，是大家都认识的。可是，再下一步，陆羽提出的东西就很特别，说，最宜精行俭德之人，这完全是精神境界的价值判断，给茶赋予了道德意义，这是陆羽提出，并且一直强调的。从此之后，我们就发现，许多喝茶的人，都跟陆羽一样，不断讨论茶跟人品的关系，使得茶不再是简单的饮料。现在我们总不会说喝可口可乐，最宜道德高尚的人；或者，你现在写一部《可口可乐经》，千年以后的人都听你的话，变成了一个文化传统。从这个意义上来说，陆羽创造了历史文化的一个新的脉络。喝茶，本来是喝饮料，或者是喝药，对身体比较好，他却引出了精神境界与品格的考虑。

一般都说，陆羽姓陆，名羽，字鸿渐，其实这并不是父母给他的名字。陆羽、陆鸿渐，大概是他长大以后自己命的名，就跟他自号桑苎翁的情况相似。陆羽是一个弃婴，他的父母是谁，我们不知道，他诞生在湖北竟陵，生下来以后被丢在寺院旁边的水滨，老和尚把他收养了。他应该有他的法名，后来没有真的受戒，跑掉了。他的名字来自《易经》第五十三渐卦，“鸿渐于陆”，说是鸿雁降落在陆地上。然后，他就把陆变成他的姓，羽毛的羽，变成他的名，字鸿渐。你真要问陆羽到底姓甚名谁，我们只好说不知道，只能说他是竟陵人，因为寺庙在湖北竟陵。这个弃儿真的很了不起，从唐朝到现在，一千多年，人类的日常生活和审美取向都被他所影响。现在全世界人都喝茶，而且有各种各样的喝法，喝茶被赋予了很多修养与审美的意义，不单单是口感享受，还有另外的丰富文化意义，这都跟陆羽有关。

陆羽说：“茶之为用，味至寒，最宜精行俭德之人。若热渴、凝闷、脑疼、目涩、四肢烦、百节不舒，聊四五啜，与醍醐、甘露抗衡也。”形容茶像醍醐，好到这个地步。醍醐是什么东西？现代人都不知道了，但是唐朝人很知道的，这是佛教从印度传来的词。在印度，浴佛的时候在佛头上浇酥油，那就是醍醐。现在写武侠小说的不懂，大谈醍醐灌顶，是说老师父按着年轻人的头顶，像输液一样，把毕生功力灌注过去。其实醍醐灌顶的本意，是用醍醐敬佛。醍醐是用牛乳打出奶油，奶油再打出 cream，就是醍醐，最精华的东西就是醍醐。陆羽的贡献，就是把原来只有物质性作为饮品的茶，提升到带有宗教联想的玄思领域，像佛教的醍醐与道教的甘露，成为精神境界的导引，给人类提供了一个茶道的开始。茶道的意义就在此。日本人经常讲的茶道，也是从中国学来的，有学问的日本茶道大师都知道。可是一般人，尤其是欧美人士，说到茶道，就说是日本文化的精髓，以为与中国文化无关，真是莫大的误会。日本学习中国茶道，主要是唐宋时期。唐朝就开始学，到宋朝的时候，是非常系统地把整个仪式学过去了。日本学了之后，有一些在地的独特发展，形成日本茶道的特色，可是，万变不离其宗，基本的茶道精神和仪式是陆羽创造的。

陆羽《茶经》很有意思，把种茶、制茶、喝茶、茶具、品茶，都当作学问，写得清清楚楚，有很多规矩是他自己总结创造的。唐朝中叶的时候，喝茶的习惯已经相当普遍，不仅限于西南、华中、江南地区，甚至从中原传到了塞外。陆羽总结了历代喝茶的经验，提升了喝茶的道理，写了这本书。他最了不起的，是创造了二十四种茶具，规定了喝茶的仪式，并且赋予其文化与审美的意义，使得饮茶成为一种愉悦的文化修养过程，可以提升饮者的精神境界。

自古以来，喝茶大概有三种方式。远古的时候，应该是生煮羹饮，把茶叶摘了，煮成汤，喝茶就跟喝菜汤一个道理。古人发现，茶有药用，有提神的作用，喝了之后，让人比较舒服等等，但是苦涩，所以称之为“荼”，就是一种苦菜。生煮羹饮这个习惯，到了隋唐时代就慢慢消失掉了，但是不代表没有，很多偏远的地方，依然有这个方法。第二种就是制团研末，为了保存摘下来的茶叶，就制成茶饼、茶团，有点像今天的普洱茶的制作法。古代保存的方式，还糊上米膏，或封上蜡。喝的时候，把外层刮掉，研成粉末，然后是煮，或者是调成茶膏，打成茶汤。我们发现，日本茶道的主流，还是所谓的制团研末。他们现在制茶，干脆就研成茶末，称之为抹茶。制团研末之法，大概始于魏晋南北朝时，隋唐大盛，宋朝走到顶端。日本在唐宋时期向中国学习佛法、茶道，抹茶就是这个时候传到日本去的，变成日本茶道的主流。日本茶道传统，继承了宋代的寺院茶道，基本上没有变，沿用至今。第三种饮茶方式是芽叶冲泡，把茶叶从树上摘下来，晾干，杀青，炒青，揉捻，烘干，用开水冲泡，这是我们现代中国人最主流的喝茶法。芽叶冲泡法成为主流，而备受文人雅士欣赏的时期很晚，是明朝建立以后的事。

陆羽的《茶经》大约是在八世纪中期出现的，《茶经》的出现是划时代的。以文献的有无来划分，《茶经》划分了茶的史前史和历史期。陆羽之前，没有这样的系统调查研究与记录，没有通盘探讨饮茶文化意义的专著，只有零散的文献记载，就是所谓的史前史。讲到喝茶的史前史，人类到底是什么时候开始喝茶的，我们并不知道。《茶经》说茶是神农发现的，当然是引述传说。神农是传说人物，你说是神农发现的，就等于说，我不知道是谁发现的，反正是了不起的文化英雄发现的。传说神农尝百草，乱吃，吃了毒草，后来吃茶，才解了毒。我们讲历史，没有历史证据，就不好这么说，只能说，传说神农发现了茶。而茶的原产地在哪里，这是古生物学家可以告诉我们的，野生茶原产地是在中缅印这一带。在中国西南、滇缅边境，以及孟加拉国的东北角，有野生的古茶树。不过，野生茶与喝茶的历史是两回事。我们知道，所有的植物，包括五谷杂粮，都有野生的物种，远比人类出现要早，你总不能说，饮茶的历史要追溯到恐龙时代吧。讲茶文化、茶饮历史，重要的，是在于人工采集、种植、栽培，人怎么发现、怎么驯化、栽培。我们发现，全世界没有一个民族，像中国人这样，最先把茶种植、驯化、栽培，变成一种饮料，成为经济作物。人工栽培的最早产地，可能是在巴蜀。近来浙江有一个考古发现，在新石器时代的遗迹中有一种植物很像茶，到底是不是茶，还在争论。日本提供的初步检测，认为很像茶，既然在人类居住地区发现，会不会浙江在远古时期也有茶呢？按照现有的考古资料以及上古文献，我们觉得可能性不太大，不见得就是人工栽培作为饮料的茶。

有很多历史资料说到，茶成为作物，是从西南地区开始的。也有考古分布资料的迹象，在长沙马王堆西汉墓，发现了墓葬里面陪葬了“槚一笥”，就证明墓主人是会喝茶的。湖南地区在西汉的时候，在贵族中喝茶已经很普遍了。一直到魏晋南北朝，都是南方人喝茶，北方人不喝茶。茶的历史传播轨迹，显然是从巴蜀，一直沿着长江而下，繁衍到太湖流域。这也就是陆羽《茶经》开篇就讲的“茶者，南方之嘉木也”。

唐朝皮日休曾说，唐朝以前喝茶，都是生煮羹饮，跟喝菜汤没大区别。制作茶饼，应该始于三国时候，但不是很普遍，到了隋唐的时候，才蔚然成风。陆羽写《茶经》的时代，饮茶已经成为全国风尚，有些明显的迹象。第一，不但北方人开始喝茶，饮茶习惯还传到塞外，包括青藏高原地区。唐朝与吐蕃人有许多来往，吐蕃人也喝茶，而且有明确记载，说吐蕃赞普懂得喝高档名茶。第二，茶马贸易的发展，显示了茶作为大宗经济商品，在国防与外贸方面扮演重要角色。中国不大产马，马都在塞外，就用茶来换马。第三，唐朝设立了专管茶业的机构与制度，有茶政，收茶税，显示茶有重要的商品经济价值，已经纳入政府税收。另外一个很重要的迹象，是禅寺普遍饮茶，也成为民间宗教生活习俗的组成部分。佛教在中国发展出禅宗，可算是中国式或中国化的佛教，特别讲究开悟与坐禅。禅教大兴是在唐朝，特别是唐朝中叶的时候，禅宗已经遍布全国。禅宗打坐，最重要的是灵台空静，但是，不想什么事情，坐在那里，很容易就睡着了。禅师发现，和尚打坐经常打瞌睡，特别是小和尚，叫他打坐，过一会儿就睡觉了。打坐而又不能睡觉，那怎么办？禅师发现，喝茶可以提神，打坐就不至于昏睡，所以禅宗寺庙一律喝茶。寺院喝茶还发展出一些寺院仪式，所以禅宗的传播，使得饮茶在全国传播，还连带散布一些宗教的规矩与仪式。茶叶变成经济贸易大宗，饮茶成为人们生活的日常习惯，至少在唐末已经出现“柴米油盐酱醋茶”这样的说法。陆羽写《茶经》的时代背景，就是喝茶已经是很普遍的社会生活一部分，而陆羽的重要性，就在于他总结了历来一切喝茶的经验与规仪，创造性地转化成一套文化审美系统，开创了茶道。

根据陆羽自传及《新唐书·陆羽传》，我们知道，陆羽是个弃婴，是湖北竟陵龙盖寺智积和尚在寺外的水滨捡到的。他在庙里长大，却不喜欢读佛经，喜欢读“儒典”，显然与老和尚的预期不同，有点离经叛道。我觉得，陆羽说的“儒典”，可能不只是“儒家经典”，而是佛典以外的中国典籍。他从小在寺院里面长大，不喜欢读佛经，看来是不想当和尚，就跟老和尚有很多冲突，冲突就使他逃家。他是一个出家人，居然还要“逃家”，当然是因为受不了寺庙的封闭性宗教生活，这反映了陆羽的性格有其叛逆的一面，想要海阔天空，任他鱼跃鸢飞。老和尚想尽一切办法，没能约束住陆羽，到最后，他终于逃跑成功，流浪天涯。他参加了一个戏班子，这也说明陆羽是个有艺术才情的人，后来做了“伶正”，也就是我们现在说的剧团编导，带着戏班子到处跑，所以陆羽是一个在全国各地流浪的艺人。他很聪明，终于被一位郡守发现，留下了他，给他读书进学的机会，奠定了他发挥才学的基础，开始了士大夫文人的高雅追求。

陆羽的学问很好，而且知识面很广，但是没有功名。唐朝社会，不但讲功名，还讲出身、讲家世，是个贵族集团掌权的时代。一直到安史之乱之后，世家的力量才慢慢削弱，科举的力量才慢慢起来。到了宋朝，科举制度才变成主流。唐朝沿袭魏晋南北朝制度，世族力量非常大。陆羽出身低微，全部靠自己努力，逐渐进入上流社会。当时很多人觉得陆羽有才，很了不起，愿意跟他交往。物以类聚，他交的朋友不但有学问，对艺术审美都有兴趣，像皎然、颜真卿等。

陆羽写过很多著作，绝大部分都丧失了，只有一部《茶经》，完完整整留存了下来。显然大家都觉得这部书写得好，在当时广为流传，产生了巨大影响。到了唐朝晚期的时候，已经有人称呼他为茶神、茶圣，而且在当时的茶肆中还供奉陆羽的瓷像，使得卖茶这个行业以陆羽作为行业神了。茶肆每天都要用茶水浇在瓷像的头上，就是把浴佛礼俗的醍醐灌顶，转为浴茶神陆羽，可见当时人对陆羽开创茶道的崇敬。

陆羽写《茶经》，有意识地融合了儒释道的精神，发展出茶道的文化审美追求。陆羽很有艺术细胞，而且在审美的体会上，境界也很高。他设计了一个风炉，模仿古鼎的形式，上面要有五行八卦，就是要跟自然合拍，又能继承历史文化。他在创制茶具的构思中，就把喝茶这个形而下的物质生活，提升到了形而上的精神追求。他强调了一些文化因素，跟文化传统儒释道的精神很接近，例如中庸、和谐、主敬这类的超越性追求。陆羽的《茶经》并不长，一共有十节，先讲茶的性质，这是属于植物学及植物分类的，然后讲采茶的方法，怎么辨别茶树的好坏，再列举烹茶、喝茶的器具，再告诉你怎么制茶、烤茶，必须要把茶烤了才能研末的。他还提出了茶和水的关系，他是很早写《水品》的人，可惜那本书已经散佚了。他讲到饮茶的精粗之道，把古籍文献中能看到的茶饮资料，都列举下来，提供了中国茶饮的历史概要。他还说了各地的茶产，等于绘制了唐代茶业经济的地图。由于他行踪遍布全国，到各地区探访植茶、制茶的情况，以实际考察的具体经验，知道哪里产什么茶。《茶经》还要求，茶室里面要挂一幅画，或者是展示茶饮的道理。你到日本的茶室，里面一定会挂一幅字，或者插画，衬出文化的氛围，有人说是武野绍鸥的创始。其实，对于饮茶环境与氛围的要求，结合文化审美精神，陆羽早就提到了。

我觉得《茶经》对茶文化最重要的影响，可以归纳成四点：一个是审美感觉的整体性与统一性。他讲得最具体的是茶碗，也就是喝茶最重要的器具，然后延伸到其他的茶具环节。陆羽的《茶经》不但规范了饮茶的道理，还对中国传统品鉴瓷器，产生很大的影响。喝茶要用瓷器，茶碗是很重要的，茶碗的审美就必须配合饮茶，这就影响到了对瓷器好坏的评鉴。他关注的重点，不完全是瓷器的本质区别，不是青瓷本身比白瓷好，而是强调喝茶的时候，青瓷比白瓷好，因为青瓷的釉色配合茶汤，给饮茶者提供的视觉美感经验，可以联想到青山绿水，可以感受大自然的色泽，可以由此体会天人合一的境界。有趣的是，这个对茶具审美的判断，却长期影响了中国对瓷器的评鉴，把本来是陆羽发展出来的一种特殊饮茶审美标准，变成了评鉴瓷器品第高低的普遍准则，放之四海而皆准，使得越窑青瓷在中国瓷器史上独占鳌头，品第第一。

第二，陆羽讲到了择水与用火，讲究“活水”与“活火”。“活水”容易理解，就是自然界流动的水，流动就清澈，就“活”，就不是一潭死水。苏东坡贬谪到海南，曾写过一首《汲江煎茶》：“活水还须活火烹，自临钓石取深清。大瓢贮月归春瓮，小杓分江入夜瓶。雪乳已翻煎处脚，松风忽作泻时声。枯肠未易禁三碗，坐听荒城长短更。”其中提到的“活水”与“活火”，讲的就是陆羽提出的道理。不过，陆羽所说的“活火”比较复杂，除了苏东坡诗中讲的煮水用活火之外，其实还有另一个意思，就是烤茶时所用的“活火”。煮水的活火，要掌握火势的均匀，不可一下子猛烈，一下子消微，目的是掌握水温的平稳上升。在陆羽的时代，烹茶多用煮茶法，要求水沸三次；到了苏东坡的时代，烹茶用研末调膏注水法，则要求水沸达到“蟹眼方至，鱼眼未到”的标准。烤茶的活火，则反映唐代的主流喝茶方式的特殊程序，是制团研末法的茶饮讲究。因为茶团保存不易，受潮之后影响茶汤的色香味，所以在研末之前，需要用“活火”把茶团烤透，使得内外干燥均匀。

第三，陆羽还强调茶的本色。茶本身就有自己的色香味，不要乱加东西。他在《茶经》中说得很清楚：“有人用葱、姜、枣、橘皮、茱萸、薄荷之类，和茶一起反复煮沸，或扬弃杂质令其清，或煮掉泡沫来喝，这都无异于沟渠里的弃水，居然还一直成为习俗。”陆羽批评唐朝当时饮茶的习惯，认为乱放各种佐料之后，无异于喝阴沟水，骂得也够凶的。自从陆羽发展茶道审美之后，中国精英阶级喝茶，从来都不添加香料与果物。高雅之士一直尊重陆羽《茶经》的指

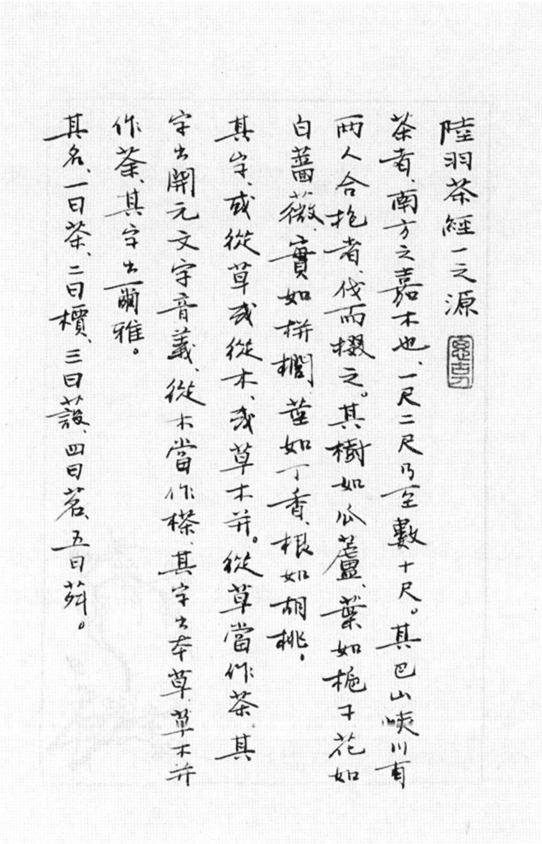

郑培凯书法作品 《陆羽茶经》（局部）

示，从蔡襄、宋徽宗到明朝的文人雅士，都是遵循茶有本色的规矩。可是老百姓喝茶并不如此，喜欢里面放各种东西，像宋代茶肆卖的七宝擂茶，什么都放。到了现代，我们的老百姓喜欢标新立异，发展各种各样的喝茶方法，从英国奶茶到丝袜奶茶，从泡沫红茶到里面有青蛙蛋的珍珠奶茶，花样百出。可是中国传统的茶道审美，主流一直是讲究茶本身的真香、真味、本色，是崇尚简约之美的。

第四，陆羽说“茶性俭”，讲求质朴，强调俭朴之美，发展出简约哲学。《茶经》说“茶之为用，味至寒，最宜精行俭德之人”，我译成白话文，就是：“茶之为用，因其性寒，最适合品德端正俭朴的人饮用。”这是有史以来，第一次有人把饮茶提升到道德伦理的精神领域，而且强调其苦涩清澹的本质，赋予茶饮简朴平淡而又端正肃穆的品位，开创了延续至今的茶道。从唐朝后期，一直到宋元明的通俗文学中，都有人以茶与酒的差异，专门写了文章，来讨论饮茶与饮酒反映了截然不同的人际处境与性格，很有意思。在敦煌的资料里面，我们看到《茶酒论》，把茶跟酒拟人化，作为人物角色互相褒贬。茶列举自己的优点，酒也不甘其后，自夸好处。茶说，我可以让人们脑筋清醒，修身养性；酒说，我可以促进朋友之间的感情，带来欢乐。吵来吵去，很有意思。在通俗文学传统之中，茶与酒所表现的人际关系，不断出现在宋元明的小说戏曲里面，成了中国人的集体潜意识，对茶与酒的功能有了典型化的认识。好茶的人多为清修之士，追求精神领域的精进，修持自我内在的品德；好酒之人则任性纵情，沉溺于世间肉体的欢乐，甚至可能有纵欲的倾向。

我觉得这四个方面很重要，都产生了长远的文化影响。陆羽的重要性就在于，他开启了茶饮之道，立下了规仪，指明了发展的取向，赋予文化审美的意义。之后所有的茶道的演变，都万变不离其宗，不管是唐宋宫廷的茶宴，士大夫点茶斗茶，或者是寺庙里面的饮茶规仪，明清文人清雅茶局，日本茶道的一期一会、茶禅一味，都是来自陆羽的茶道精神，一脉相承，只不过在不同时空中，各地会有相应的变化而已。

我要特别讲讲茶饮与审美统一性的问题，因为这涉及了陆羽审美思维的全面观照，还考虑到了感官认识的心理活动，如何与自然协调，达到天人合一的境界。陆羽《茶经》最明显的例子，是讲茶汤跟茶碗的关系，讲的是味觉、嗅觉、视觉的审美统一性，也就是饮食审美所说的三大要素：色、香、味。

唐朝饮茶所用的茶碗瓷器，最著名的是南方的越窑青瓷与北方的邢窑白瓷。越窑青瓷出产在今天浙东的慈溪、上虞这一带，最重要的是上林湖区，这个湖旁边都是瓷窑，现在已经变成国家重点文物遗址围起来，除了进行考古调查与发掘，一般人进不去。我曾去上林湖区做过调查，发现那个地方遍布了从东汉到北宋的瓷窑，湖边散布着瓷片，有一些烧坏的瓷器、匣钵、垫饼，有些瓷片闪烁着耀眼的青釉，色泽与后来的龙泉窑相类似。在北方，邢窑烧的是白瓷，晶莹雪亮，直接影响了定窑的工艺，是非常好看的雪白色瓷器。唐代还有很多窑烧造茶具瓷器，如浙江金华一带的婺州窑、安徽淮南一带的寿州窑、江西丰城一带的洪州窑，以及湖南湘阴一带的岳州窑。但是这些瓷窑的产品，质地比起越窑与邢窑就差，不是一个等级的，入不了品茶行家的青眼。

特别有意思的是，陆羽把南方的越窑跟北方的邢窑作比较，他说：“若邢瓷类银，越瓷类玉，邢不如越一也；若邢瓷类雪，则越瓷类冰，邢不如越二也；邢瓷白而茶色丹，越瓷青而茶色绿，邢不如越三也。”他把当时最好的瓷器作了比较，给了三条理由，从瓷器本身来看，这是很奇怪的，但是从当时饮茶的具体情况来看，他强调“青则益茶”，认为青瓷才能配合饮茶的审美感受，却有其道理。南朝时期的越窑青瓷，青中发黄，还有点褐色，还达不到唐代之后的青绿色，过去大家推想这就是文献中提到的“秘色瓷”，但是没有实际的证据。法门寺地宫出土的唐僖宗供佛的茶具，以及随带的账册，明确记载是“秘色瓷”茶具，才让我们确定秘色瓷就是越窑青瓷，慈溪、上虞这一带，在上林湖区考古发掘的越窑青瓷，有完整器，更有大量碎瓷片，与法门寺地宫出土的秘色瓷完全相同，可以证实唐代皇室所用茶具就是越窑青瓷。在浙江博物馆以及新建成的慈溪博物馆，就能看到一大批越窑的青瓷，的确是釉色精美。然而，邢窑白瓷的制造工艺十分高超，瓷色雪白，造型也精美，为什么陆羽强调，邢窑不如越窑呢？

陆羽说，邢瓷非常漂亮，像银器一样，白色的，可是不如越瓷，因为越瓷像玉一样，银不如玉。这么一比，就不得了了。越窑的瓷器上了釉，釉比较厚润，跟玉比较接近。中国人从古以来对玉都有特殊的爱好和尊敬，如果把玉和金银相比，从来都是觉得金银属于次等。玉为美石，是君子佩戴的，所以自古以来就把美石比作君子，而金银是比较次的东西。这一直到汉朝都是非常清楚，玉是属于王侯贵族的饰物，老百姓不准佩玉的。现在的考古发掘，在很多汉墓里面发现金缕玉衣、银缕玉衣，有许多墓都被盗过，金缕银缕都没有了，玉片却都还在，因为老百姓拿着玉也不敢用，偷了没用，可是黄金可以融化，查不出是赃物。玉是给王侯贵族的，属于君主统治阶级的，老百姓哪儿可以用玉啊！大家从小也听过和氏璧的故事，卞和弄了一块原石，说是美玉，君王都不相信，把他的腿都砍掉了。华夏民族这一点很有趣，贵重无过于玉，以美玉比拟君子。到了今天二十一世纪好像还是这样，大家还是把玉看得比金银高太多了，这也是中国文化传统，是在潜意识里面对珍宝的态度。陆羽说，邢瓷类银，再漂亮也比不上类玉的越瓷，只从瓷器工艺而言，似乎不成理由，但是放在文化意识脉络里，邢瓷再美，也输越瓷一筹，因为越瓷让人联想到君子如玉。

第二，他说，邢瓷类雪，越瓷类冰。越窑上了釉之后，釉色厚润晶莹，就像结了冰一样，发亮的，是水的结晶体。要说冰比雪高一个级别，虽然是一个很奇怪的理由，但也是一个理由，是一个审美的选择。第三个理由，才是真正有客观理由的，“邢瓷白而茶色丹，越瓷青而茶色绿”。唐朝人做的茶，先做成茶饼、茶团，再弥封起来，喝的时候刮掉外层，因为怕它湿干不匀，要用火烤，烤透了才能碾末使用，茶到了这个时候其实已经是暗红色的。倒进锅里烹煮之后，再盛到茶碗里面，如果使用白色的茶碗，茶色呈暗红色，发乌，不太赏心悦目。如果倒进青瓷碗里面，茶色是绿的，就像大自然的千峰翠色。陆龟蒙写过一首诗，讲秘色越器，写的是越窑的瓷器，“九秋风露越窑开，夺得千峰翠色来”。这就是越窑青瓷，说茶碗里面蕴含了千峰翠色，这当然是诗的想象，但是很重要，非常形象地说出了越瓷在饮茶过程中提供的视觉美感，是唐朝家喻户晓的道理。近三十年考古发现，如法门寺地宫出土的皇帝喝茶的茶具，就是越窑青瓷，符合陆羽的标准。

很多年以前，我们开过一次学术研讨会，一位国家一级品茶师和我讨论。我讲陆羽喝茶强调越窑青瓷胜过邢窑白瓷的道理，他就不高兴，跟我争辩。他说，我们现在品茶，用的都是白瓷碗，才可以看到茶汤真正的颜色。若用青瓷，茶色都掩盖掉了。我说，我讲的不是二十一世纪，我讲的是八世纪，是陆羽的时代，那时候制茶的工艺与现代不同，没有达到现在的水平，茶色是比较昏暗发红的，不像现在有各种未发酵与各色等级的发酵茶，茶色从嫩绿、鹅黄，到淡红、红褐，可以用纯白的茶碗辨明茶汤。时代不同，是有一个历史的进程。他坚持，茶就是茶，古代的茶与今天的茶都一样，好茶的汤色就是好，劣质茶汤色就不好，要看就看茶汤，看茶汤就只能用白瓷碗，青瓷绝对不行的。陆羽的说法全无道理，陆羽不懂茶！我这才知道，原来有人只懂自己的专业，完全不懂历史文化，不懂任何专业知识都有一个历史的进程。品茶师讲的道理，是二十一世纪的道理，完全不顾历史发展的进程，厚诬古人。陆羽当然不是二十一世纪的人，不知道今天的科技发展，现在做茶花样繁多，茶具五花八门，品评汤色的标准也大有发展。可是别忘了，陆羽的时代是陆羽的时代，距今一千多年，品茶的客观条件与今天不同，何况他是茶具与茶仪的创始人呢。在陆羽心目中，通过“夺得千峰翠色来”的青瓷茶具，饮茶可以带入一种心境，与大自然融为一体。他在《茶经》中指出，岳州瓷、越瓷都是青的，“青则益茶”，这是他的基本判断标准。

前几年在湖南湘阴岳州窑考古，发现了一只青瓷褐彩茶碗，这个茶碗很有意思，上面有两个字，写的是“茶碗”。茶碗就牵涉到了“茶”字出现的问题，茶字我们现在常用，但是“茶”这个字，唐朝之前是没有的，《说文解字》里面就没有茶字，但是有荼字，表示什么呢？在古代，茶还没有成为一个独立的概念类别，它跟荼（苦菜）是同一个字，也就是属于苦菜的一种。到唐朝的时候茶就独立出来，跟荼分开了，出现了“茶”这个字。有人说陆羽发明了“茶”字，其实不是的。我们有资料证明，《开元文字音义》明确标出“茶”字，可知在陆羽之前就有茶这个字。顾炎武在《日知录》里也说，茶这个字在唐初就出现了。也就是说，到了唐朝的时候，茶饮越来越普遍，成了日常生活的要素，普遍到必须要有一个单独的字来示意，不能再含糊笼统地称之为“荼”了。

除了对茶碗的规制提出审美标准，陆羽对饮茶所涉及的器具，在创制上也有诸多要求。他在《茶经》中详列了这些茶具的制作方式，并且连带赋予文化意义，以符合茶饮的仪式性规矩。陆羽创制的茶具，在当时影响很大，成为唐代后期饮茶的必备器具。在陕西扶风法门寺地宫的出土文物中，我们看到了一大批唐僖宗供佛的茶具，基本都符合陆羽《茶经》所列的规制，可见晚唐皇室饮茶已经采用了陆羽创制的

法门寺地宫唐代壶门座高圈足银风炉

器具，饮茶的程序也就按规按矩，会遵循一定的仪式。伴随地宫文物一起出土的，还有一本账册，记载了每一件文物的名称，所以我们可以作为依据，与陆羽《茶经》一一对照。

法门寺地宫出土了一件鎏金的银风炉，上面有八卦图形。陆羽《茶经》“四之器”对风炉制作，从外形到铭刻文字与纹饰，有极为详尽的描述：

> 风炉，灰承。风炉以铜铁铸之，如古鼎形，厚三分，缘阔九分，令六分虚中，致其圬墁。凡三足，古文书二十一字。一足云“坎上巽下离于中”，一足云“体均五行去百疾”，一足云“圣唐灭胡明年铸”。其三足之间，设三窗。底一窗以为通飙漏烬之所。上并古文书六字，一窗之上书“伊公”二字，一窗之上书“羹陆”二字，一窗之上书“氏茶”二字。所谓“伊公羹，陆氏茶”也。置墆臬于其内，设三格：其一格有翟焉，翟者火禽也，画一卦曰离；其一格有彪焉，彪者风兽也，画一卦曰巽；其一格有鱼焉，鱼者水虫也，画一

卦曰坎。巽主风，离主火，坎主水，风能兴火，火能熟水，故备其三卦焉。其饰，以连葩、垂蔓、曲水、方文之类。其炉，或锻铁为之，或运泥为之。其灰承，作三足铁柈抬之。

陆羽讲的风炉，是以铜铁制成，而唐代皇室所用风炉，则是鎏金银胎的器具，其间的差异，显示了皇室用具的豪奢与尊贵，但是器形却基本仿照陆羽的规制，没有什么不同。《茶经》对风炉的制作规定得很清楚，要把风炉的功能设计，显示出五行八卦，符合天地自然运行的象征要素。风炉造型模仿古鼎，鼎有三足，于是风炉也有三脚，每只脚上刻有七个字，共二十一个字。其一云“坎上巽下离于中”，刻的是八卦，符合天地自然现象；其二云“体均五行去百疾”，表示五行相生相克，可以通过茶饮而祛除百病；其三云“圣唐灭胡明年铸”，则是标明风炉这种茶具的创制年代，明确显示陆羽要昭示自己的发明版权，相当于现代人强调要尊重“智慧产权”一样。

他还说了这个风炉要有三扇隔窗，每一扇有两个古文字，一共六个字，就是“伊公羹，陆氏茶”。这个设计也可以看出陆羽对自己的期许，从中显示自己创制茶具的历史地位，希望能够媲美伊尹。陆羽拿自己跟伊尹对比，似乎有点自抬身价的意思，但也明确表示，自己创制茶具、提倡茶道，意义并不止于如何喝茶，而是希望饮茶有道，能够对社会文化产生重大影响。伊尹是厨师出身，靠烹饪起家，受到重视，而能辅佐商汤，安邦定国，成就一番伟大的事业。陆羽以之作为榜样，当然是见贤思齐，反映了自己创制茶器的骄傲，有着很高的心气。

法门寺地宫还发现了一个鎏金鸿雁流云纹银茶碾子，是把茶饼碾碎的器具。唐朝人饮茶的习惯，是先把茶饼掰碎，再放入碾中磨成粉末，然后才烹制茶汤。饮茶的程序，像我们现在喝普洱茶，拿到一块茶饼要先掰开弄碎，才好泡制茶汤，只是唐代还要碾成茶末，像日本人喝的抹茶。因此，茶碾是必要的茶具。按照陆羽《茶经》，茶碾的制作也是有规范的：

法门寺鎏金鸿雁流云纹银茶碾子

碾，以橘木为之，次以梨、桑、桐、柘为之。内圆而外方。内圆备于运行也，外方制其倾危也。内容堕而外无余。木堕，形如车轮，不辐而轴焉。长九寸，阔一寸七分。堕径三寸八分，中厚一寸，边厚半寸，轴中方而执圆。

陆羽说的茶碾是木头做的，质地虽然有讲究，但简朴适用，不求华丽，而法门寺出土的是“鎏金鸿雁流云纹银茶碾子”，精美异常，极其贵重，符合皇家身份，但其基本形制与构造，和陆羽所说的是雷同的。

陆羽《茶经》还讲到“罗合”，是碾茶之后所需的茶具。茶饼碾完以后，茶末并不均匀，要放在茶罗里面筛，筛出来的茶末就很均匀，可以盛在盒子里，以备烹煮。在法门寺地宫里面发现了“鎏金飞天仙鹤纹壶门座银茶罗子”，是鎏金银胎的贵重茶器，背后还有很清楚的镂刻铭文：“咸通十年，文思院造，银金花茶罗子一副，全共重卅七两。匠臣邵元，审作官臣李师存，判官高品臣吴弘悫，使臣能顺。”《茶经》讲罗与盒的制作：“罗末，以合盖贮之，以则置合中。用巨竹剖而屈之，以纱绢衣之。其合以竹节为之，或屈杉以漆之。高三寸，盖一寸，底二寸，口径四寸。”罗是用巨竹剖开制作，上面覆以纱绢，过滤极细的茶末。盒是用竹节或杉木制成，用来盛取筛过的茶末。陆羽制定的罗合，是用巨竹或杉木制作，取材容易，人人可以效法。到了皇室用具，就大为讲究，弃竹木而用金银，变简朴为奢华。法门寺地宫出土的茶罗子，是贵重的鎏金银器，并饰以“飞天仙鹤纹”，不是一般人使用的，但其规制依旧沿用陆羽的设计。

法门寺地宫出土的文物种类繁多，基本上就是唐代皇室供奉佛骨的精品。当时供奉在地宫里，每过五六十年都要请出佛骨，也把皇室供奉的宝贝拿出来，在长安城满街游行。当此游行盛典，信徒们蜂拥而来，真是一境若狂。唐僖宗奉请佛骨之后，把供品封入地宫。再后来唐朝就亡了，所有的皇室珍品，包括唐僖宗供佛的茶具，就永远埋在地宫里面了。所以，法门寺地宫出土的文物，显示晚唐皇室所用茶具沿用了陆羽创造的规制，显然也沿用了《茶经》所列出的茶仪。

除了茶具以外，陆羽对水也很有讲究，他是最早讲茶饮必须要用好水的人，可能还著有《水品》一书，可惜散佚掉了（见《湖州府志》）。《茶经》说饮茶要懂水："其水，用山水上，江水中，井水下。"这个标准非常清楚，就是山泉水最好，其次是流动的江水，最差的是静止不动的井水。他还作了详细的说明：

其山水，拣乳泉、石池慢流者上；其瀑涌湍漱，勿食之，久食令人有颈疾。又多别流于山谷者，澄浸不泄，自火天至霜降以前，或潜龙蓄毒于其间，饮者可决之，以流其恶，使新泉涓涓然，酌之。其江水取去人远者，井取汲多者。

也就是，饮茶最好用山泉水，或潺潺流动的山涧或澄澈的活水。瀑布与湍急的水不可用，喝多了会生病，因为水源有问题，虽然是流动的，但是挟泥沙以俱下，很不可靠。还有一些山中的积水，是聚集不散的，在夏季可能有毒蛇蛟龙散放毒素，最好也不用。真要使用，必须决其堰塞，让污浊的毒素排出，使水泉涓涓，才可取水。实在没办法，得不到山泉水的时候，只好去取远离人迹的江水，因为没有污染。井水则用经常有人汲取的，关键是不要死水，要活水。

有关陆羽评水的资料，晚唐张又新的《煎茶水记》有所记录，但是否真是陆羽的品评，还是张又新假托陆羽编造的故事，历代都有质疑。不过，《煎茶水记》的记载还是很重要的，因为它显示到了晚唐，人们已经很清楚品茶必须鉴水的道理，而且把全国的名泉好水都记录下来了。这当然是陆羽讲究用水道理的影响，只不过陆羽品水的书失散了，我们不知道陆羽品水的确实情况，只知道相关的传说。《煎茶水记》里面说到，刘伯刍懂得品茶鉴水，记录了全国最好的七种水："扬子江南零水第一；无锡惠山寺石泉水第二；苏州虎丘寺石泉水第三；丹阳县观音寺水第四；扬州大明寺水第五；吴松江水第六；淮水最下，第七。"这七种名水，基本都在江淮一带，扬子江南零水在今天的镇江，惠山泉水在无锡，也就是名曲《二泉映月》提及的天下第二泉。有趣的是吴松（淞）江水居然也是天下名水，我不知道诸位敢不敢喝吴淞江（也就是苏州河）的水，不过，这里面反映了一个重要的历史问题，吴松江水在唐朝一定是很好的饮用水，一千多年下来，是我们后人把它污染了。研究环境史的人，可以把这资料拿来用一用，很有意思的。

按照刘伯刍的这张名单，张又新一一试过，认为确实如此。不过，他自己又添加了一些意见，说经过富春江桐庐严子陵钓台时，取清澈的江水煎茶，发现其鲜馥芳香远过扬子江南零水，大为赞扬。后来又发现，永嘉的仙岩瀑布（当指雁荡山之龙湫瀑布）也是水质佳美，不输天下第一南零水。张又新举桐庐富春江水与仙岩瀑布水为例，以为品质超过天下第一的扬子江南零水，这样的个人品水经验，影响了他品评的标准，认为急湍与瀑布水都非常佳美，与陆羽的论断不同。

张又新还说，他后来发现《煮茶记》中记载了陆羽品水的故事，并且自定天下二十处名水：

庐山康王谷水帘水第一；无锡县惠山寺石泉水第二；蕲州兰溪石下水第三；峡州扇子山下有石突然，泄水独清冷，状如龟形，俗云虾蟆口水第四；苏州虎丘寺石泉水第五；庐山招贤寺下方桥潭水第六；扬子江南零水第七；洪州西山西东瀑布水第八；唐州柏岩县淮水源（淮水亦佳）第九；庐州龙池山岭水第十；丹阳县观音寺水十一；扬州大明寺水十二；汉江金州上游中零水

（水苦）十三；归州玉虚洞下香溪水十四；商州武关西洛水（未尝泥）十五；吴松江水十六；天台山西南峰千丈瀑布水十七；郴州圆泉水十八；桐庐严陵滩水十九；雪水（用雪不可太冷）二十。

这个所谓的陆羽品水名单，列庐山康王谷水帘水第一，无锡县惠山寺石泉水第二，苏州虎丘水第五，扬子江南零水第七，吴松江水落到第十六名。看起来洋洋洒洒，可是名单很有问题，欧阳修曾写过两篇文章驳斥张又新，说这份陆羽品水名单是瞎编的，因为陆羽指出瀑布水挟泥沙而下，叫我们不要喝瀑布水；张又新的名单却一口气列了庐山康王谷水帘水、洪州西山西东瀑布水、天台山西南峰千丈瀑布水，与陆羽的品鉴标准大相径庭。欧阳修认为张又新有诈欺之嫌，说他是"妄狂险谲之士，其言难信"。明代田艺蘅的《煮泉小品》也探讨了陆羽的品水标准，批评所谓的陆羽名单是捏造的。认真查证起来，我们发现这个张又新的花样很多，是有故作玄虚之处。他没有直说发现陆羽著作，他说的是发现了一本杂记，其中有《煮茶记》，记录了陆羽亲自列出的天下二十处名水这样一份名单。不过，他还说此书记载了陆羽品尝扬子江南零水的故事，其中明确指出陆羽“善于茶，盖天下闻名”，又说扬子江南零水“殊绝”，陆羽品尝南零水是“今日二妙千载一遇”，意思非常清楚：陆羽品茶天下第一，南零水也是天下第一。怎么等到陆羽列出天下名水的时候，扬子江南零水变成天下第七了呢？编故事编得前后矛盾，难怪惹出欧阳修的批评。

唐朝的时候民间有句俗谚：“扬子江心水，蒙山顶上茶。”天下第一水，是扬子江心水，天下第一茶，是蒙山顶上茶。扬子江心水是什么呢？就是扬子江心的南零水，又称中泠泉。宋徽宗《大观茶论》里说：“古人第水，虽曰中泠、惠山为上，然人相去之远近，似不常得。”这个扬子江心的中泠泉，现在已经不在江心，而在长江南岸的镇江，我曾去考察过。这是因为长江水常年向北岸冲刷，南岸就一直淤积，江流向北移动，所以，不但中泠泉南零水今天在南岸的镇江，连本来在江心的金山寺也成了镇江的一部分。现在的南零水因为泥沙淤积，或许还有江水污染的问题，已经成了一潭泥沼，当中咕嘟咕嘟地冒水泡，可见底下有个泉眼，但是没有人敢用来泡茶了。

天下第一蒙顶茶又是怎么回事呢？今天大多数人都没听过蒙顶茶，对于蒙山顶上茶在唐朝的辉煌历史，完全不知道了，因为蒙顶山茶到宋朝以后，就开始衰落，到了元明期间，连大多数文人雅士都没听过，成了明日黄花。陆羽《茶经》记述全国茶叶产地，首先列了山南的峡州，也就是今天的宜昌一带，或许是因为他成长在湖北竟陵，熟悉地望。峡州产的茶，在唐朝名列上品，而且名目众多，如碧涧、明月、芳蕊、茱萸寮、小江源等。他也提到剑南道的雅州，指出蒙山所在的名山地区产茶，不过，他似乎并不看好蒙山茶的品质。倒是唐代李吉甫《元和郡县图志》说到贡茶，明确指出："严道县（在今天雅安一带）蒙山，在县南十里，今每岁贡茶，为蜀之最。"李肇《唐国史补》则是这么说的："风俗贵茶，茶之名品益众。剑南有蒙顶石花，或小方，或散芽，号为第一。湖州有顾渚之紫笋。东川有神泉小团、昌明、兽目。峡州有碧涧、明月、芳蕊、茱萸簝。……而浮梁之商货不在焉。”唐代俗谚“蒙顶第一，顾渚第二”“扬子江心水，蒙山顶上茶”，跟这些当时的记载是符合的。孟郊也写过一首诗，《凭周况先辈于朝贤乞茶》，讲想得点蒙顶好茶喝喝，却又无缘到手，只好托人去乞讨：“道意勿乏味，心绪病无踪。蒙茗玉花尽，越瓯荷叶空。锦水有鲜色，蜀山绕芳丛。云根才翦绿，印缝已霏红。曾向贵人得，最将诗叟同。幸为乞寄来，救此病劣躬。”

到了元明，大多数人，包括江南讲究喝茶的文人雅士都没听过蒙顶茶了，万历年间茶人许次纾在《茶疏》中指出：“古今论茶，必首蒙顶。蒙顶山，蜀雅州之山也，往常产，今不复有。即有之，彼中夷人专之，不复出山。蜀中尚不得，何能至中原、江南也？”可见蒙顶茶早已丧失了天下第一的位置。

白居易的长诗《琵琶行》说到浮梁地区产茶：“商人重利轻别离，前月浮梁买茶去。去来江口守空船，绕船月明江水寒。”到浮梁贩茶的商人，是俗不可耐的市侩，对于“名属教坊第一部”“妆成每被秋娘妒”的琵琶女，毫无怜香惜玉之心，让贬谪江州的白居易感慨不已，觉得“同是天涯沦落人，相逢何必曾相识”。这首诗提到茶商到浮梁去买茶，颇有不屑的口气，放回到唐代饮茶的风习来看，就是个暗喻，因为浮梁茶在唐朝是大路货，属于最普遍，同时也是等级最次的大众饮用商品，排不上名品之列，入不了品茶人士的法眼。到浮梁去买茶的商人当然是唯利是图，为钱财奔走的市侩，不会懂得怜香惜玉的。据《元和郡县图志》（公元 813 年成书），浮梁县设置于武德五年，名新平，后废，开元四年再置，改名新昌，天宝元年改名浮梁，“每岁出茶七百万驮，税十五余万贯”。可见浮梁茶产量之大。唐代杨华的《膳夫经手录》指出，蜀茶与浮梁茶产量大，是当时通行的商品：“惟蜀茶南走百越，北临五湖，皆自固其芳香，滋味不变，由此尤可重之。自谷雨已后，岁取数百万斤。散落东下，其为功德也如此。饶州浮梁，今关西、山东，闾阎村落，皆吃之。累日不食犹得，不得一日无茶也。其于济人，百倍于蜀茶，然味不长于蜀茶。”反映了唐代茶叶供应情况，主要的量产商品茶是蜀茶及浮梁茶。蜀茶流布到长江流域及南方，仍然滋味芳香，浮梁茶传布更广，甚至流行在黄河流域，遍及整个北方。然而，说到质量与滋味，则浮梁茶不及蜀茶，算是最下等的。

在白居易心中，浮梁茶属于下品，浮梁茶商是市侩，那么，他喜欢喝什么茶呢？在《春尽日》一诗中，他写道：“醉对数丛红芍药，渴尝一碗绿昌明。”原来他欣赏的是东川的昌明茶，产地是在今天的北川一带，是蜀茶中的佼佼者。白居易晚年写过一首《琴茶》：“兀兀寄形群动内，陶陶任性一生间。自抛官后春多醉，不读书来老更闲。琴里知闻唯渌水，茶中故旧是蒙山。穷通行止长相伴，谁道吾今相与还。”道出退休之后闲居的乐趣，喝酒发呆，弹琴饮茶，过起无忧无虑的神仙生活，饮的则是天下第一的蒙顶茶。

我们知道，唐朝人标榜的名茶，跟我们今天崇尚的名茶是不一样的。历史变迁以及风尚转向，都会影响人们对品味的追求，甚至改变口味的爱好。唐代最著名的蒙顶茶、顾渚茶、碧涧茶，是现代人鲜为听闻的，而当今流行的龙井茶、碧螺春、大红袍、冻顶乌龙，则在唐朝尚未出现。陆羽在《茶经》中讲的茶产地，基本上都是他去过的地方，属于实地调查得来的知识，主要是南方地区，从陕南、湖北、湖南，沿着长江一直下来。他还曾长住湖州与天目山一带的苕溪，对江南的情况十分清楚。他讲到峡州的茶属于上等，其中就有今天鲜有人知的碧涧茶，而碧涧茶一直到明朝都还是非常有名的。明末笔记《金沙细唾》有一个记载，说到明末民变的时候，天下大乱，清军南侵，江南的世家受到冲击，出现奴变、仆变，就是奴仆造反的事件。许多江南大族，奴仆上百成千，这个时候开始闹翻身。有一豪族的主人家，喜欢喝碧涧茶，经常要奴仆奔波到湖北去运购过来，奴仆翻身造反了，把主人拖到街上，打翻在地，还指斥说，你一天到晚要喝碧涧茶，煮得不好还责骂我们，今天我们也让你喝喝碧涧茶！就把小便装进茶壶，灌到主人嘴里面。可以从这个资料看出，到了明朝末年，碧涧茶还是备受追捧的名茶。

陆羽强调茶有本色，反对茶饮中胡乱加料。当时流行怎么喝茶呢？《茶经》记载：“或用葱、姜、枣、橘皮、茱萸、薄荷之等，煮之百沸，或扬令滑，或煮去沫。斯沟渠间弃水耳，而习俗不已。”这种喝茶的方法，是过去把茶当草药煮汤的习惯，有点像今天广东人喝的凉茶。陆羽坚决反对这种喝法，斥之为阴沟里的弃水，是庸俗低下的饮茶法。这是因为他创制了茶具，制定了茶仪，发展了茶道，把喝茶提升到审美的精神领域，讲究细腻精纯的茶饮之风。陆羽茶道之建立，开始了历代讲求茶有本色、茶有真香、茶有至味的传统，成为高雅之士喝茶的主流风格。宋代蔡襄《茶录》就说：“茶有真香，而入贡者微以龙脑和膏，欲助其香。建安民间试茶，皆不入香，恐夺其真。若烹点之际，又杂珍果香草，其夺异甚，正当不用。”明代顾元庆、钱椿年的《茶谱》，依然强调这个高雅传统，说：“茶有真香，有佳味，有正色。烹点之际，不宜以珍果、香草杂之。夺其香者，松子、柑橙、杏仁、莲心、木香、梅花、茉莉、蔷薇、木樨之类是也。夺其味者，牛乳、番桃、荔枝、圆眼、水梨、枇杷之类是也。夺其色者，柿饼、胶枣、火桃、杨梅、橙橘之类是也。凡饮佳茶，去果方觉清绝，杂之则无辨矣。”由此亦可见，自从陆羽强调本色茶饮之后，所谓“清茶一杯”，成为喝茶的主流。然而，雅有雅的喝茶法，俗有俗的喝茶法。俗法喝茶，加香加果，在后世并未完全消失，仍然在广大群众及不同地域有其市场，可算是中国饮茶多元化的现象。

陆羽《茶经》极为讲究喝茶的程序与规矩，因此，特别提到“茶有九难”：“一曰造，二曰别，三曰器，四曰火，五曰水，六曰炙，七曰末，八曰煮，九曰饮。”又仔细说明：“阴采夜焙，非造也；嚼味嗅香，非别也；膻鼎腥瓯，非器也；膏薪庖炭，非火也；飞湍壅潦，非水也；外熟内生，非炙也；碧粉缥尘，非末也；操艰搅遽，非煮也；夏兴冬废，非饮也。”我把这段说明译成白话：“阴天采摘，夜里焙制，算不上制造；仅凭口嚼舌尝与嗅气辨香，算不上鉴别；膻腻的炉鼎与腥染的瓯碗，算不上器具；油脂重的薪柴，算不上用火；激流急湍与壅塞死水，算不上择水；茶饼外熟内生，算不上炙烤；茶末碾得过细，像粉末飘尘，算不上碾末；煮茶操作生硬，搅动急促，算不上烹煮；夏天喝茶，冬天不喝，算不上饮尝。”可见陆羽非常挑剔，从茶叶采摘到择优制作，从使用茶具到用火用水，如何烤茶饼，如何碾磨茶末，如何烹煮茶汤，以及四季如何饮茶，都是学问。喝一盏好茶，在陆羽看来，需要澄心静虑，全神贯注，是非常不容易的。

陆羽设计茶席，强调简朴之道，并且还规定了人数。他说，喝茶“其碗数三。次之者，碗数五。若坐客数至五，行三碗；至七，行五碗”。也就是说，最适当的茶席，只有三个人，其次五人，而且五个人只给三碗茶。实在没办法，有七个人来了，就给五碗茶。今天你去日本，如果应邀参加茶道师的正式茶席，一定还是三个人，而且三个人只用同一个碗。可以看出，日本茶道的这个规矩，就是陆羽定下来的。道理很简单，就是陆羽说的茶性俭，“最宜精行俭德之人”。让你在参加茶席，进入茶饮天地之时，心灵平静，达到身心和谐的状态，从审美领域进入道德提升的境界。

《茶经》论及烹茶，将茶汤倾入茶碗，是这样形容的：“凡酌，置诸碗，令沫饽均。沫饽，汤之华也。华之薄者曰沫，厚者曰饽。细轻者曰花，如枣花漂漂然于环池之上；又如回潭曲渚青萍之始生；又如晴天爽朗有浮云鳞然。其沫者，若绿钱浮于水湄，又如菊英堕于鐏俎之中。饽者，以滓煮之，及沸，则重华累沫，皤皤然若积雪耳。”译成白话，就是：“饮酌之时，茶汤倒进碗里，要让沫饽均匀。沫饽，就是茶汤的精华。精华薄的，称之为沫；精华厚的，称之为饽。细轻的称之为花，就像枣花漂浮在圆形的池塘上；又像曲折回环的潭水新生了青青的浮萍；又像爽朗的晴天点缀着鳞状的浮云。茶汤的沫，有如水边浮着绿色的萍钱，又如菊花落在杯中。茶汤的饽，是以茶滓煮的，煮沸之后，累积层层白沫，皤皤如白雪。”由此可以看出，唐宋时期饮茶，讲究茶汤上有沫饽，以为沫饽是茶的精华。这种概念应该来自提炼醍醐的过程，从牛奶击拂成酥油，由生酥成熟酥，再提炼熟酥的精华成为醍醐。如此，啜饮沫饽就是啜饮茶之精华，在味觉上是一种精致的享受，在精神体会上则在啜饮之中上升到审美的境界。再加上沫饽漂浮在茶汤上的视觉美感，让人联想到蓝天白云，晴空爽朗，与天地自然融为一体，通过茶饮进入了天人合一的感悟。从唐代到宋代，饮茶过程重视沫饽的风尚，更上一层楼，把拉花的技艺发展到妙理精微的境地，本书在《古人饮茶要拉花》一文中会详细讨论。

陆羽创制茶道，提倡茶饮的审美追求，为喝茶奠定了规矩，成为精神世界修持的法门，不但规划出中国茶饮的历史进程，也直接影响韩国与日本，之后还扩散到全世界。中国历史悠久，幅员广大，人口众多，因此，陆羽的茶道虽然在理念上提供了饮茶的审美之道，在历代具体饮茶的实践上，却并不能囊括各种各样的饮茶方式。随着时间的演变、地域的不同与社会群体的阶级差异，中国有多元多样的喝茶方法。宫廷有宫廷喝茶的方法，士大夫有士大夫的喝茶法，寺院有自己的清规与仪式，老百姓也有老百姓的喝茶法，而且都有其历史传承与各自的道理，并随着历史的演化而有所发展。历史的演进，总会适应“众口难调”的情况，生发各种支脉，让我们发现各地发展出来的擂茶、酥油茶、奶茶，乃至于泡沫红茶之类。回顾茶饮历史，最重要的是，喝茶的方式可以不同，但是万变不离其宗，饮茶之道是陆羽首创，而且赋予了精神境界的审美追求。

原文刊载于《书城》

2016 年 1 月号、3 月号

古人饮茶要拉花

最初接触到卡布奇诺咖啡，是在一九七〇年代初，我在耶鲁大学读书的时候。那时城里咖啡馆不少，都是希腊人开的，所谓coffee house，很像香港的茶餐厅，是一般人吃早餐、吃汉堡包，甚至喝咖啡聊天的地方。那咖啡实在不怎么样，淡而无味，却又苦涩难喝，真不知是用什么希腊秘方泡制出来的。我有一个同学，是新英格兰世家出身，从小就经常跟父母到意大利度假，颇有点亨利·詹姆士笔下的洋派风范。有一天跟我说，城里的咖啡太难喝，我们到城东伍斯特广场去，那里是意大利人的居住区，有意大利餐厅、咖啡馆，可以喝到意大利的特浓咖啡，还有卡布奇诺。我问，什么是卡布奇诺？他说，你喝了就知道，不但比希腊人的酸苦咖啡好喝，而且优雅多了。于是，就跟他去了，喝到了香气浓郁的咖啡，上面还浮泛了一层厚厚的牛乳打成的泡沫，轻轻点染着肉桂粉，真是芳香无比。

过了二十年，市面上出现了星巴克连锁咖啡店，满街都卖起卡布奇诺。有时不想多花钱，只想老老实实喝一杯普通咖啡，反而遭了难。跟年轻的店员说，不要卡布奇诺，只要普通咖啡，他就死死瞪着你，好像你是乞丐进了米其林三星饭店，而他则是罗马元老院贵族后裔的意大利人，带着不屑的口气问，Americano? 那些店员最多不过二十岁，想来绝对不知道他们出生之前，他们的父母喝的是什么样的咖啡。那个时候，有什么 Americano? 他们知不知道，自己的父母一代上街喝咖啡，只有 Greco!

十几年前来到香港，发现香港年轻人都喝卡布奇诺，而且神气的很，还要喝拉花的，说某处拉花拉得好，可以拉出一团浮泛着爱心的泡沫。我才注意到，二十一世纪流行的卡布奇诺，特别讲究拉花。过去的卡布奇诺是以高温充气法，将牛乳打成泡沫，浮在咖啡上，给人带来温馨饱满的感觉。现在不够了，要拉成各种花样，有心形、玫瑰花形，拉两颗相连的爱心，拉出梅花的五朵花瓣，千姿百态，不一而足。有一次跟学生一道喝咖啡，学生盛赞这家咖啡屋的拉花技术高超，可以拉一朵花，上面再洒上肉桂末，看起来像花蕊一样，十分逼真。我说，这有什么稀奇呢，唐宋人饮茶，在一千多年以前，已经玩拉花游戏了，而且技术远超过这些现代咖啡馆里的拉花达人。同学听了，瞪大眼睛，问我是否开玩笑，这么潮的卡布奇诺特技，唐宋的中国人已经玩过了？老师是否教中国文化教得走火入魔，坠入清末民初“西学源出中国”的故辙，以为量子力学源出《易经》，卡布奇诺拉花也源出中国茶道？

我说，老师没发昏，唐宋茶道的确玩过拉花游戏，而且是当作高尚游戏来玩的，从庶民大众一直到皇室，人人玩得如痴如醉。历史证据确凿，文献可徵。你且平心静气，听我慢慢道来。唐宋时代喝茶，主流方式是研末煎点。唐朝先把茶叶制成茶团，烹煮以前研成末，然后倾入汤锅中烹煎，让茶末形成泡沫；宋朝有点改变，把研末的茶粉调成膏状，然后注入汤水，用筅击拂，打出泡沫。关键是，饮茶的方式与现代不同，是要打出泡沫，而且啜饮白乎乎的泡沫。

陆羽《茶经》的“五之煮”，细述烹煮研末之后的茶叶，盛到茶碗里，产生视觉美感，有很清楚的说明：“凡酌，置诸碗，令沫饽均。沫饽，汤之华也。华之薄者曰沫，厚者曰饽。细轻者曰花，如枣花漂漂然于环池之上；又如回潭曲渚青萍之始生；又如晴天爽朗有浮云鳞然。其沫者，若绿钱浮于水渭，又如菊英堕于鐏俎之中。饽者，以滓煮之，及沸，则重华累沫，皤皤然若积雪耳，《荈赋》所谓‘焕如积雪，晔若春藪’有之。”这段话，我在《茶道的开始》一书中，翻译成白话如下：

饮酌之时，茶汤倒进碗里，要让沫饽均匀。沫饽，就是茶汤的精华。精华薄的，称之为沫；精华厚的，称之为饽。轻轻的称之为花，就像枣花漂浮在圆形的池塘上；又像曲折回环的潭水新生了青青的浮萍；又像爽朗的晴天点缀着鳞状的浮云。茶汤的沫，有如水边浮着绿色的萍钱，又如菊花落在杯中。茶汤的饽，是以茶滓煮的，煮沸之后，累积层层白沫，皤皤如白雪。《荈赋》所谓“明亮似积雪，艳丽如春花”，是有的。

唐代诗僧皎然是陆羽的好友，写过许多与茶有关的诗篇，其中谈到烹茶过程，描述烹点末茶会出现如花的泡沫。如“饮茶歌送郑容”一诗，有句“霜天半夜芳草折，烂漫缃花啜又生”，芳草指的是茶叶，经过折碎碾磨成为茶粉，烹煎之际就会出现浅黄色如花的泡沫。另一首诗“对陆迅饮天目山茶，因寄元居士晟”，有句“投铛涌作沫，着碗聚生花”，讲的是把研磨好的茶粉倾入茶铛之中，就在沸水中滚出泡沫，倒进碗里则凝聚成花。再如他写的“饮茶歌诮崔石使君”，写他得到浙东人士送他的剡溪茶，高兴得很，赶紧取来烹煮，盛到茶碗里，就看到“素瓷雪色飘沫香，何似诸仙琼蕊浆”。卢仝的名诗“走笔谢孟谏议寄新茶”，也就是写喝了七碗茶，飘飘似神仙那首诗，前面讲到戴上蒙头纱帽，关起门来煎茶，自得其乐。茶煎好了，盛到碗里：“碧云引风吹不断，白花浮光凝碗面。”白花花的泡沫浮在碗面，是饮茶过程中视觉美感的一大享受。

唐代晚期的宰相李德裕是很会享受人生的大官，连喝水都要喝天下第二泉的惠山泉水，老远给他从太湖北岸的无锡运到长安，滋润他的尊唇。他喜欢喝茶，写过“故人寄茶”，有句：“半夜邀僧至，孤吟对竹烹。碧流霞脚碎，香泛乳花轻。”半夜里邀了山僧来喝茶，在幽篁之中煮茶吟诗，雅兴真是不浅。碧绿的茶末像云霞一般有聚有散，在烹煎的过程中，茶香氤氲，泛起乳白色的茶汤泡沫，引人入胜。他还写过“忆茗芽”，其中讲到“松花飘鼎泛，兰气入瓯轻”，也是描述饮茶场合的感官快意。视觉方面，茶汤的泡沫浮在茶器上面，像松花一般飘逸；在嗅觉与味觉方面，则闻起来与入口品尝都有兰花香气，真是集不同感官之娱。

到了五代北宋，陶穀（903–970）《清异录》有“茗荈”一章，记载当时的茶事。虽然有人说此书可能是他人假托陶穀所作，但书成于宋朝是没问题的，记载的事情是五代到宋初也是可靠的。书中有“生成盏”一则：“馔茶而幻出物象于汤面者，茶匠通神之艺也。沙门福全生于金乡，长于茶海，能注汤幻茶，成一句诗。并点四瓯，共一绝句，泛乎汤表。小小物类，唾手办耳。檀越日造门求观汤戏，全自咏曰：‘生成盏里水丹青，巧画工夫学不成。却笑当时陆鸿渐，煎茶赢得好名声。’”讲的是当时有个福全和尚，冲泡茶汤的技艺十分高超，能够在注入汤水的时候，在茶碗里拉花，而且拉出一句诗来。最高明的本领是，能够并摆四个茶碗，拉出一首绝句来。

我问同学说，你说现在的卡布奇诺拉花新潮，拉花达人本领高超，请问，现在有哪一个达人有本事，拉出一首诗来？不必限于中文诗，英诗也可以。同学听了瞠目结舌，无言以对。我说，中国古人玩拉花，还不止于此呢。《清异录》还说，“茶至唐始盛。近世有下汤运匕，别施妙诀，使汤纹水脉成物象者，禽兽虫鱼花草之属，纤巧如画。但须臾即就散灭。此茶之变也，时人谓之‘茶百戏’”。另外还记载了“漏影春法”：“用镂纸贴盏，糁茶而去纸，伪为花身；别以荔肉为叶，松实、鸭脚之类珍物为蕊，沸汤点搅。”同学问，怎么点茶拉花，还放鸭脚呢？放不放鸭脖子？放鸡翅膀？我说，你们年轻人贪吃，吃零食吃昏了头。这里说的鸭脚，不是卤鸭脚，是银杏白果，因为银杏叶子形状像鸭蹼，所以也称鸭脚，是泡茶时放的点心。

有趣的是，当时有许多和尚都是点茶拉花的达人，如江南有个和尚文了，还被人安上了“汤神”“乳妖”的绰号，可见技艺超群，令人侧目：“吴僧文了善烹茶。游荆南，高保勉白于季兴，延置紫云庵，日试其艺。保勉父子呼为汤神，奏授华定水大师上人，目曰‘乳妖’。”或许是因为和尚除了打坐念经，没有世间的杂事来干扰，时间特别多，可以专心练就点茶的功夫。

宋代点茶风气盛行，从老百姓到皇帝，人人都玩点茶游戏，也就或多或少是点茶拉花的行家里手。宋朝最大的玩家是宋徽宗，当然也是点茶大家。他在《大观茶论》里面说：“点茶不一，而调膏继刻。以汤注之，手重筅轻，无粟文蟹眼者，谓之静面点。盖击拂无力，茶不发立，水乳未浃，又复增汤，色泽不尽，英华沦散，茶无立作矣。有随汤击拂，手筅俱重，立文泛泛，谓之一发点。盖用汤已故，指腕不圆，粥面未凝，茶力已尽，雾云虽泛，水脚易生。妙于此者，量茶受汤，调如融胶。环注盏畔，勿使侵茶。势不欲猛，先须搅动茶膏，渐加击拂，手轻筅重，指遶腕旋，上下透彻，如酵蘖之起面，疏星皎月，灿然而生，则茶面根本立矣。”说得十分精到，告诉我们如何才能点好一碗茶，如何注水，如何用筅，如何击拂，像是点茶拉花教练似的。他还特别指出，手劲太重而茶筅太轻，就出现击拂无力的现象，茶膏发不起泡沫，无法制造立体化的沫饽，就是“静面点”的缺憾。而随着注入汤水，不断击拂，手劲跟茶筅用力太重，只能发起泛泛的泡沫，不能形成持久的沫饽，叫作“一发点”，这是因为手指与手腕用力的方式不对，不够圆融，茶膏还未凝聚成坚实的泡沫，就已经散入汤水。

宋徽宗教我们的方法是，要平衡茶膏与汤水的适当比例，要把茶膏先调得适宜，环绕着茶盏注水，要小心翼翼，不要让注水的过程影响茶膏发立。一开始不能太猛，慢慢击拂，逐渐发力。手要轻，筅要重，手指与手腕的动作要灵活，旋转环绕，上下透彻，才能像酵母发面那样，如“疏星皎月，灿然而生”，形成茶面能够持久的沫饽。他还告诉我们，注入汤水的过程很复杂，一共有七道步骤，要循序渐进，才能一步一步看到“色泽渐开，珠玑磊落”“粟文蟹眼，泛结杂起”“轻云渐生”“结浚霭，结凝雪”“乳点勃然”，最后才能达到沫饽凝聚的效果，“乳雾汹涌，溢盏而起，周回凝而不动，谓之咬盏，宜均其轻清浮合者饮之。”

要说天下第一拉花达人，除了宋徽宗，谁能匹敌？

原文刊载于《书城》

2014 年 6 月号

啜英咀华

——宋人点茶的视觉审美追求

一

宋徽宗在《茶论》（今人称作《大观茶论》）的序中提及，太平盛世，喝茶也就喝得讲究，“采择之精，制作之工，品第之胜，烹点之妙，莫不咸造其极”。在这本《茶论》中，宋徽宗对产茶、采茶、制茶、碾茶的物理与各种工序都作了详细而精到的探讨。讲到饮茶的器具，点茶所需要的对象，更是分门别类，按照盏、筅、瓶、杓，一一罗列。他特别指出，只要是涉及喝茶、存茶、点茶，无论阶级贫富贵贱，都可以从中讲究精致高雅的品位，而享有闲情逸致的生活。具体说到追求精致饮茶的方式，他说：“莫不碎玉锵金，啜英咀华，较筐筥之精，争鉴裁之妙。”人人都喝茶，都蓄茶，都点茶，都斗茶，就会从中体会饮茶的情趣，“可谓盛世之清尚也”。

宋徽宗形容点茶的过程，用了非常简洁明确的修辞，说是“碎玉锵金，啜英咀华”，听起来像是运用文学修辞的伎俩，以华丽的辞藻来形容宋人点茶的境界，似乎没有具体说明点茶的程序。其实，这两句话，特别是“啜英咀华”，看似文人玩弄辞藻的虚招，却言简意赅，深刻说明了宋代点茶的精髓。以下我就从这表面状似文辞虚饰的题目说起，揭示宋徽宗描绘宋人点茶深刻复杂面貌遣词用字之准确。再进一步探讨，宋人点茶的审美追求，是否强调视觉美感多于味觉与嗅觉美感，以及“宋人点茶”风尚，为什么到了元明之后就衰微了，在中国茶饮传统中成了绝响。这背后的原因当然与文化风尚的变迁有关，涉及“点茶”与“斗茶”是怎么回事，追求的风尚是什么，又为什么会出现风尚转移，最后衰颓不振。

我从十五年前开始做《中国历代茶书汇编》的校注工

《中国历代茶书汇编》
郑培凯　朱自振主编
商务印书馆（香港）有限公司 2007 年版

作，把能够找得到的历代茶书版本都整理了一遍，在进行校注的过程中，体会了"古典文献学"的甘苦，真是皓首穷经，只为了在学问的米缸里剔除一粒秕糠。在整理文献的过程中，也学会了细读文本，倒是与我大学时代研习"新批评"的"closereading"训练有异曲同工之处。

只有细读文本的每一个字，理解古人用字之矜慎，才能在每个字后面，了解到书写者到底是什么意图。我读宋徽宗

《茶论》，就在“碎玉锵金，啜英咀华”这八个字后面，读出了宋代茶饮风尚的历史意义。

说到“啜英咀华”，就会让人想到古典文学中常用的“含英咀华”一词。《礼记·乐记》里面谈到音乐美学，对音乐审美境界的追求，是“英华发外，唯乐不可以为伪”。扬雄《长杨赋》中提到“英华沉浮，洋溢八区。普天所覆，莫不沾濡”。李善注曰：“英华，草木之美者，故以喻帝德焉。”可见“英华”的本意，是形容“草木之美”，形容草木生长葳蕤，生气勃勃，是天地间自然生态的美丽展现。不论是“英华发外”还是“英华沉浮”，都是引申的意思，将草木的英华转为抽象本质性的“精英”或“精华”，拿来比喻音乐之美或道德之美。晋代潘岳的《司空郑袤碑》说：“凡厥缙绅之士，所以挹酌洪流，含咀英芳者，犹旱苗之仰膏雨，湛露之晞朝阳也。”（《艺文类聚》卷47）遣词用字之法，已经从明喻转为暗喻，袭取《离骚》餐饮兰芷芬芳的修辞传统，以饮食含咀花草的芳香，比喻士大夫如何亟亟吸取道德学问，内化世上的精华。因此，英华可以含咀，就成为古典文学中的惯用表达词语，经常用来形容君子品类浸润于优美传承，以提高文化修养与道德品格。

南北朝时期梁朝刘孝标《答刘之遴借类苑书》说："若夫采亹亹于缃纨，阅微言于残竹，嗢饫膏液，咀嚼英华。"(《艺文类聚》卷58) 说的是读书学习，吸取古人著作中的精华，就把"咀嚼英华"一词，具体联系到欣赏与体会文学，从中感受触动心灵的审美享受。古文大家韩愈的《进学解》，是唐宋以来读书人耳熟能详的典范，其中写道："沉浸醲郁，含英咀华。作为文章，其书满家。"这也就使人一提到"含英咀华"，就想到翰墨文章的精华，是学人墨客修养涵泳的必经过程。宋代张舜民《画墁集》有一篇题怀素《归田赋》的跋，说道："中间以文章知名，含华咀英，驰骋今古者，不可胜数。""英"与"华"两个字虽然颠倒使用，但意思跟韩愈所说是一样的，都是称颂文章辞藻之美，可以驰骋百代，以臻不朽。类似的意思，在杨时《龟山集》的《曾文昭公行述》中也可以见到："自少力学，于六经百氏之书，无所不究，含英咀实，以畜其德。"朱熹的《朱子语类》也有这样的文字："含英咀实，百世其承。"

宋徽宗这位特别注重审美细节的大艺术家，在《茶论》中不用"含英咀华"一词，而用"啜英咀华"，弃"含"取"啜"，是有其深意的。从文献细读的经验中，我们可以得知，古人的聪明才智惯常显示在遣词用字之上，对每个字的选择都十分精准。不说"含英咀华"，而说"啜英咀华"，不只是文学修辞上的变动，随意说说喝茶要喝精华，而是回到草木英华的原意，具体明确地描绘宋人点茶的过程，在喝茶的时候，不但是饮其"英华"，还有"啜"有"咀"，点出品茶程序的关键。

北宋点茶，先碾茶成粉末，调制茶膏之后，徐徐注入沸水，讲究击拂茶汤，制造泛起在茶碗的沫饽。击拂的茶具，先是茶匙，到了北宋中期之后开始用茶筅。蔡襄《茶录》中，特别讲到击拂茶汤的技巧："先注汤，调令极匀，又添注之，环回击拂。"对击拂所用的茶匙，是有特定要求的："茶匙要重，击拂有力。黄金为上，人间以银、铁为之。竹者轻，建茶不取。"宋徽宗在《茶论》里提到："击拂无力，茶不发立，水乳未浃，又复增汤，色泽不尽，英华沦散，茶无立作矣。"需要击拂得力，才能达到点茶的效果，才会出现美丽的乳花与光泽。否则就"英华沦散"，凝聚不起乳花似的沫饽，以失败告终。宋徽宗讲得非常清楚，宋人点茶是要见到乳花的，就像现代人喝卡布奇诺咖啡要拉花一样。我曾在《古人饮茶要拉花》一文中，解释宋人饮茶喜欢这种视觉的花样，觉得赏心悦目，跟现代人喜欢咖啡拉花的心理相同。其实，现在冲泡咖啡用乳沫来拉花比较容易，相较起来，用茶沫来拉花要难得多。

宋朝的点茶、斗茶，虽然沿袭唐代的茶饼研末传统，喝的是末茶，但与唐代的烹茶方式不同，关键就是斗拉花。宋徽宗所讲的"碎玉锵金，啜英咀华"这八个字，非常清楚地说明了唐宋饮茶风尚的转变，从陆羽煎茶到北宋点茶，出现了击拂拉花的追求。有的人以为"碎玉锵金"一词只是修辞用语，没有特殊的含义，其实大谬不然。《大观茶论·鉴辨》讲如何辨别茶的品质好坏，说："色莹彻而不驳，质缜绎而不浮。举之凝结，碾之则铿然，可验其为精品也。”茶饼之精品，色泽莹彻，质地缜密紧凝，碾末之时有铿然之声。铿，铿锵也，指碾茶的声响。为什么会有铿锵之声？“碎玉锵金”是什么意思？徐夤《谢尚书惠蜡面茶》一诗中有句“金槽和碾沉香末，冰碗轻涵翠缕烟”，明确指出高级茶碾是金属器，最好的当然是金银器。在《大观茶论·罗碾》中，也说到“碾以银为上，熟铁次之”。由此可知，“玉”指的是玉璧形状的茶团，“金”指金属器的碾槽。宋徽宗说“碎玉锵金”，其实指的是碾茶的过程，铿锵有声。把茶饼碾成茶末之后，下一个步骤就是击拂点茶，再来就可以“啜英咀华”了。点茶出现的泡沫凝聚，宋人沿袭唐人的用词习惯，不用“拉花”一词，用的是“沫饽”“英华”“乳花”“粟花”“琼乳”“雪花”“白花”“凝酥”等等充满华丽意象的词语。十分形象地显示，击拂出来的沫饽，还要像白蜡一样（所谓“蜡面”）可以凝聚，泡沫呈现固态，历久不散，才是拉花的最高境界。如此精心泡制出来的“英华”，不但可以啜饮，也堪咀嚼。可见宋徽宗《茶论》说“啜英咀华”，在遣词用字上，是十分精准的。

二

在宋徽宗《茶论》详论“啜英咀华”之前，北宋的文人学士如梅尧臣、欧阳修、苏东坡、黄庭坚等，已经写过很多茶诗，对点茶拉花作了相当细致精确的描述。苏东坡的弟子黄庭坚好饮茶，特别宣扬自己家乡江西修水出产的贡品双井茶，曾经写过一首《双井茶送子瞻》，赠茶给苏东坡，其中有句：“我家江南摘云腴，落硙霏霏雪不如。”形容双井茶可比白云，碾成茶末比雪还白。东坡和了一首《鲁直以诗馈双井茶，次其韵为谢》，说到双井茶十分名贵，不能让童仆随便烹点，需要亲身煎点，才能保证拉花出现的雪乳：“磨成不敢付童仆，自看雪汤生玑珠。”两首诗中出现的“云”与“雪”的意象，都是描绘双井茶提供的白色视觉感受。点茶的“雪乳”形象，是隐喻也是明喻，因为双井茶的特色是生有白毫，磨末点茶可以凸显雪乳的效果。

对双井茶的流行，苏东坡的老师欧阳修认为是时新的风尚，写过一首诗《双井茶》，其中说道：“西江水清江石老，石上生茶如凤爪。穷腊不寒春气早，双井茅生先百草。白毛囊以红碧纱，十斤茶养一两茶。长安富贵五侯家，一啜尤须三日夸。”双井茶早春即采，茶叶覆满了白毛，用十斤茶叶才能培养出一两好茶，可见采摘制作与保存之精。他在《归田录》中说得更为清楚：“自景祐（1034–1038）以后，洪州双井白芽渐盛。近岁制作尤精，囊以红纱，不过一二两。以常茶数十斤养之，用辟暑湿之气。其品远在日注上，遂为草茶第一。”双井茶能够孚有盛名，固然是有其白芽精制的特性，文人墨客的揄扬与炒作也扮演了重要的角色。从欧阳修、苏东坡到黄庭坚，人人力捧，赞誉双井的品级超过日注（铸），可以媲美建溪御苑的龙团。其中最关键的炒作推手，就是为家乡特产吹捧得不遗余力的黄庭坚。叶梦得《避暑录话》指出：“草茶极品，惟双井、顾渚，亦不过数亩。双井在分宁县，其地即黄氏鲁直家也。元祐间（1086–1094），鲁直力推赏于京师，族人多致之。”

东坡写的茶诗极多，经常说到雪乳，吟咏点茶出现沫饽的愉悦。著名的《汲江煎茶》是他晚年遭贬海南所写，描写夜深人静之时，亲自到江边汲水，亲手煎茶，享受茶沫翻滚的乐趣："雪乳已翻煎处脚，松风忽做泻时声。"《试院煎茶》也说自己全神贯注凝视煎茶的过程："蟹眼已过鱼眼生，飕飕欲作松风鸣。蒙茸出磨细珠落，眩转绕瓯飞雪轻。"东坡的《赠包安静先生茶二首》，其一："皓色生瓯面，堪称雪见羞。东坡调诗腹，今夜睡应休。"是说白色的茶沫浮在茶汤的表面，比白雪还要白，让白雪都感到害羞。东坡喝了之后，只好调整肚皮作诗，这一夜是睡不着了。

苏东坡还有一阕《西江月》词写茶，有序："送建溪、双井茶、谷帘泉与胜之。胜之，徐君猷家后房，甚慧丽。自陈叙本贵种也。"说胜之是朋友的妾室，既聪慧又美丽，而且出身高贵家庭，他就赠送给她建溪御苑的龙焙茶、江西修水的双井茶，以及据称是天下第一的康王谷水帘水。上半阕说："龙焙今年绝品，谷帘自古珍泉。雪芽双井散神仙，苗裔来从北苑。"自夸礼品之贵重稀有，皇家御苑的龙团不用说，修水双井茶是培育出来的雪芽珍种，而谷帘泉水曾被人列为天下第一名泉，正好得配名姬。下半阕：“汤发云腴酽白琖，浮花乳轻圆，人间谁敢更争妍，斗取红窗粉面。”使用了一连串美妙的词语，形容拂击茶汤所呈现的乳花，可与红粉佳人斗艳，同是人间绝色，让人浮想联翩。苏东坡词中营造的美感，是活色生香的“从来佳茗似佳人”（语见东坡《次韵曹辅寄壑源试焙新芽》），集中在色彩绚丽，以点茶的雪白乳花媲美红粉佳人，争奇斗艳，使我们可以想象无限的视觉美感。

文人学士吟咏双井茶啜饮之美，等于大做代言广告，既赞扬了茶叶品种，也宣传了饮啜的方式，要点茶拉花，击拂出雪乳沫饽。南宋的杨万里有一首诗《以六一泉煮双井茶》：“鹰爪新茶蟹眼汤，松风鸣雪兔毫霜。细参六一泉中味，故有涪翁句子香。日铸建溪当近舍，落霞秋水梦还乡。何时归上滕王阁，自看风炉自煮尝。”从中可以看到，前人饮茶的典故成了诗歌创作的灵感，前人的诗文美句可以引发想象，从烹茶的过程联想到《滕王阁序》，落霞孤鹜，秋水长天，重新组构意象，一方面继承诗文传统，另方面则延续了饮茶风尚的流传。杨万里用六一泉煮茶，首先想到欧阳修；烹煮双井茶，就想到黄庭坚；落笔写下“蟹眼”“松风”，就不可避免会想到苏东坡；饮啜双井茶，想到同为上品的日铸茶与建溪龙团，还要想回自己江西老家的滕王阁。

说起茶饮审美联想，我们很自然会想到茶的色、香、味三个不同范畴的美感，但是宋人对点茶的关注，似乎太过痴迷于拉花的过程，集中在“色”的领域。假如太过于关注视觉美感，把饮茶的审美享受集中在啜饮之前的点茶拉花，如苏东坡所说“雪乳已翻煎处脚，松风忽做泻时声”，看起来赏心悦目，再加上听起来如闻乐音，绘声绘形，的确是极声色之娱，就有可能忽视了饮茶的“香”和“味”，对茶饮审美的嗅觉及味觉范畴，不太措意。世上事物多半如此，类似茶的质地与内涵，本来具备富赡的发展可能，可以开发各种认知与审美范畴，但若有一方面走向极致，其他方面往往就受到忽视，甚至逐渐丧失其内涵的可塑性。宋朝人点茶、斗茶，从北宋中期发展到宋徽宗，就有强调视觉审美的倾向，也就对茶的味觉及嗅觉审美领域，逐渐有所忽视。

三

注重茶的视觉美感，始作俑者可能要算到陆羽头上，因为他特别强调茶的沫饽是茶汤的英华。他在《茶经》的“五之煮”，细述了烹煮研末之后的茶汤，盛到茶碗里产生的视觉美感：“凡酌，置诸碗，令沫饽均。沫饽，汤之华也。华之薄者曰沫，厚者曰饽。细轻者曰花，如枣花漂漂然于环池之上；又如回潭曲渚青萍之始生；又如晴天爽朗有浮云鳞然。其沫者，若绿钱浮于水渭，又如菊英堕于鐏俎之中。饽者，以滓煮之，及沸，则重华累沫，皤皤然若积雪耳，《荈赋》所谓‘焕如积雪，晔若春藪’有之。”翻成白话文，意思是说，饮酌之时，茶汤倒进碗里，要让沫饽均匀。沫饽，就是茶汤的精华。精华薄的，称之为沫；精华厚的，称之为饽。轻轻的称之为花，就像枣花漂浮在圆形的池塘上，又像曲折回环的潭水新生了青青的浮萍，又像爽朗的晴天点缀着鳞状的浮云。茶汤的沫，有如水边浮着绿色的萍钱，又如菊花落在杯中。茶汤的饽，是以茶滓煮的，煮沸之后，累积层层白沫，皤皤如白雪。《荈赋》所谓“明亮似积雪，艳丽如春花”，是有的。

五代北宋时期陶穀（903–970）《清异录》有“生成盏”一则：“馔茶而幻出物象于汤面者，茶匠通神之艺也。沙门福全生于金乡，长于茶海，能注汤幻茶，成一句诗。并点四瓯，共一绝句，泛乎汤表。小小物类，唾手办耳。檀越日造门求观汤戏，全自咏曰：‘生成盏里水丹青，巧画工夫学不成。却笑当时陆鸿渐，煎茶赢得好名声。’”靠煎茶获得这么大名声，切实不容易，四个茶盏茶汤，像变魔术似的，轻轻松松就点出了这么一首诗来。五代期间是幻化沫饽为视觉艺术的滥觞期，还有各种各样的“茶百戏”“漏影春”之类的花样。

陆羽强调沫饽为茶之英华，强调其中有精神境界的追求，也连带出啜饮养生的含义。沫饽的视觉联想多于味觉联想，又联系起养生益寿，与唐宋佛教流行的“醍醐”概念有关。陆羽在《茶经》里说到茶的功能：“茶之为用，味至寒，为饮最宜。精行俭德之人，若热渴、凝闷、脑疼、目涩、四肢烦、百节不舒，聊四五啜，与醍醐、甘露抗衡也。”“甘露”就是清晨水汽凝结而成的露水，是上天凝聚灵气，从暗夜转为白昼之际，呈现在世上的仙品。《资治通鉴》卷二十记汉武帝元鼎二年（前115）：“起柏梁台，作承露盘，高二十丈，大七围，以铜为之，上有仙人掌，以承露，和玉屑饮之，云可以长生。”从汉代以来，宫廷就修建承露盘，以吸取天地精华的甘露。“醍醐”是动物奶乳提炼出来的精华，是与“甘露”同样带有神性的天地精华。《大般涅槃经·圣行品》中提到“譬如从牛出乳，从乳出酪，从酪出生酥，从生酥出熟酥，从熟酥出醍醐”，这里的“醍醐”就是香港人所谓的“忌廉”（cream）。欧美传统烹调美食，就经常使用醍醐（忌廉），比如蘑菇忌廉汤、松露忌廉意大利面条之类。假如我们回到唐宋用词习惯，也可以称之为蘑菇醍醐汤、松露醍醐意大利面。陆羽把茶比作甘露与醍醐，是精神飞升的联想，因为他在联想的过程中，有意无意给茶赋予了神秘的灵性，成为可以追求的精神境界，而且与延年益寿的养生观念相连起来，很容易在审美风尚之上，又加持上一道养生风尚。

我觉得世界上所有追求风尚，对审美追求的提升，都是向往一种美好境界的联想。既然茶是百草英华，点茶所营造的沫饽，就是草木英华的精华，就是在想象意识的提升中，营造了带有神性的饮啜养生品。联想的脉络是：乳奶的精华是醍醐，茶的精华就是沫饽，都是提升精神境界的载体。这也就解释了，为什么唐宋饮茶如此在意沫饽，刻意要在汤面打出泡沫，而且要追求完美，击拂出凝聚不散的雪白泡沫。这种追求不止是客观物质性的视觉美感，其中还有视觉联想带出来的精神追求与向往，从形而下发展到形而上，从饮啜品尝导致延年益寿，以至于提升到神灵境界。喝茶本来是物质性的，是个形而下的东西，可是审美联想是形而上的追求，饮啜的精神追求就没有止境了。假如饮啜沫饽能够跟神圣因素联系起来，那么茶饮审美的境界就可能遨游无尽，达到审美追求的极致。这种想法是否偏执暂且不论，这种追求审美极致的方向，则是宋人点茶要求击拂乳花、沫饽，还要精益求精的潜在原因。

四

对于点茶之道的掌握，宋徽宗这个旷世以来的第一大玩家，讲得很多、很复杂，但条理分明，叙述得很清楚：

> 点茶不一，而调膏继刻。以汤注之，手重筅轻，无粟文蟹眼者，谓之静面点。盖击拂无力，茶不发立，水乳未浃，又复增汤，色泽不尽，英华沦散，茶无立作矣。有随汤击拂，手筅俱重，立文泛泛，谓之一发点。盖用汤已故，指腕不圆，粥面未凝，茶力已尽，雾云虽泛，水脚易生。

他首先指出，点茶要掌握技巧。技巧不到家，就会失败，出现“静面点”“一发点”的现象。“静面点”是说茶汤表面“无粟文蟹眼”，没有乳花，因为使用茶筅的时候，手劲重而茶筅击拂得轻，无法打出沫饽，达不到拉花的效果。关键在于击拂不得力，茶沫发不起来，注汤的方式不得要领，沸水与茶膏尚未恰当调和，就再度加水，以至于“英华沦散”，出现不了沫饽。“一发点”指的是发沫稀薄，一发即散，也是失败的拉花表现。原因还是技术欠佳，手劲与茶筅都用力过重，打起来的泡沫浮泛易散，无法凝聚。虽然表面上看似云雾弥漫，好像出现了乳花，但是很快就消失殆尽。

宋徽宗指出，掌握点茶的技巧，必须依照七个步骤，按部就班，澄心静虑，一一施行。第一步至关紧要：

> 妙于此者，量茶受汤，调如融胶。环注盏畔，勿使侵茶。势不欲猛，先须搅动茶膏，渐加击拂，手轻筅重，指逸腕旋，上下透彻，如酵蘖之起面，疏星皎月，灿然而生，则茶面根本立矣。

真正的行家里手，把茶膏先调得适宜，环绕着茶盏注水，要小心翼翼，不要让注水的过程影响茶膏发立。一开始不能太猛，慢慢击拂，逐渐发力。手要轻，筅要重，手指与手腕的动作要灵活，旋转环绕，上下透彻，才能像酵母发面那样，如“疏星皎月，灿然而生”，形成茶面能够持久的沫饽。接着还有六个步骤，才能达到完美的点茶拉花境界：

> 第二汤自茶面注之，周回一线，急注急止，茶面不动，击拂既力，色泽渐开，珠玑磊落。三汤多寡如前，击拂渐贵轻匀，周环（旋复），表里洞彻，粟文蟹眼，泛结杂起，茶之色十已得其六七。四汤尚啬，筅欲转稍宽而勿速，其真精华彩，既已焕然，轻云渐生。五汤乃可稍纵，筅欲轻盈而透达，如发立未尽，则击以作之。发立已过，则拂以敛之，结浚霭，结凝雪，茶色尽矣。六汤以观立作，乳点勃然，则以筅着居，缓绕拂动而已。七汤以分轻清重浊，相稀稠得中，可欲则止。乳雾汹涌，溢盏而起，周回凝而不动，谓之咬盏，宜均其轻清浮合者饮之。《桐君录》曰：“茗有饽，饮之宜人”，虽多不为过也。

宋徽宗教人点茶，秘诀是要掌握复杂的程序，循序渐进，才能一步一步看到“色泽渐开，珠玑磊落”，然后再看到粟文蟹眼，泛结杂起，到慢慢轻云渐升，“结浚霭，结凝雪”，就像白雪一样；再来是“乳点勃然”，最后才能达到沫饽凝聚的效果：“乳雾汹涌，溢盏而起，周回凝而不动，谓之咬盏，宜均其轻清浮合者饮之。”

宋徽宗是皇帝，当然享受皇家待遇，喝的茶是特供给皇帝老子的贡品，也就是建溪御苑龙焙的产品。关于北苑龙焙的记载，蔡襄《茶录》已经指出“唯北苑凤凰山连属诸焙所产者味佳”。宋子安《东溪试茶录》引述品茶大家丁谓与蔡襄的论述，综论北苑水土特别适合产茶：“先春朝隮常雨，霁则雾露昏蒸，昼午犹寒，故茶宜之。茶宜高山之阴，而喜日阳之早。自北苑凤山南，直苦竹园头东南，属张坑头，皆高远先阳处，岁发常早，芽极肥乳，非民间所比。次出壑源岭，高土沃地，茶味甲于诸焙。”他描述北苑的地理位置特殊，连属诸山出产好茶，离开这片土地就差了：“北苑西距建安之洄溪二十里而近，东至东宫百里而遥

(姬名有三十六，东宫其一也)。过洄溪，踰东宫，则仅能成饼耳。独北苑连属诸山者最胜。北苑前枕溪流，北涉数里，茶皆气弇然，色浊，味尤薄恶，况其远者乎？亦犹橘过淮为枳也。”《宣和北苑贡茶录》特别标出上贡给皇帝的御茶，都是精挑细选、花样众多，却产量极少的极品，从龙凤团茶、石乳、的乳、白乳、小团、密云龙、瑞云翔龙，一直到宋徽宗喜欢的白茶，还不断翻新，层出不穷，难以胜数，如龙园胜雪、御苑玉芽、万寿龙芽、上林第一、乙夜清供、承平雅玩、龙凤英华、玉除清赏、启沃承恩等等，不一而足。

梅尧臣有一首茶诗，诗题很长：“李仲达寄建溪洪井茶七品，云愈少愈佳，未知尝何如耳。因条而答之”，说的是他朋友李仲达寄来建溪所产的洪井茶，共有七等品级，分量愈少的愈好，要他品尝试茶。梅尧臣品尝之后，一一条举·“末品无水晕，六品无沉柤。五品散云脚，四品浮粟花。三品若琼乳，二品罕所加。绝品不可议，甘香焉等差。”梅尧臣所喝的建溪茶，产自北苑一带，分为七个等级品类，品尝之后发现，四品以上才有粟花，三品则美如琼浆玉乳，二品已经好到无以复加了，绝品更是言语道断，难以形容。梅尧臣无法描摹二品与极品的茶汤品相，虚晃一招，让人觉得，只能意会不可言传，但是描述三品已经有如琼乳，说及二品与极品，当然还是赞美建溪御茶可以击拂出绚烂的乳花。他在《尝茶和公仪》一诗中，称赞北苑御茶是这么说的："都篮携具上都堂，碾破云团北焙香。汤嫩水清花不散，口甘神爽味偏长。"到了徽宗皇帝写《茶论》，教人点茶拉花七步骤，则把御茶击拂所能达到的审美极致，像他书写瘦金体与描画花鸟人物一样，刻画入微，形容得淋漓尽致，纤毫毕露，那才是言语道断，无以复加呢。

五

仔细观察《大观茶论》写的品茶过程，可以知道，宋代品茶审美程序的展现，最强调的是视觉感受。虽然宋人饮茶的方式与唐代相似，主要是制造团状茶饼，然后研末煎点，同时又沿袭了唐朝以来强调的沫饽，但是，宋代点茶把视觉审美提升到了极致，更重视的是点茶、拉花，就造成品茶审美的“色香味”三位一体，逐渐向“色”的视觉感受倾斜。

关于饮茶品味，蔡襄早在《茶录》里，就非常清楚地讲到“色、香、味”，本来应该是三者并重的，也显示宋代人饮茶继承了陆羽提出的感官审美的统一性，要求视觉、嗅觉与味觉都能得到愉悦。他论“色”：“茶色贵白……既已末之，黄白者受水昏重，青白者受水鲜明，故建安人斗试，以青白胜黄白。”论“香”：“茶有真香。……建安民间试茶，皆不入香，恐夺其真。”论“味”：“茶味主于甘滑，惟北苑凤凰山连属诸焙所产者味佳。隔溪诸山，虽及时加意制作，色、味皆重，莫能及也。”但是在“茶盏”这一段中，蔡襄却明确点出了斗茶的关键：“茶色白，宜黑盏。建安所造者绀黑，纹如兔毫，其坯微厚，熁之久热难冷，最为要用。出他处者，或薄或色紫，皆不及也。其青白盏，斗试家自不用。”你要斗茶，就要使用建窑的黑盏，其他都不够好，斗茶的行家不用。原因很简单，他要看到绀黑的茶盏衬出雪白的沫饽，要看到乳花汹涌而起，最好能够凝聚不散。说到底，要斗茶，斗的首先还是视觉审美，要看击拂拉花的本领。

宋徽宗在《大观茶录》里面，也说“色香味”，大体说的和蔡襄一致，但是论“色”的时候，就长篇大论说了一通“纯白”的重要性：“点茶之色，以纯白为上真，青白为次，灰白次之，黄白又次之。天时得于上，人力尽于下，茶必纯白。”对于茶色要白，他特别关注，还专门列了“白茶”一项：“白茶自为一种，与常茶不同，其条敷阐，其叶莹薄。崖林之间，偶然生出，虽非人力所可致。有者不过四五家，生者不过一二株，所造止于二三胯而已。芽英不多，尤难蒸焙。汤火一失，则已变而为常品。须制造精微，运度得宜，则表里昭澈，如玉之在璞，他无与伦也。浅焙亦有之，但品格不及。”徽宗皇帝说的白茶，跟我们今天讲的白茶不同，是当时出产在崖林之间的珍异，是天地间钟灵毓秀的英华，是专供皇室的贡品。我们要特别指出，宋徽宗虽然强调茶之“纯白”，却并非忽略“香”与“味”，因为他所饮啜的白茶，是色香味兼有的，也就是他自己说的“与常茶不同”。他在论“味”的时候，还特别说到，“夫茶以味为上，甘香重滑，为味之全，惟北苑、壑源之品兼之。”问题是，这种珍异的白茶，千金难买，当天下官民一体都羡称斗茶风尚，都要使用黑釉的建窑茶碗，击拂出皎如白雪的乳花，而却得不到北苑或壑源的御茶，不能同时具备色香味的情况下，该怎么办，如何取舍呢？

写《东溪试茶录》的宋子安，时代比蔡襄稍晚，生活在宋徽宗之前，对福建御茶园及其附近茶山出产的情况，知之甚详，可能就是监管御茶并从事有关造茶工作的负责人。他在《东溪试茶录》里讲到，北苑与壑源是最重要的上等茶产地，同时还说到，茶之名类有七：白叶茶、柑叶茶、早茶、细叶茶、稽茶、晚茶、丛茶。白叶茶列为第一等：“民间大重，出于近岁，园焙时有之。地不以山川远近，发不以社之先后，芽叶如纸，民间以为茶瑞，取其第一者为斗茶。而气味殊薄，非食茶之比。”其次为柑叶茶：

“树高丈余，径头七八寸，叶厚而圆，状类柑橘之叶。其芽发即肥乳，长二寸许，为食茶之上品。”这里透露的消息是，白叶茶晚近才出现，不出产在特定的地区，也不按照固定的时序出现，芽叶如纸，气味淡薄，是斗茶比试的上品，但是味道比不过叶芽肥厚的柑叶茶。可见宋子安已经明确作了区分，白叶茶是斗茶的上品，而柑叶茶是食茶的上品。

黄儒《品茶要录》有一节专讲斗茶：

> 茶之精绝者曰斗，曰亚斗，其次拣芽。茶芽，斗品虽最上，园户或止一株，盖天材间有特异，非能皆然也。且物之变势无穷，而人之耳目有尽，故造斗品之家，有昔优而今劣，前负而后胜者。……其造，一火曰斗，二火曰亚斗，不过十数銙而已。拣芽则不然，遍园陇中择其精英者尔。其或贪多务得，又滋色泽，往往以白合盗叶间之。试时色虽鲜白，其味涩淡者，间白合盗叶之病也。(一鹰爪之芽，有两小叶抱而生者，白合也。

新条叶之抱生而色白者，盗叶也。造拣芽常剔取鹰爪，而白合不用，况盗叶乎。）

这一段话说明了白茶斗品之难得，一片茶园中或许只有一株茶树达标，而且还可能发生难以预期的变化，过一段时间枯萎或变质了。一株斗品茶树实在做不出多少斗茶，就有人想出其他花样，制造山寨版的斗品，以拣芽为底，掺入白合与盗叶来冒充。拣芽是第三等的茶芽，也就是一般说的一枪一旗（一芽一叶），鲜嫩可口，但是色泽偏绿，达不到斗茶所需要的乳花汹涌、凝聚不散的效果。为了达到视觉效果，就掺入欠缺香气与味道的白合与盗叶，让斗茶的时候看起来色泽鲜白，然而味道涩淡，只能骗骗不入流的茶客。宋徽宗是行家里手，他在《大观茶论》里说："凡芽如雀舌谷粒者为斗品，一枪一旗为拣芽，一枪二旗为次之，余斯为下茶。茶始芽萌，则有白合；既撷，则有乌蒂。白合不去，害茶味；乌蒂不去，害茶色。"显然不会上当受骗，当然也没人敢骗皇帝。

《东溪试茶录》指出，建溪御苑一带，出产白茶的茶园，有以下诸家："今出壑源之大窠者六：叶仲元、叶世万、叶世荣、叶勇、叶世积、叶相，壑源岩下一：叶务滋，源头二：叶团、叶肱，壑源后坑一：叶久，壑源岭根三：叶公、叶品、叶居，林坑黄漈一：游容，丘坑一：游用章，毕源一：王大照（诏），佛岭尾一：游道生，沙溪之大梨漈上一：谢汀，高石岩一：云院，大梨一：吕演，砰溪岭根一：任道者。"在北宋中晚期，因为斗茶拉花的风气盛行，白茶成了万众瞩目的精品，民间也流传"叶氏白、王氏白"的说法，而以叶氏白茶最为著名。苏轼《寄周安孺茶》诗有曰："自云叶家白，颇胜中山醁。"王家白茶在宋代亦久负盛名，刘弇《龙云集》（卷28）："其品制之殊，则有……叶家白、王家白……"

蔡襄爱茶成癖，与茶农王大诏熟识，《蔡忠惠文集·茶记》云："王家白茶，闻于天下。其人名大诏。白茶惟一株，岁可作五七饼，如五铢钱大。方其盛时，高视茶山，莫敢与之角。一饼直钱一千，非其亲故，不可得也。终为园家以计枯其株。予过建安，大诏垂涕为予言其事。今年枯蘖辄生一枝，造成一饼，小于五铢。大诏越四千里，特携以来京师见予，喜发颜面。予之好茶固深矣，而大诏不远数千里之役，其勤如此，意谓非予莫之省也。可怜哉！乙巳（1065）初月朔日书。”这里讲的一段故事，让我们看到白茶的珍贵，茶户之间因竞争而嫉恨的冲突，以及茶人之间的高山流水知音情怀。王大诏茶园里只有一株白茶，却能名闻天下。这一株茶树，每年只能生产五铢钱大小的茶饼五七枚，每枚值一千钱，实在不便宜，却不随便售卖，只留给亲朋故旧。后来这株茶树遭人设计枯死了，王大诏曾向蔡襄哭诉，显然是痛心已极。到了一〇六五年，枯树居然发了一枝新桠，王大诏以此制作成一块小于五铢钱的茶饼，千里迢迢拿到京师来送给懂茶的蔡襄，让他感动不已。

到了宋徽宗的时候，建溪白茶还是以叶氏生产的最为著名，《大观茶论》还一一著录了品名：

名茶各以所产之地，如叶耕之平园台星岩，叶刚之高峰青凤髓，叶思纯之大岚，叶屿之眉山，叶五崇林之罗汉山水，叶芽、叶坚之碎石窠、石臼窠（一作突窠），叶琼、叶辉之秀皮林，叶师复、师贶之虎岩，叶椿之无双岩芽，叶懋之老窠园，名擅其门，未尝混淆，不可概举。前后争鬻，互为剥窃，参错无据。曾不思茶之美恶者，在于制造之工拙而已，岂冈地之虚名所能增减哉。焙人之茶，固有前优而后劣者，昔负而今胜者，是亦园地之不常也。

这些记载让我们看到，宋人为了点茶拉花，击拂出最出色的乳花沫饽，对珍稀的白茶是如何向往与渴求，而茶农也因种植高档茶叶得以蜚声天下，连皇帝老儿都在书中记了一笔。

传为刘松年的《茗园赌市图》及赵孟頫的《斗茶图》，都画了市井斗茶的场景，似乎宋朝人上从帝王将相下到市井小民，人人都参与斗茶的风尚狂欢，都在点茶拉花的过程中，享受乳花汹涌的愉悦。问题是，升斗小民能得到击拂出色香味俱全的白茶吗？想来是不可能的。点茶讲究纯白的色效，只有正宗的白茶才能达到色香味俱全的境界。因此，一般市井小民为了斗茶的沫饽呈现蜡白的效果，使用欠缺香气与味道的山寨白茶，这也是无可奈何的替代。为了跟上风尚，点茶的色相逐渐压过了香气与味道，成了视觉艺术的偏执追求了。啜英咀华的发展，由于风尚的大众化与平民化，完全颠覆了饮茶的色香味审美的统一性，沦落为拉花技艺的表演，也就预示着宋代点茶走向衰微的必然。

茶之为饮，有其客观的物质性，能够提供色香味的实体愉悦，满足形而下的感官享受。感官愉悦的发展，提升为形而上的探索，追求嗅觉、味觉、视觉的审美统一性，在精神领域追求美感的升华，就是茶道的肇始。从唐代陆羽的煎茶到宋代文人学士与宋徽宗的点茶拉花，是在一脉相承中不断攀升审美的境界，以臻于极致。但是，当追求过程偏于一隅，为了视觉效果达到乳花凝聚的巅峰状态，就不免忽视了茶香与茶味，排除了茶饮实体愉悦的两个相关面向。在早期点茶拉花的发展过程，问题还不严重，到了蔡襄与宋徽宗这样的饮茶大家，把高雅艺术追求的探索精神移植到点茶拉花，茶饮就逐渐脱离了物质性，带动了难以持续的点茶风尚。

范仲淹有一首著名的《和章岷从事斗茶歌》：

年年春自东南来，建溪先暖冰微开。
溪边奇茗冠天下，武夷仙人从古栽。
新雷昨夜发何处，家家嬉笑穿云去。
露芽错落一番荣，缀玉含珠散嘉树。
终朝采掇未盈襜，唯求精粹不敢贪。
研膏焙乳有雅制，方中圭兮圆中蟾。
北苑将期献天子，林下雄豪先斗美。
鼎磨云外首山铜，瓶携江上中泠水。
黄金碾畔绿尘飞，碧玉瓯中翠涛起。
斗茶味兮轻醍醐，斗茶香兮薄兰芷。
其间品第胡能欺，十目视而十手指。

胜若登仙不可攀，输同降将无穷耻。

……

从采茶、制茶，写到斗茶，生动活泼，色香味俱全，似乎把斗茶的欢乐都写尽了。可是蔡襄觉得范仲淹写得不够好，没能掌握点茶的个中三昧，其中最大的问题是，形容茶末是“绿尘飞”，而茶汤的沫饽是“翠涛起”，不符合雪白色的茶末要求，更降低了沫饽色泽应该是雪白乳花的标准。明冯时可《茶录》记载了蔡襄对范仲淹的批评：“范文正公《采茶歌》‘黄金碾畔绿尘飞，碧玉瓯中翠涛起’，今茶极品色甚白，碧绿乃下者，谓改为‘玉尘飞’‘素涛起’如何？”蔡襄讲究茶道，是要色香味三位一体的，但是他的批评却在客观上造成了强调视觉美感的后果。再经过宋徽宗的推波助澜，通过《大观茶论》大力宣扬，使得斗茶一味追求视觉美感，违背了这两位茶道大家的初衷。

回顾中国茶饮的历史，点茶拉花的风尚，在宋代大行其道，一直影响了日本茶道的主流发展。在中国却因为发展走了偏锋，在视觉审美上提升到了极致，忽视了饮茶的客观本质的香与味，以至于点茶之风走向没落。明太祖罢造龙团，进贡芽茶，一般都说是体恤民情，让茶农不至于疲于奔命，在惊蛰以前赶制特供皇室的龙凤茶团。自此以后，中国饮茶历史完全改观，开始了饮啜芽叶茶的新传统。仔细思考饮茶的历史发展就会发现，宋代点茶拉花走向极致，以乳花雪白为上的情况，需要偶生于天地间的白茶作原料，居然成为全民风尚，是个不可能持续发展的途径。中国饮茶历史转向芽叶冲泡，更深刻的原因就涉及了茶的物质本性，具备色香味的条件，是应当发展三位一体的审美追求的。因此，明代以来饮茶以芽叶冲泡为主，扬弃了盛极一时的点茶风尚，或许也是中国茶道返璞归真的历程。

原文刊载于《书城》

2016 年 12 月号

晚明饮茶风尚

喝茶是清雅之事，大概是陆羽写了《茶经》之后，在士大夫精英阶层之中，逐渐发展而成的概念。先是追求纯净，再来就从形而下的茶饮纯净之中，提炼出精神境界的纯净，变成了形而上的心灵追求。中国人喝茶，从最先滚水煮茶叶，当作菜汤或药汤的饮料，用来解渴与解乏，从原本只强调物质性的功能，逐渐变身，开始进入追求非物质文化的精神境界，成为提升个人文化修养与审美情趣的道场，经历了很长的时间，而且峰回路转，其中还有许多曲折变化。

从物质形态的变化来看，最主要是中国饮茶的主流风尚，从唐宋的研末煎点，转化为明清以来的芽叶冲泡。对日本茶饮的影响，则是唐宋研末煎点法在日本得以持久承续，演化为日本茶道的抹茶法，经千利休的发扬光大，迄今仍然是日本茶饮风尚的主流。若从非物质的精神追求领域来看，无论是研末煎点，还是芽叶冲泡，抑或是日本人坚守不变的抹茶道，古代的文人雅士与当今的社会精英，则追求的目标基本不变，企图从喝茶的形而下体验，上升到精神的形而上领悟，凝神虑志，希望从饮茶过程中发现人世间的静修之道。其间或许存在茶叶形态的不同，程序与仪式的差异，但目的一致，都是追求心灵的平和与审美的享受。

陆羽《茶经》可说是开创了茶道的精神领域，从物质性的解乏解渴，上升到口感审美，并且强调饮茶的纯净性，追求简约美学，从中得到道德境界的提升。陆羽讲究茶道，指出茶有其本色，有其内在的质量，不应当加料加果。饮茶可以有各种各样的方式，制茶也有粗茶、散茶、末茶、饼茶之别，他反对的是当时流行的喝法："或用葱、姜、枣、橘皮、茱萸、薄荷之等，煮之百沸，或扬令滑，或煮去沫。斯沟渠间弃水耳，而习俗不已。"晚唐的皮日休非常喜欢喝茶，说古人喝茶的方式不敢恭维，就是把茶叶丢进锅里煮，跟喝菜汤无大分别。唐朝通俗喝茶，沿袭了"煮菜汤"的古法，还喜欢放各种佐料，把葱、姜、枣、橘皮、茱萸、薄荷等，都放到茶汤里面一起去煮。这个习惯是沿袭古人喝茶如喝菜汤的方式，什么东西都可以往茶里放。陆羽认为，这不是喝茶，是糟蹋茶，喝的是沟渠间的弃水，跟人家倒在沟里的馊水差不多。陆羽强调“茶性俭，最宜精行俭德之人”，要从简约当中发现茶的灵性。

陆羽在人类饮茶历史上，最大的贡献就是写了《茶经》，明确点出饮茶有精神境界，可以从中提升心灵感悟，体验静修的审美经验。之后的茶仪与茶道演变，无论是宋代宫廷与士大夫的点茶斗茶，寺院茶仪的持修空灵，明清文人的清雅茶聚，日本茶会的和敬清寂，都因陆羽的开示而得以开创自成体系的饮茶天地。

中国历史发展到明代，在文化审美的追求上，基本沿袭宋代对精致美学的向往，对日常生活品味的讲究。宋代士大夫文人在审美的体会上，较之唐代的上层社会，或许对盛世排场及奢华的追求有所不及，但是能够沉潜于细节，精益求精，在纯净简朴之中，体悟光风霁月的审美境界。宋人讲究的“清风明月”“鸢飞鱼跃”，是一种追求自然境界的精神领悟，融合了儒家的宽博、道家的逍遥、佛家的禅悟，通过具体的人间事物，达到圆融的审美境界，体会天人合一的神韵。宋人饮茶发展出点茶拉花，虽然有耽于卖弄技巧、过度偏重技艺之嫌，但是，大多数文人雅士在茶饮审美的追求上，还是注重心灵提升的体会的。如苏东坡的《汲江煎茶》诗，写在他遭贬海南的时期，就显示了这种审美超越的精神境界：

> 活水还须活火烹，自临钓石取深清。大瓢贮月归春瓮，小杓分江入夜瓶。茶雨已翻煎处脚，松风忽作泻时声。枯肠未易禁三碗，坐听荒城长短更。

汲水煎茶的过程，是一种心灵净化的过程，在人生境遇遭到困蹇之际，安安静静地喝一碗茶，自己取水，自己烹茶，静听水声翻腾，默看茶沫浮泛，夜深人静，正是安顿自己心境，“万物静观皆自得”的时候。

历史经过蒙古入侵，天下大乱，再经历改朝换代的天翻地覆变化之后，到了明代中叶之后，经济与社会形态渐趋稳定，江南的商品化经济开始起飞，物产丰富，社会繁华，士大夫阶级的日常生活重新讲求精致与奢华，品味也开始重新追求高雅。明朝的文人雅士心目中高风亮节与风雅洒脱的表率，就是苏东坡，不但景仰他的为人处世，欣赏他的诗词歌赋，也向往他的生活品位态度。在饮茶方面，虽然明代的饮茶风尚在物质性的制作与烹调方法上已经改变，不同于宋人的研末点茶，而开始推崇炒青的芽茶，特别讲究清明到谷雨期间的新茶嫩芽，但是在追求茶饮的高雅审美境界，冀望精神提升方面，却仍然一脉相承，继承了陆羽、苏东坡的审美向往。

我们只要看看明代文人雅士的著作，说到饮茶的场合，除了要喝好茶，满足口舌的物质性品味之外，说的都是如何可以达到清雅之境，让心灵得到无限欢愉。徐渭《煎茶七类》首先就说“人品”，也就是坐在同一茶席中喝茶的朋辈："煎茶虽凝清小雅，然要须其人与茶品相得。故其法每传于高流大隐、云霞泉石之辈，鱼虾麋鹿之俦。"喝茶要清雅，首先人品要雅，物以类聚，人以群分，要跟高雅之士在一起，才能登临清雅之境。徐渭还说到适合喝茶的环境，有以下几类："凉台静室、明窗曲几、僧寮道院、松月竹月、宴坐行吟、清谭把卷。"而可以一起饮茶，一同体会茶饮审美境界的茶侣，则是："翰卿墨客、缁流羽士、逸老散人或轩冕之徒、超然世味者。"换句话说，孜孜营役于官场或商场，脑满肠肥，而无隐逸超越心境的人，是不配与他同席饮茶的。

明万历年间的茶人，最为当时称颂的，是浙江钱塘（今杭州）人许次纾（字然明，约 1549–1604）。他写了一本《茶疏》(1597 年成书)，不但对茶的历史文献了若指掌，还反映了作者访茶、品茶的实践经验，吸收了当时江浙一带精于茶事者的宝贵经验，可说是杭州地区最懂得品茗之人。他列举古今名茶的兴废，说到明代中叶以后的风尚趋向江南的春茶，最有名的有长兴之罗岕，他怀疑就是唐朝人崇尚的顾渚紫笋，但又有不同。此外，“若歙之松萝、吴之虎丘、钱塘之龙井，香气浓郁，并可雁行，与岕颉颃”。福建的茶，宋元之后开始衰落，到了晚明，只有武夷的雨前最好。浙江其他地区也有些好茶，如“天台之雁宕、括苍之大盘、东阳之金华、绍兴之日铸，皆与武夷相为伯仲”。可惜的是“制造不精，收藏无法，一行出山，香味色俱减”。

许次纾非常讲究烹茶的方法，要从清洁的茶具开始，按部就班，一一合乎洁燥的程序，否则会破坏茶的原味：“未曾汲水，先备茶具。必洁必燥，开口以待。盖或仰放，或置瓷盂，勿竟覆之案上，漆气食气，皆能败茶。先握茶手中，俟汤既入壶，随手投茶汤，以盖覆定。三呼吸时，次满倾盂内。重投壶内，用以动荡，香韵兼色不沉滞。更三呼吸顷，以定其浮薄，然后泻以供客。则乳嫩清滑，馥郁鼻端。病可令起，疲可令爽。吟坛发其逸思，谈席涤其玄衿。”

泡茶要有技巧，而使用技巧的目的，是要达到一种审美的感受，从中体会高雅的境界，不只是满足口腹之欲，为喝茶而喝茶。他认为嫩绿的新茶最有趣，不但有新鲜感，而且充满了诗意，有余不尽，留下无穷的美好想象：

一壶之茶，只堪再巡。初巡鲜美，再则甘醇，三巡意欲尽矣。余尝与冯开之（冯梦祯）戏论茶候，以初巡为“婷婷袅袅十三余”，再巡为“碧玉破瓜年”，三巡以来绿叶成阴矣。开之大以为然。所以茶注欲小，小则再巡已终。宁使余芬剩馥尚留叶中，犹堪饭后供啜嗽之用，未遂弃之可也。若巨器屡巡，满中泻饮，待停少温，或求浓苦，何异农匠作劳，但需涓滴，何论品赏，何知风味乎。

许次纾还讲到茶寮的安排与布置：

小斋之外，别置茶寮。高燥明爽，勿令闭塞。壁边列置两炉，炉以小雪洞覆之，止开一面，用省灰尘腾散。寮前置一几，以顿茶注、茶盂，为临时供具，别置一几，以顿他器。傍列一架，巾悬之，见用之时，即置房中。斟酌之后，旋加以盖，毋受尘污，使损水力。炭宜远置，勿令近炉，尤宜多办宿干易炽。炉少去壁，灰宜频扫。

他对于茶室环境的讲究，强调明亮清爽，而且明确地说："煎茶烧香，总是清事，不妨躬自执劳。"许次纾中意的茶寮，在半个世纪以后文震亨的《长物志》中，是这么形容的："构一斗室，相伴山斋，内设茶具。教一童专主茶役，以供长日清谈，寒宵兀坐。幽人首务，不可少废者。"

至于饮茶的场合，许次纾更是着意罗列，可从中见到晚明雅士的茶饮情趣：

心手闲适。披咏疲倦。意绪棼乱。听歌拍曲。歌罢曲终。杜门避事。鼓琴看画。夜深共语。明窗净几。洞房阿阁。宾主款狎。佳客小姬。访友初归。风日晴和。轻阴微雨。小桥画舫。茂林修竹。课花责鸟。荷亭避暑。小院焚香。酒阑人散。儿辈斋馆。清幽寺观。名泉怪石。

说来说去，都是清雅的场所与情景，就像平日在自家园林中优哉游哉的生活，高兴了出去游山玩水，到清幽的寺观中与出家人谈玄说禅，像明代画卷中想象的隐逸风神。许次纾还说到不适当的场合：“作字。观剧。发书柬。大雨雪。长筵大席。翻阅卷帙。人事忙迫。及与上宜饮时相反事。”更指出不宜茶饮场合的人与物事：“恶水。敝器。铜匙。铜铫。木桶。柴薪。麸炭。粗童。恶婢。不洁巾帨。各色果实香药。”不宜靠近的地方、人与物：“阴室。厨房。市喧。小儿啼。野性人。童奴相哄。酷热斋舍。”

与许次纾同时代的罗廪，周游各地，潜心调查种茶、制茶技艺之后，回乡居山十年，亲自实践，加以验证，总结经验，写成《茶解》一书，主要探讨茶叶生产和烹饮技艺，是明清时期最为“论审而确”之茶书。他指出：“茶须色、香、味三美俱备。色以白为上，青绿次之，黄为下。香如兰为上，如蚕豆花次之。味以甘为上，苦涩斯下矣。”为了表现他品评茶饮的知识来自亲身考察，见识与本领不下于许次纾，他特别在品水的体会上，点出许次纾没有发现杭州的甘露泉水：

[明] 丁云鹏绘《玉川煮茶图轴》(现收藏于北京故宫博物院)

武林（杭州）南高峰下，有三泉。虎跑居最，甘露亚之，真珠不失下劣，亦龙井之匹耳。许然明（许次纾），武林人，品水不言甘露何耶？甘露寺在虎跑左，泉居寺殿角，山径甚僻，游人罕至。岂然明未经其地乎？

关于适合饮茶，而能跻升到体会清雅的场合，罗廪是这么说的：“山堂夜坐，手烹香茗，至水火相战，俨听松涛，倾泻入瓯，云光缥缈，一段幽趣，故难与俗人言。”这样的幽趣的确“难与俗人言”，却是苏东坡《汲江煎茶》所展示的诗境。

关于品茶需好水，是陆羽一直强调的基本原则。罗廪则引用苏东坡《仇池笔记》的记录，说：

瀹茗必用山泉，次梅水。梅雨如膏，万物赖以滋长，其味独甘。《仇池笔记》云：时雨甘滑，泼茶煮药，美而有益。梅后便劣。至雷雨最毒，令人霍乱，秋雨冬雨，俱能损人。雪水尤不宜，令肌肉销铄。

这一段话提到，品茶最好是用山泉，即是陆羽的真传不二之法，其次是“梅水”。梅水是什么呢？就是江南梅雨季节的雨水，也就是苏东坡说的“美而有益”的甘滑的时雨。这样的“时雨”，并不只是诗情画意的联想，让人想起陶渊明说的“霭霭停云，蒙蒙时雨”。古代的天宇不像现代这般污染，没有钢铁厂或化工厂制造的毒雾，没有汽车排出的废气，没有笼罩在空中死活不肯消散的雾霾。梅雨季节的蒙蒙时雨，是洁净甘美的天水，是泡茶的好水。后人把“梅水”误会成梅花瓣上的露水，以讹传讹，还自以为高雅，未免抛弃了形而下的物质本性，数典忘祖，混淆视听了。

《红楼梦》第四十一回，贾母带着众人到妙玉的栊翠庵品茶。曹雪芹特别描写妙玉的品味高雅清纯，有这么一段叙述，显示她的茶饮境界高出宝玉与黛玉：宝玉吃了好茶，觉得轻淳无比，赏赞不绝。

> 黛玉因问：“这也是旧年的雨水？”妙玉冷笑道：“你这么个人，竟是大俗人，连水也尝不出来。这是五

年前我在玄墓蟠香寺住着，收的梅花上的雪，共得了那一鬼脸青的花瓮一瓮，总舍不得吃，埋在地下，今年夏天才开了。我只吃过一回，这是第二回了。你怎么尝不出来？隔年蠲的雨水那有这样轻浮，如何吃得。”

妙玉所说的玄墓，是在苏州的西边靠太湖一带，现在称作光福的地区，以种植梅花著名，有“香雪海”之称。她收集了梅花上的雪水，藏了五年，再来泡茶，是否适合发挥春茶的清扬香气，是颇有可议，也令人怀疑的。曹雪芹是知道晚明茶饮风尚的，因为晚明遗风到了乾隆时期才逐渐颓丧，何况“上有天堂，下有苏杭”，江南的清雅并不会全然消逝。或许从这段描述，我们也可以看到曹雪芹生花妙笔的狡狯之处，让我们看到妙玉的故作玄虚，把以讹传讹的“梅水”，变成了可遇不可求的茶饮甘露，只有通过有洁癖的妙玉，才能体会品茶的最高审美境界？

原文刊载于《书城》

2016 年 8 月号

说茶五题

望茶兴叹

玉川子卢仝（795–835），是唐代中期著名的诗人，好喝茶，后人经常把他与陆羽并称。现代人最喜欢引用他的《七碗茶》一诗：“一碗喉吻润，二碗破孤闷。三碗搜枯肠，唯有文字五千卷。四碗发轻汗，平生不平事，尽向毛孔散。五碗肌骨清，六碗通仙灵。七碗吃不得也，唯觉两腋习习清风生。”只要是跟茶有关的物件或地方，总是用各种字体，密密麻麻印着卢仝的诗句。装茶的茶罐上见得到，送礼的茶盒上见得到，卖茶的广告上见得到，走进一些装修古雅的茶室，也时常迎面而来，在墙上写满了这一段卢仝诗句。好像卢仝是推广茶叶的代言人，为了鼓吹喝茶的好处，呼吁人们喝茶，专门写了这首诗，让卖茶的、买茶的、喝茶的都感到精神满足，身心愉快，飘飘似神仙。其实，这是个美丽的误会，而且大概还介入了现代商业炒作的伎俩，故意断章取义，有意制造假象，让人以为卢仝写过《七碗茶》这么一首诗。

卢仝从来没写过《七碗茶》这样一首独立成章的诗。这些诗句是他写的没错，却来自《走笔谢孟谏议寄新茶》，是一首长诗当中的段落，不但有前后文，而且看了前后文，你就知道，他说喝茶能通仙灵的感觉，不是所要夸耀的主旨。这首长诗共分三段，第一段写好友孟谏议送新茶给他，是早春上贡的好茶。皇帝要尝新，老百姓就必须冒着生命危险，在惊蛰期间就上山去采茶："闻道新年入山里，蛰虫惊动春风起。天子须尝阳羡茶，百草不敢先开花。"第二段写的是新茶真好喝，也就是一般人艳称的所谓"七碗茶"。接着就有第三段："蓬莱山，在何处？玉川子，乘此清风欲归去。山中群仙司下土，地位清高隔风雨。安得知，百万亿苍生，堕在颠崖受辛苦！便为谏议问苍生，到头合得苏息否？"这才是全诗的主旨，说的是民间疾苦，是苍生不得安宁，为了皇帝喝新茶，“堕在颠崖受辛苦”。

卢仝写了一首为民请命的诗，批评皇帝老子只顾喝新茶，不管苍生性命，是一首讽喻的好诗。怎么到了现代人的手里，就斩头去尾，断章取义，完全不顾诗人的原意了呢？这第三段虽然有点隐晦，使用诗家想象的婉转笔法，却也不会看不懂的。他说喝了七碗茶后，飘飘似神仙，乘风归蓬莱仙山而去。看到仙山上的神仙无忧无虑，统治着生活在人间大地的百姓，自己地位清高，无风无雨，全然不知民间疾苦。卢仝便从送茶的孟谏议想到天下苍生，不知何时才能安居乐业，不受官府的无情驱使。

写官府驱使百姓冒着严寒上山采茶，作为早春贡品，供朝廷清明祭祀及宴请群臣之用，以致民不聊生，是唐宋诗人关心民瘼的一个主题。唐宣宗时期中进士的李郢，写过《茶山贡焙歌》，批评官府为了早春采茶而鱼肉百姓，诗句更是凌厉，毫不留情：“春风三月贡茶时，尽逐红旌到山里。焙中清晓朱门开，筐箱渐见新芽来。凌烟触露不停采，官家赤印连帖催。朝饥暮匍谁兴哀，喧阗竞纳不盈掬。……茶成拜表贡天子，万人争啖春山摧。驿骑鞭声砉流电，半夜驱夫谁复见？十日王程路四千，到时须及清明宴。”为了赶上清明宴，地方官府把老百姓驱上山，表面上遍山热火朝天，士气昂扬，实际却是饥寒交迫，苦不堪言。回顾唐朝贡茶的历史，知道喝明前茶背后具体采茶的辛苦过程，让人不胜浩叹。

唐朝一位来到顾渚御茶园监督的官员袁高（727–786），写了首《茶山诗》，把他亲身目睹的早春采茶情景描绘得历历在目：“黎甿辍农桑，采掇实苦辛。一夫旦当役，尽室皆同臻。扪葛上欹壁，蓬头入荒榛。终朝不盈掬，手足皆鳞皴。悲嗟遍空山，草木为不春。阴岭芽未吐，使者牒已频。心争造化功，走挺麋鹿均。选纳无昼夜，捣声昏继晨。众工何枯槁，俯视弥伤神。”茶民的辛苦，让他望茶兴叹，也使他弥感伤神，做出了一件值得称颂的壮举。他把这首《茶山诗》和监制的三千六百串贡茶，一道献给了皇帝，居然还得到了朝廷的回应，减轻了贡茶的数量。

希望朋友们喝明前茶的时候，也想到唐朝有这么三位写茶诗的正直诗人。

煎茶写诗

苏东坡喜欢喝茶，写过大量的茶诗，抒发饮茶的乐趣，从中可以窥见诗人爽朗适意的性格，以及随遇而安的心境。经常被人引用的一首《汲江煎茶》，是他晚年遭贬流放，在海南儋州写的："活水还须活火煎，自临钓石取深清。大瓢贮月归春瓮，小杓分江入夜瓶。雪乳已翻煎处脚，松风忽做泻时声。枯肠未易禁三碗，坐听荒城长短更。"这首诗写得非常好，写喝茶的过程，从自己夜里到江边汲水，煎茶时水乳翻腾，到空腹喝了三碗，结果睡不着觉，听到海陬边城长长短短的更声。表面上文字顺畅，平铺直叙，其实运用了精妙的诗艺，融入了喝茶的典故，让懂茶懂诗的人读起来感到妙趣无穷。妙在哪里呢？我们且听听古人的分析。

南宋诗人杨万里也是个爱茶之人，他认为这首诗整体而言，“七言八句，一篇之中句句皆奇。一句之中，字字皆奇”。第二句“自临钓石取深清”写得“精彩至极”：“七字而具五意：水清，一也；深清取清者，二也；石下之水，非有泥土，三也；石乃钓石，非寻常之石，四也；东坡自汲，非遣卒奴，五也。”指出第二句的精彩，也就顺理成章点出第一句“活水还须活火煎”的立意，说明了为什么要深夜到江边去取水。接下的三四两句，“大瓢贮月……小杓分江”，杨万里说，“其状水之清美极矣，‘分江’两字，此尤难下”。

怎么理解杨万里的评析呢？喝茶讲究用水，苏东坡被贬到海南瘴疠之地，居然雅兴不减，自己在春夜去取水，而且要到江边去取最清澈的江水。取水用的是大瓢，不说“贮水归春瓮”，而说“贮月归春瓮”，描写月色明媚，映照在水瓮之中，好像把月亮贮入瓮中，更显得江水的清澈。回来烹茶，用小杓把瓮中的水，分到茶瓶里面，写的不是“小杓分水”，而是“小杓分江”，把春江夜景的意象灌入了茶瓶，遣词用字潇洒自如，正好与“大瓢贮月”对仗工整，显示清夜之中饮茶的诗情画意，让杨万里佩服得五体投地。

对于这首诗的妙处，杨万里还有更深刻的分析。他说，“雪乳已翻煎处脚，松风忽做泻时声”，用的是倒装语法，“尤为诗家妙法，即杜少陵（杜甫）‘红（香）稻啄余鹦鹉粒，碧梧栖老凤凰枝’也”。所以，苏东坡写烹茶的过程，把煎茶的色彩与声响都描绘了出来，却用倒装语法，扭转原来平铺直叙的“煎处已翻雪乳脚，泻时忽做松风声”，突出“雪乳”（茶汤沫饽的雪白色）与“松风”（水沸如松涛之声）。一首叙述喝茶的诗，原来如平静流动的江水，夜色澄静，万籁无声，突然进入了峡谷险滩，每一个字都跳跃起来，奇峰突起，就如东坡的诗句，“惊涛裂岸，卷起千堆雪”。从取水的宁静到烹茶的跃动，一首诗不但从平面变为立体，而且陡然跳了起来，的确是“字字皆奇”。

最后的结尾两句，杨万里也有说法：“‘枯肠未易禁三碗，坐听荒城长短更’，更翻卢仝公案，仝吃到七碗，坡不禁三碗。山城更漏无定，‘长短’二字有无穷之味。”这里讲的卢仝公案，指的就是卢仝名诗《走笔谢孟谏议寄新茶》中提到的“七碗茶”：“一碗喉吻润，二碗破孤闷。三碗搜枯肠，唯有文字五千卷。四碗发轻汗，平生不平事，尽向毛孔散……”苏东坡夜里空腹喝茶，说是喝到第三碗就支持不住了，心底大概想的是自己的文章，远远超过卢仝的“文字五千卷”，却沦落到天涯海角的儋州，夜听荒城敲响断断续续的更声。

苏东坡还写过一首《试院煎茶》，其中有这样的句子：“蟹眼已过鱼眼生，飕飕欲作松风鸣。蒙茸出磨细珠落，眩转绕瓯飞雪轻……不用撑肠拄腹文字五千卷，但愿一瓯常及睡足日高时。”写煎茶的程序，与《汲江煎茶》所述类同，说自己满腹经纶，却“贫病常苦饥”，虽然感慨平生事功坎坷，但是能够喝一碗好茶，一觉睡到日头高起，也不失为人生一乐。

从苏东坡喝茶写诗之中，我们看到了一种豁达人生的境界。

关于白茶

时常有人问我，白茶是怎么回事？安吉白茶是白茶，应该没有问题吧？怎么喝起来的口感及香气，与同属白茶的白牡丹如此不同？宁波福泉山近十几年来种植福泉白茶，挑选早春的上等茶芽，价格达到每斤一万两千人民币，怎么喝起来是清灵的绿茶感觉，完全不同于白茶的翘楚银针白毫？白茶到底是怎么回事？是不是有两种不同系统的白茶？

其实中国人讲到饮食，时常按自己的意思，随心所欲去冠名定义，随意性很大。比如说，喝白酒。不同人所说的白酒，经常是完全不同性质的白酒。你到中国内地饭馆吃饭，随口说要一瓶白酒，几乎百分之百，给你上来一瓶蒸馏白酒，从红星二锅头、衡水老白干、洋河大曲（已经改称“蓝色经典”），到泸州老窖、五粮液、茅台，甚至提供金门高粱，酒精度可以达到五六十度。你喝得晕乎乎的，回到酒店倒头就睡，睡到第二天中午，匆匆忙忙赶飞机回香港。飞机上也提供餐饮，空中小姐问你喝什么，随口说白酒吧，上来的一定是一杯白葡萄酒，酒精度在十五度左右。同是白酒，可是质地却天差地别。定义的标准似乎也有，不过要看什么场合、什么人说什么话，就好像某些国学大师谈中国文化，运用之妙存乎一心，一会儿龙战于野，一会儿有凤来仪，让人听得晕陶陶的，就是搞不清楚他到底说些什么。不过，这大概也算是文化传统，可以列为国家级的非物质文化遗产。《庄子·齐物论》就说过狙公养猴的寓言，分果子给每只猴子："朝三而暮四，群狙皆怒。曰，然则朝四而暮三，群狙皆悦。"颠来倒去，随口换个名目，大家都满意，甚至趋之若鹜。完全不同质地的茶，制作方式不同，口感不同，却都叫白茶，大概也有这样的文化背景，马马虎虎，好听就行。

按照现代茶业的专业标准定义，白茶是一种轻微发酵的茶，其基本工艺是经过凋萎、晒干或烘干而成。主要产地是福建，饮用的流行区域是闽广一带。因此，银针白毫、福鼎大白茶、寿眉等，都属于专业定义的白茶。从茶业分类的规范而言，安吉白茶与福泉白茶，则是典型的绿茶，是不发酵茶，基本制作工艺与正宗白茶不同，结合了杀青、炒青、烘焙的技术而成，算是浙江绿茶的精细制茶工艺产品，是二十一世纪的新产品。

既然是绿茶，为什么安吉白茶非要自称"白茶"，是在那里鱼目混珠吗？其实，现代高科技干的事，基本上就是文明的人定胜天，青出于蓝而胜于蓝，鱼目混珠而胜于珠。君不见，高科技可以做人造钻石，可以转基因，可以制造比人脑更高明的计算机，为什么不能发明新白茶？安吉白茶与福泉白茶这种新白茶，口感清灵优雅，更胜一般绿茶，也与正宗白茶的醇厚不同。从色调角度而言，不曾经过发酵程序，色泽清白明亮，更符合白色的定义。白牡丹经过轻微发酵，茶汤偏黄，我的茶汤比你白，怎么不能叫“白茶”？再追索下去，新白茶坚持白茶称号，还有个隐藏在历史文化中的秘密，因为九百年前的宋徽宗曾说过，白茶是最高级的茶。既然宋徽宗都这么说，这个品牌非用不可。

宋徽宗在《大观茶论》中说过：“白茶自为一种，与常茶不同。其条敷阐，其叶莹薄。崖林间偶然生出，盖非人力所可致。……须制造精微，运度得宜，则表里昭澈，如玉之在璞，他无与伦也。”主要强调的是，白茶是大自然中偶尔出现的品种，制作工序精微，晶莹透彻，最适合宋代点茶需要呈现的白色沫饽，就成了宋代茶饮审美的典范，转为中国茶饮文化最高境界的物质基础。可是我们不要忘了，宋朝人制作白茶的工艺，是涤洗之后的蒸青压模，再碾末冲泡，击拂拉花，跟今天的新白茶，除了一个“白”字，真是风马牛不相及的。

一九七〇年代在安吉深山竹林中发现了一株千年古茶树，据说就是宋代的白茶，终于可以上溯到宋徽宗的白茶传统，继绝兴亡。安吉白茶虽然是绿茶，自称传承有序，无愧“白茶”之名。

鸡头鸭脚

香港有所高中请我去讲“茶与中国文化”，我欣然答允，应约前往，给学生讲了陆羽创制茶道、唐宋流行末茶烹煎、发展到点茶拉花、日本茶道继承唐宋茶道等等历史传承。同学们听我说到从五代到宋朝，古人点茶会拂击拉花，有个福全和尚能在四只茶盏中拉出一首绝句，本领之高，远超当今的卡布奇诺达人，简直是不可同日而语，都引发了无限兴趣，在台下交头接耳，叽叽喳喳。我问他们，有没有看过卡布奇诺达人可以拉花拉出一首诗的？他们哄堂大笑，齐声回答，没有。还问，宋朝人喝茶，还有别的花样吗？

我说有的，宋朝人喝茶花样很多，在茶汤里面放各种各样的佐料，和你们很像，喜欢喝泡沫红茶、珍珠奶茶，还放什么青蛙蛋那样。南宋首都临安（杭州）到处都有茶肆，里面就卖各式“七宝擂茶”，放进各类果蔬与坚果，喝得不亦乐乎。传为陶穀写的《清异录》中，记载五代北宋点茶的花样，有“漏影春法”：“用镂纸贴盏，糁茶而去纸，伪为花身；别以荔肉为叶，松实、鸭脚之类珍物为蕊，沸汤点搅。”就在茶汤里放了荔枝、松仁、鸭脚。明代顾元庆、钱椿年的《茶谱》记载，说宋元以来喝茶加料，经常加入松子、柑橙、杏仁、莲心、木香、梅花、茉莉、蔷薇、木樨、牛乳、番桃、荔枝、圆眼、水梨、枇杷、柿饼、胶枣、火桃、杨梅、橙橘之类。他们是反对乱放佐料的，认为破坏了茶汤的真味：“凡饮佳茶，去果方觉清绝，杂之则无辨矣。若必曰所宜，核桃、榛子、瓜仁、枣仁、菱米、榄仁、栗子、鸡头、银杏、山药、笋干、芝麻、莒莴、莴苣、芹菜之类精制，或可用也。”

同学听我说到茶汤里面还有鸡头、鸭脚，都感到匪夷所思。我问他们，鸡头、鸭脚是什么？他们就笑，有几个胆大的，就回应说，鸡的头、鸭的脚，不是吗？我笑着说，chicken head、duck feet？他们大笑，显露了青春童稚的开心，有的女生还把头拥进邻座的怀里。

其实，鸡头就是鸡头米，也就是芡实。北魏贾思勰《齐民要术》：“鸡头，一名雁喙，即今茨子是也。由子形上花似鸡冠，故名曰鸡头。”唐徐凝《侍郎宅泛池》：“莲子花边回竹岸，鸡头叶上荡兰舟。”《红楼梦》三十七回“秋爽斋偶结海棠社，蘅芜苑夜拟菊花题”，说到袭人打点了东西，让人给史湘云送去，“端过两个小掐丝盒子来，先揭开一个，里面装的是红菱和鸡头两样鲜果，又那一个，是一碟子桂花糖蒸新栗粉糕”。

这种鸡头米，亦称鸡头肉，主要出产在江南太湖周遭，以苏州葑门南塘一带为胜，为水八仙的一种。中秋前后上市，在苏州有“南塘鸡头大塘藕”之美誉。清代沈朝初写有《忆江南》，就说：“苏州好，葑水种鸡头，莹润每凝珠十斛，柔香偏爱乳盈瓯，细剥小庭幽。”现在苏州人还是钟爱鸡头肉，一般作为糖水甜品，加上清香扑鼻的桂花，金黄与嫩白相映成趣，满足馥郁口感之外，看起来也赏心悦目。也经常作为清炒素斋的佐料，与鲜藕、嫩菱、荸荠一道下锅，看似清风朗月，吃起来清爽可口，特别衬出鸡头肉的香糯之感。

鸡头肉的嫩白香糯，也出现在文学描写艳情方面，成为形容女子乳房的象征。宋代以来的野史逸闻，如刘斧《青琐高议》，录有一些杨贵妃宫闱秘闻，其中记杨贵妃出浴就说：“一日，贵妃浴出，对镜匀面，裙腰褪，微露一乳，帝以手扪弄，指妃乳曰：‘软温新剥鸡头肉。’禄山在旁对曰：‘滑腻初凝塞上酥。’上笑曰：‘信是胡人，只是酥。’”后代的小说戏曲沿袭这个传闻，变成了典故，动辄就说新剥鸡头肉、酥胸之类，引人想入非非。

至于鸭脚，则是银杏树的别名，也指银杏的果实白果，因为树叶似鸭掌状。陆游的诗《十月旦日至近村》：“鸭脚叶黄鸟柏丹，草烟小店风雨寒。”另一首《听雪为客置茶果》：“不饤栗与梨，犹能烹鸭脚。”元代王祯《农书》卷九也说：“银杏之得名，以其实之白。一名鸭脚，取其叶之似。”

同学们听我解释，知道鸡头米及鸭脚都是果实，才大大舒了一口气。

百年乌龙

考察地处建瓯的宋代北苑遗址，实在是赏心悦目的体验，与一般考古遗址调查的经验很不相同。虽然宋代的御茶园早已消失，但是山川依旧，进入这一片种满了柑橘的谷地，依稀可以想象昔日的风景，仿佛看到修整得葳蕤茂密的茶树，垂手肃立，恭恭敬敬等待皇帝派来的茶农，前来采摘孕育了一冬的芳香馥郁。

当地的朋友带领我们走进这一片丘陵环抱的谷地，说以前村民也种茶的，只是没人意识到历史文化传统，不知道这是宋代皇家的御茶园，也就没有悉心打理，随它野生野长，

北宋御茶园遗址（作者拍摄）

甚至颓败成了荒山野岭，也无人理会。改革开放以后，引进了芦柑种植，山谷盆地都种上了柑橘树，倒是颇有效益，出现了满山柑橘的盛况，秋天收成季节山谷里黄橙橙一片，很有节庆的气息。到了二十几年前，才因考古资料的发现，确定此地就是盛名卓著的北苑龙焙，由国家定为全国文物保护单位，控管起来，不许开发，留待以后进行考古发掘。柑橘还是可以种的，因为地表种植，不至于破坏文物遗址。这几年芦柑不怎么景气，又知道这里是宋代御茶园的一块宝地，就在山坡上引种了矮脚乌龙。你们看到远处山坡上的茶树，都是近年引进的新种矮脚乌龙，与千年御茶园里种植的茶树，没有亲属关系了。

博物馆的小虞说，在北苑与凤凰山之间，靠近河边的平地上，还有一大片乌龙老茶树，有一百六十多年历史了，有人说是古代御茶的后代，是千年遗珍，真是奇葩呢，我们下午去看看。于是带我们到镇上吃了午饭，随后开车去参观这片历史的劫余。

这片百年乌龙茶园的地理环境十分古怪，处于河边的

有160多年历史的建瓯"百年乌龙"茶园（作者拍摄）

平畴上，四望旷然，与北苑御茶园地处深谷之中，云雾缭绕的景况，大不相同。我们把车停在公路旁边，走进一片平旷的农地，远远看到一畦畦墨绿的茶树丛，伸延在农田之中。小虞说这片百年乌龙茶园的边缘，是古代的官道，不远处还有一座破旧的歇脚亭。可以想象，这片茶园在古代就是一片平平常常的路边茶园，自然环境并不清雅深幽，绝不是刻意挑了钟灵毓秀的风水宝地而种植的。怎么会成为闽北地区硕果仅存的百年茶树群，也真是天意难测，只能说是因缘际会，让人想到庄子讲的无何有之乡可以种樗树的故事。《庄子》记载惠子批评庄子，说他的言论大而无当，就像大樗树那样："其大本臃肿而不中绳墨；其小枝卷曲而不中规矩；立之途，匠人不顾。"或许就是因为没有特别出色之处，大家视而不见，家家改种芦柑的时候，只想到北苑幽谷的种茶宝地，反而忘记了这片平畴上的老茶园，成了"翻天覆地慨而慷"的劫余，保存了北苑的历史记忆。

我们走近那座有点朽烂的歇脚亭，发现亭子的墙壁还很结实，是黏土掺入砂石及碎瓷片夯实的。为了保护亭壁，外面还喷了一层水泥浆。老栗是陶瓷专家，一眼就看到碎瓷片中有德化的猪油白，我们还发现有几片明末清初的青花瓷。推想这座亭子也是清代遗物，有点文物价值，就跟小虞说，要设法保护起来，和百年乌龙茶园连成一条文物线。茶园种的是矮脚乌龙，半个人高的灌木丛，长势不错，郁郁葱葱的，满树开着有点羞涩的茶花，纯白的花瓣衬出金黄的花蕊，小巧娇嫩，像古诗中描写的清溪小姑，享受着周遭毫无遮挡的阳光照射。

这片百年乌龙茶园属于村集体所有，包给一位黄先生来开发，也是个传奇的故事。于是，我们专程到他茶厂去探访，听他说说开发百年乌龙的经历。他说自己是本地人，当过兵，教过书，改革开放之后在家乡发展。这片百年茶园本来是华侨投资开发的，经营不善，转给他来打理，倒是很花了点力气，总算转亏为盈。后来请了台湾茶叶专家来考察，发现台湾的“清心乌龙”与“冻顶乌龙”都是从这里移植去的。现在利用历史文化的底蕴，打出“百年乌龙”的品牌，前景无限美好。黄先生幽默健谈，请我们喝他烘焙的百年乌龙，口感温润，韵味滋长，的确不负“百年”的称号。

离开茶厂时，我发现门口立着一块巨石，上书金漆的“北苑禦茶”。我跟小虞说，这个“禦”字错了，要改成“御茶”的“御”字。

原文刊载于《书城》

2017 年 4 月号

南戏声腔与花部乱弹

“多元一体”的中国戏曲

这几年香港政府对戏曲的推广，做了不少很有意义的工作，特别是康文署每年策划的“中国戏曲节”，提升本地粤剧展演水平，推广昆曲与京戏的精致表演，还系统介绍各地的地方戏，让我们看到，每个地方的表演艺术都有其文化特色，都有一些绝活，都在节骨眼上让人叹为观止。我在纽约大都会歌剧院看了十几年的歌剧，听帕瓦罗蒂、多明戈、弗莱明、巴托丽等人演唱，享受天籁萦绕的乐趣，却总是感到歌剧重“唱”不重“演”，少了点什么。没想到来到香港，才有机会亲身体味中国戏曲的多元多样，看各地的拿手好戏，唱做俱佳，声容并茂，是“集视听之娱”，也是“极视听之娱”的舞台表演。今年的戏曲节，除了推出一系列传统戏曲的展演，还筹划了一个“探索明代南戏四大声腔之今存”研讨会，显然是认识到了学术探究可以深化演剧艺术，可以更上一层楼。主办单位请我主持研讨会，并在研讨会前讲讲“四大声腔”究竟是什么，又在中国戏曲发展上扮演了什么角色。

中国戏曲的演进历程非常复杂，最主要的原因在于，文献的记录都是零星的、片段的。旧时的文人学者，大部分都了解音韵、格律、曲唱、表演的规范，但他们往往只是很随意地把个人创作或观剧的感受记下来，不会像研究《四书》《五经》那样，深入地、有条理地把所知所见的戏曲状况作系统性的整理记录。以前没有录像，也没有录音，假如文献的记载就是这么零零星星的，那么，几百年过去，口传心授的艺术就很难再讲得清楚。今天要讨论“南戏声腔与花部乱弹”，其实只能根据简略的文献，从我对非物质文化遗产传承的研究心得，以历史分析的角度，捋一捋戏曲，特别是南戏，在明清以来这四五百年间的发展情况。

中国各地的戏曲，大体上可以说，都是来自宋元时期的北曲与南戏。文献记载的渊源相当明确，而且不论是剧本创作还是舞台演出，在曲牌与音韵的运用上，都与《中原音韵》有关。然而，戏曲经过近千年的发展，在广袤的中国大地上传衍生发，在不同的方言区生根茁壮，通过当地的演员在舞台上阐释搬演，自然会糅合各地方言与唱曲的地方色彩而产生不同的唱腔。我时常强调，中国各地戏曲虽然表面上差异很大，唱腔不同，内里却血脉贯通，属于同源的文化演艺展现，甚至可以祖溯到宋代，可谓“多元一体”。这也解释了，为什么某一剧种的剧目，如川剧《白蛇传》、南戏《琵琶记》、昆剧《十五贯》、莆仙戏《春草闯堂》等，可以不必大费周章，很容易就移植成为另一个剧种的剧目，稍加点染改动，便可化为京戏、梆子、越剧、广东大戏等形式，搬上舞台，而不会让观众产生文化的陌生感，不会出现“艺术殖民”的隔阂。

何来“四大”？

中国戏曲在明代中期之后有了飞跃性发展，当时南方经济发达，促成戏曲的普遍繁荣，出现了由南戏派生的各种声腔。一般总是以为，到了十六世纪的时候，宋元以来的北杂剧已经逐渐衰微，而南戏则骎骎有取代之势。伴随南北戏曲兴衰形势而来的，就是北曲逐渐退出舞台，而南曲大为流行，出现了余姚腔、海盐腔、弋阳腔及昆山腔。这“四大声腔”的发展，以昆山腔与弋阳腔流布最为广泛，与地方上原有的曲唱相互影响，形成各种地方戏，余韵一直流传到今天。

这个说法的前半段，问题不大。明代中叶以来，的确是出现了南曲压倒北曲的现象。说法的后半段则颇有问题，使人误以为当时只有“四大声腔”并驾齐驱，相互争胜。最后是昆山腔与弋阳腔胜出，成为中国戏曲的主干，而海盐腔与余姚腔败落，从此退出戏曲舞台。

明代中叶戏曲发展的主脉，真的是“四大声腔”争胜吗？我看未必。看看当时文人雅士的记载就会发现，他们根本就没有“四大声腔”的概念。苏州太仓人陆容（1436–1494）《菽园杂记》卷十记载：

嘉兴之海盐，绍兴之余姚，宁波之慈溪，台州之黄岩，温州之永嘉，皆有习为倡优者，名曰戏文弟子，虽良家子不耻为之。其扮演传奇，无一事无妇人，无一事不哭，令人闻之，易生凄惨。此盖南宋亡国之音也。

陆容是明成化、弘治间人，生活在十五世纪末叶江南开始繁华的时期，对南戏的故事题材以及南曲的柔靡逐渐成为时尚，显然很不以为然，表露了批评的态度。从他这段话里，我们可以知道，在苏州人陆容的眼里，南戏兴起的地区是浙江，而蓬勃发展的各地是“嘉兴之海盐，绍兴之余姚，宁波之慈溪，台州之黄岩，温州之永嘉”，各地的戏文子弟当然是按照当地的方音来依字行腔。也就是说，在十五世纪末，戏文的演唱在浙江已经大盛，至少有海盐腔、余姚腔、慈溪腔、黄岩腔、永嘉腔。后来在江西地区出现的弋阳腔与苏州地区的昆山腔，还不在此列。要说明代只有“四大声腔”，合适吗？

再看看稍后的苏州名士祝允明（1460–1527）在《猥谈》

一书中是怎么说的：

数十年来，所谓南戏盛行，更为无端，于是声乐大乱。……愚人蠢工徇意更变，妄名余姚腔、海盐腔、弋阳腔、昆山腔之类，变易喉舌，趁逐抑扬，杜撰百端，真胡说也。若以被之管弦，必至失笑。

口气与陆容十分近似，就是不满于北曲衰微的趋势，认为声乐的正统受到南戏冲击而大乱，而南戏盛行是配合各地的土腔土调，不按规矩，胡乱变化，实在可笑。他这里随意举了四种腔调为例，余姚腔、海盐腔是浙江腔调，弋阳腔是江西腔调，昆山腔是苏州腔调，一概斥为“愚人蠢工”的“妄名”，也反映出，祝允明虽然提到这四种声腔，却认为这都是“胡说”，并未把这几种声腔明确列为“四大声腔”。

很显然的，当时南戏的发展方兴未艾，出现的声腔不止四种，昆曲水磨调的创始人魏良辅（1489–1566）在《南词引正》里就说：

腔有数样，纷纭不类，各方风气所限。有昆山、海盐、余姚、杭州、弋阳。自徽州、江西、福建，俱作弋阳腔。永乐间，云、贵二省皆作之，会唱者颇入耳。惟昆曲为正声，乃唐玄宗时黄绰所传。

假如你是死脑筋，硬邦邦按照字面解释，那就只能说，魏良辅多加了一个“杭州腔”，提出“五大声腔”之说。而事实上，魏良辅在此只是就近举例，说明各地都有不同的腔调。倒是他特别提到弋阳腔流行的地域甚广，徽州、江西、福建各地都深受影响。总之，魏良辅的提法，从反面证实了“四大声腔”并非明代当时的认识。

比魏良辅晚了一代的徐渭（1521–1593），在《南词叙录》（1559）中这么描述嘉靖年间戏曲声腔的流布情况：

今唱家称弋阳腔，则出于江西，两京、湖南、闽、广用之；称余姚腔者，出于会稽，常、润、池、太、扬、徐用之；称海盐腔者，嘉、湖、温、台用之。惟昆山腔止行于吴中，流丽悠远，出乎三腔之上，听之最足荡人。

这段话描述的情况，是魏良辅创制了昆曲水磨调，在苏州地区为雅士大夫喜爱，上层社会趋之若鹜，宴会雅集逐渐淘汰其他腔调，视之为鄙俗。

在昆曲水磨调出现之前，海盐腔曾在嘉靖到万历前期非常流行，主要原因是它比较柔靡，令听惯了铿锵北曲的人们耳目为之一新。明人杨慎《丹铅总录》卷十四有云：

近日多尚海盐南曲，士大夫禀心房之精，从婉娈之习俗，风靡如一，甚者北土亦移而耽之。更数十年，北曲亦失传矣。

也就是说，在昆曲水磨调出现之前，各地南戏的唱腔之中，最温柔悦耳的就是海盐腔。《金瓶梅词话》常常提到，西门庆宴请上层人士，都要请海盐子弟唱曲助兴。清人张牧《笠泽随笔》记载：

万历以前，士大夫宴集，多用海盐戏文娱宾客。若用弋阳、余姚，则为不敬。

在魏良辅创制昆腔水磨调之前，士大夫认为海盐腔是高级的音乐，弋阳腔、余姚腔则比较粗俗。

掌握了明代嘉靖、万历间（也就是十六世纪）南戏腔调发展的情况，可以解释汤显祖（1550–1616）剧作的填曲过程与最初演唱，究竟是用什么样的戏曲腔调。是用当时最风行的昆曲水磨调呢，还是江西的弋阳腔，或是海盐腔？这个问题，很难得到完整的答案，因为没有人能够回到过去，亲身去聆听当时演唱的情况，给出确凿的证据。但是，我们可以从汤显祖自己对地方戏曲的认识，得到一些蛛丝马迹的信息。汤显祖是比徐渭又晚了一代的人，他的《宜黄县戏神清源师庙记》是这么讨论当时戏曲的发展的：

此道有南北。南则昆山，之次为海盐，吴、浙音也。其体局静好，以拍为之节。江以西弋阳，其节以鼓，其调喧。至嘉靖而弋阳之调绝，变为乐平，为徽青阳。我宜黄谭大司马纶闻而恶之。自喜得治兵于浙，以浙人归教其乡子弟，能为海盐声。大司马死二十余年矣，食其技者殆千余人。……诸生旦其勉之，无令大司马为长叹于夜台，曰，奈何我死而道绝也。

这里说了两件事：一、南戏最好的是昆腔（水磨调）与海盐腔，昆腔是吴音，海盐是浙江音，都文雅静好，以拍为节奏。江西弋阳腔以鼓为节奏，很吵闹，不静雅。二、宜黄人谭纶，官至兵部尚书，在浙江带兵打倭寇，回乡的时候把海盐子弟带回了宜黄，唱海盐腔，是汤显祖所赞许的。虽然没有具体资料证明，在宜黄的海盐腔是已经宜黄化的海盐腔，但是可能性很大，也有可能影响汤显祖因乡音而使用宜黄化的海盐腔。当然，这并不能反证汤显祖不懂昆腔水磨调，但却可能是苏州文人批评汤显祖不协律的原因所在。由此，我们可以看到，南戏声腔在各地的发展是错综复杂的，无法完全确定汤显祖是用什么腔，可能基本上是按照昆腔水磨调，也可能掺入海盐腔的影响。

从汤显祖这个特殊的例子，我们可以了解到讨论明代声腔的复杂性，各地具体的情况不同，而且多变。汤显祖说：“至嘉靖而弋阳之调绝，变为乐平，为徽青阳。”也反映了嘉靖年间声腔多变，衍生出许多新腔的情况。有的学者误读了这段话，以为汤显祖说“弋阳之调绝”，是说弋阳腔绝灭了，没有了。其实，不是这个意思，而是说原来的弋阳腔变了，变出乐平腔、青阳腔等等，就像原来的昆山土腔变了，变出昆腔水磨调那样。由此，也可见得，不分青红皂白，笼统说明代有“四大声腔”，实在有误导之嫌。

弋阳腔及昆腔

明代南戏声腔之中，真正发生巨大影响，流风余韵 直传到今天的，是弋阳腔与昆腔。杭州腔与余姚腔，在明代流传的情况，已经是文献不足证了，后世更不知所终。海盐腔虽然一度盛行，成为士大夫阶级喜好的戏曲形式，但是到了万历年间逐渐被新兴的昆曲水磨调所取代，也就在上层社会的主流演艺舞台上没落了，只在渗入一些地方戏的过程中得以传承，聊备一格。至于其他的声腔，如明代文献上提到的慈溪、黄岩、乐平、青阳等腔，虽然在当地没有完全消失，但已经不再有影响力，不入曲家的法眼了。

从传布的角度来说，明代声腔之中，弋阳腔的影响最大。这个说法最早可见于明正德间的祝允明，他的《猥谈》就说，在明初永乐间，弋阳腔已经相当盛行。到了嘉靖年间，流播于江西、安徽、南北两京、湖南、福建、广东、云南、贵州等地，影响之大，胜于其他诸腔。弋阳腔传布如此之广，应当和腔调的节奏鲜明、简单易懂、容易入耳、通俗上口等特质有关。而且“其调喧”，最热闹，最能提供感官刺激，所以最为广大群众所喜爱。

从舞台表现的形式而言，弋阳腔保持了许多早期戏文面貌，有许多接近乡俗歌舞原生态的元素。弋阳腔的“其调喧”，就表现出乡俗的特性，反映了戏文初起时，运用里巷歌谣、村坊小曲，以锣鼓为节，是民间歌舞的发展，或许还跟民间的迎神赛会有关。初期弋阳腔的表演方式，是不和管弦的，后来的发展才配有各地通行的管弦。弋阳腔在传播的过程中，又吸收了北曲曲牌，出现了滚白和滚唱，衍生了后来的青阳腔。

万历以后，弋阳腔虽然遭到文人雅士的鄙夷，却广泛流传各地，在中下阶层中受到欢迎，与地方的腔调融合而衍生出徽州腔、四平腔、青阳腔、徽池雅调、京腔等派别。从明末到清初，弋阳腔或许“改头换面”，却从未断绝。乾隆年间，各地称之为“高腔”，至今犹存，融入了各地的地方剧种，如：江西赣剧、浙江婺剧、广东正音戏等等。林鹤宜《晚明戏曲剧种及声腔研究》，谓江西弋阳腔在晚明所形成的庞大声腔群包括：江西本地的乐平腔、赣剧高腔、抚河戏、河戏、宁河戏和袁河戏高腔，安徽徽州腔、四平腔、太平腔、青阳腔，浙江松阳高腔、西吴高腔、侯阳高腔、瑞安高腔，湖南湘剧、祁剧、常德汉剧、衡阳湘剧和巴陵戏的高腔，以及福建大腔戏、词明戏，广东琼剧，河北京腔，山东蓝关戏等。

在中国戏曲发展史上，昆山水磨调当然是戏曲演唱艺术的巅峰，在万历之后独树一帜，为士大夫所钟爱，赞誉有加，鼓吹提倡，不遗余力。我们今天所谓的昆曲，是有特定的指涉的，指的是魏良辅创制的昆腔水磨调，不是魏良辅之前就已经存在的昆山地区土调。魏良辅，号尚泉，居苏州太仓南关。熟谙音律，初习北曲，后研南曲。嘉靖间，在民间艺人过云适、张野塘等人的帮助下，吸收海盐腔、余姚腔以及江南民歌小调的某些特点，对流行在昆山一带的戏曲腔调进行整理加工，形成了徐丽舒婉的改良“昆腔”，是一种经过特殊艺术加工而提升的音乐曲调，俗称“水磨腔”，风靡一时，为戏曲表演开创了新局面。魏良辅创制的水磨调，以其婉转柔靡的艺术特色，成了文人雅士的最爱，誉为中国戏曲演唱艺术的顶峰，四百年来独占鳌头，称为雅韵，至今未息。

关于明万历前后戏曲流行与演变的情况，顾起元（1565–1628）《客座赘语》卷九，以当时的南京为例，说得十分清楚：

南都万历以前，公侯与缙绅及富家，凡有燕会小集，多用散乐，或三四人，或多人，唱大套北曲。……若大席，则用教坊打院本，乃北曲四大套者……后乃尽变为南唱……大会则用南戏，其始只二腔，一为弋阳，一为海盐。弋阳则错用乡语，四方士客喜闻之；海盐多官语，两京人用之。后则又有四平，乃稍变弋阳而令人可通者。今又有昆山，较海盐又为清柔而婉折，一字之长，延至数息。士大夫禀心房之精，靡然从好。见海盐等腔已白日欲睡，至院本北曲，不啻吹篪击缶，甚且厌而唾之矣。

从嘉靖到万历这段期间，南京作为明帝国的陪都，是清流的士大夫官僚聚集的地方。当时中国的人文地理分布，是以北京为政治权力的中心，南京与邻近的苏州一带则是文化风尚的中心。南京作为“南都”，主导了全国的文化潮流，南京流行的风尚其实就代表了当时的主流文化。从这段材料我们可以看到，就在这差不多八十年当中，北曲逐渐没落，南戏声腔更迭变化。从弋阳腔到海盐腔，都曾流行过一段时间，最后是昆腔水磨调成为大家追捧的雅调。

但是，纵观全中国广袤的大地，从广大群众的日常娱乐而言，在明清两代，弋阳腔的影响最大，远远超过昆腔。到了明朝后期，虽然弋阳腔受到文人雅士的鄙夷，可是在中下阶层很受欢迎，跟地方腔调交杂融合之后，衍生出很多支系。我们今天大多数的地方戏都受到这些腔调的影响。李调元《剧话》说：

> 弋腔始弋阳，即今高腔，所唱皆南曲。又谓秧腔，秧即弋之转声。京谓京腔，粤俗谓之高腔，楚、蜀之间谓之清戏。向无曲谱，只沿土俗，以一人唱而众和之，亦有紧板、慢板。

从明末到清初，弋阳腔或许“改头换面”，却从未断绝。乾隆年间，各地称之为“高腔”，至今犹存，融入了各地的地方剧种。

花雅之争

弋阳腔在当代的遗响，据流沙先生《高腔与弋阳腔考》一文考证：与青阳高腔有关的，有山东柳子戏青阳高腔、安徽南陵目连戏高腔和岳西高腔、江西都昌湖口高腔、湖北大冶麻城高腔和四川川剧高腔等；与四平高腔有关的，有浙江婺剧西安高腔、新昌调腔四平腔、福建闽北四平戏高腔等；与徽池雅调有关的，有浙江新昌调腔、福建词明戏、广东正音戏、湖北襄阳钟祥清戏（亦名高腔）；与义乌腔有关的，有浙江婺剧侯阳高腔、西吴高腔等；与弋阳腔有关的，有江西赣剧、东河戏高腔和安徽徽州、湖南辰河祁剧之目连戏高腔等。

清乾隆四十六年（1781），江西巡抚郝硕《覆奏遵旨查办戏剧违碍字句》：

> 查江西昆腔甚少，民间演唱，有高腔、梆子腔、乱弹等项名目，其高腔又名弋阳腔。臣检查弋阳县旧志，有弋阳腔之名。恐该地域有流传剧本，饬令该县留心查

察。随据禀称：弋阳腔之名不知始于何时，无凭稽考，现今所唱，即系高腔，并无别有弋阳词曲。查江右所有高腔等班，其词曲悉皆方言俗语，鄙俚无文，大半乡愚随口演唱，任意更改，非比昆腔传奇，出自文人之手，剞劂成本，遐迩流传。

这段档案资料非常有趣，反映出乾隆年间，奉旨在江西调查戏曲的官员已经搞不太清楚弋阳腔的流传脉络，一会儿说“有高腔、梆子腔、乱弹等项名目”，接着说“其高腔又名弋阳腔”，一会儿又说在弋阳县没有弋阳腔演唱，只有高腔。说得含含糊糊，不着边际，其实就是因为没弄清弋阳腔发展演变的轨迹，不知道“高腔、梆子腔、乱弹等项名目”都是弋阳腔的余绪。不过，官员的调查倒是显示了，这些弋阳腔余绪的演出，“其词曲悉皆方言俗语，鄙俚无文，大半乡愚随口演唱，任意更改”，而昆腔的演出则中规中矩，传承清楚，是雅部风范。

这个材料印证了乾隆时期流行的看法，认为戏曲的流传，到了这个阶段出现了雅部和花部的争胜。青木正儿在《中国近世戏曲史》第四篇《花部勃兴期（自乾隆末至清末)》就指出，乾隆时期，花部诸腔兴起，戏曲有花雅两部之别。雅部指昆曲；花部则指昆曲以外之曲，例如京腔、秦腔等。他还引《燕兰小谱》(乾隆五十年刊）之例言为证："元时院本，凡旦色之涂抹科诨取妍者为花，不傅粉而工歌唱者为正，即唐雅乐部之意也。今以弋腔、梆子等，曰花部；昆腔曰雅部。使彼此擅长，各不相掩。"好像花部乱弹是新生事物，到了乾隆时期才出现，也容易引起误会。其实，花部乱弹其来有自，就是明代南戏的遗绪，主要是弋阳腔的支裔，同时还有其他声腔的留存。

昆腔是文人雅士的清玩，在音乐、文学、表演艺术上面达到了巅峰，士大夫赞誉有加，而且提倡、鼓吹不遗余力，但在民间广为流传的，还是花部俗唱。《扬州画舫录》讲到，在扬州这一带：

两淮盐务，例蓄花雅两部以备大戏，雅部即昆山腔，花部为京腔、秦腔、弋阳腔、梆子腔、罗罗腔、二黄调，统谓之乱弹。……若郡城演唱，皆重昆腔……后句容有以梆子腔来者，安庆有以二簧调来者，弋阳有以高腔来者，湖广有以罗罗腔来者，始行之城外四乡，继或于暑月入城，谓之赶火班。

由此看来，明代各种声腔的发展，随着各地演戏的蓬勃，由南戏早期声腔的流传，不断与地方曲调交叉影响而融合，在“多元一体”的基础上，衍生百花齐放的态势。只在文化精英阶层，由于特别钟意昆曲的高雅艺术性，能够欣赏水磨调的高层次音乐探索，而能保持不变的雅调。

花部在民间的盛行，是否就意味着昆腔的消亡？《中国大百科全书·戏曲卷》有这样的叙述：“乾隆末年，昆剧在南方虽仍占优势，但在北方却不得不让位给后来兴起的声腔剧种。”同书还说，“嘉庆末年，北京已无纯昆腔的戏班。”这种论断是有问题的，完全罔顾戏曲声腔发展的错综复杂情况，更混淆了不同地域与不同阶层的艺术欣赏与喜好。

长期供职于北京故宫博物院的朱家溍先生，根据升平署的档案资料，明确表示：“同治二年至五年，由升平署批准成立，在北京演唱的戏班共有十七个，其中有八个纯昆腔班、两个昆弋班、两个秦腔班、两个琴腔班（其中包括四喜班）、三个未注明某种腔的班（其中包括三庆班）。各领班人所具甘结都完整存在。说明到同治年间，昆腔班仍占多数。光绪三年，各班领班人所具甘结也都存在。当时北京共有十三个戏班，其中有五个纯昆腔班，比同治年减少一些，但占总数三分之一强。通过这些档案数据的研究，我们确切知道，昆腔让位给乱弹的时间，不是乾隆嘉庆年间，也不是道光同治时期，而是很晚的光绪末年。这也解释了，为什么清末民初的京戏名家似乎人人都懂昆腔，都会唱几出昆曲。”

原来昆曲的没落，是这么晚近的事情，而不绝如缕的传承，在京戏名家的身上还可以看到。也幸亏在京戏的发展中，对昆曲并不采取排斥态度，而有这样的传承互动，以及自觉的融化与艺术追寻（如梅兰芳的京剧雅化），到了二十一世纪，当中国进入全面文化反思之际，达到传统表演艺术高峰的昆曲，才不至于陨灭于文化转型的喧闹风潮而得以复兴。

于此，我们也可以看到，明代南戏各种声腔的发展，经历了五六个世纪，一直是处于方兴未艾的态势，衍生出各种民间的地方腔调。昆腔水磨调由于音乐艺术的高端探索，成为文人雅士的最爱，得以跻身经典地位，可以维持其雅部的格调，保持风格基本不变，直到二十世纪。所谓乾隆末叶之后，昆曲被花部乱弹取代，并不是戏曲发展的真实写照，而是坠入了对戏曲发展的单线认识误区，以为非黑即白，以为一旦花部兴起，雅部就一定衰亡，是毫无根据的臆说。

原文刊载于《书城》

2014年9月号

昆曲青春化与商品化的困境

昆曲与俗唱

汤显祖的《牡丹亭》在一五九八年问世，立时就受到大家的称赞，不胫而走，广为流传。当时就有沈德符在《顾曲杂言》中说，“家传户诵，几令西厢减价。”张琦在《衡曲麈谭》中更说：“临川学士，旗鼓词坛。今玉茗堂诸曲，争脍人口。其最者，杜丽娘一剧，上薄风骚，下夺屈宋，可与实甫西厢交胜。”问世不久，四方传诵，就有苏州曲家出来改编，以配合苏州一带流行的腔调。当时在文坛上惹起了一场风波，使得原作者汤显祖大为不满，批评改编者不懂他的“意趣神色”，为了符合苏州流行的昆腔，“云便吴歌”，破坏了原剧的精神。

过去讨论这场争论，总是顺着当时争端的聚焦，以当事人的论辩言语为依据，从“词藻”与“曲律”冲突这个角度探讨。甚至以汤显祖为“崇词派”的祖师，沈璟、冯梦龙为“尚律派”的护法，各有阵营，相互叫嚣，从明末一直吵到二十世纪，掩盖了一个涉及社会流行的“艺术接受”大议题。汤显祖当时最不满的，是苏州人以其“地方沙文主义”篡改他的曲文，“云便吴歌”，也就是为了苏州兴起的流行昆腔，为了吸引苏州昆曲的广大听众，改编他的呕心沥血之作。他曾告诫相熟的戏曲演员：“牡丹亭记，要依我原本，其吕家改的，切不可从。虽是增减一二字，以便俗唱，却与我原作的意趣大不同了。”

我们若是多注意争论中的“云便吴歌”“以便俗唱”，放到戏曲演出的“社会接受”境况，便会发现，这场在明末发生的论争，除了曲家“崇词、尚律”孰是孰非之外，还有更重要的戏曲演出社会现象。原作者坚持自己艺术追求的意趣品味，与当时舞台演出的社会接受发生冲突，特别是与为了通俗流行而改编的做法，格格不入。

明末清初戏曲流行，以苏州昆腔为主流，要在吴地为士大夫及广大群众接受，曲律便得依着苏州腔调，才能流传四方。这里的问题，就不单是个艺术创作的问题，而是艺术演出能不能通俗流行的社会接受问题，也涉及了艺术商品化的问题。

明清时代的“艺术社会接受”，因社会结构以士大夫为主导，文化品位的层次较高，“通俗”及“商品化”还不是艺术接受的决定因素。现代中国社会则不同，传统文化艺术的意趣品味丧失殆尽，物欲流行，金钱挂帅，社会上弥漫着低俗的崇洋媚外心理，以庸俗的“小资情调”为高雅，以高科技所提供的声光电特殊效果为艺术，也直接影响了昆曲的复兴。青春版《牡丹亭》的演出成功，席卷大江南北，引起青年一代的瞩目，一方面有助于昆曲的传承，另方面也引发许多值得思考的问题，特别是昆曲艺术是否会因此而转型，而转型之后是否会丧失昆曲的艺术特质，成为一种新式“有中国特色”的流行歌舞？

旧戏曲与新文化

昆曲基本上是从嘉庆、道光年间开始没落的，研究戏曲史的人都知道它没落的原因，是由于花部的兴起，也就是因为它太高雅、太阳春白雪，失去了广大的社会基础。当宫廷的高雅审美品味也转向比较热闹的京戏时，昆曲就丧失了观众群，慢慢没落了。这个转变是双向的过程，一方面是昆曲的高雅细致限制了本身的发展，不能适应时代的变化，使得清末以来的文化精英与文化消费群，把艺术创新与猎奇的兴趣转向各地新兴的戏曲形式。另方面则是，昆曲得不到艺术的创新与发展，因此，表演的形式就基本不变，保持已经高度艺术化的表演程序，相对而言，比较忠实地继承了清代中叶以来的表演传统。

大体而言，昆曲虽然逐渐没落，但还能在少数人当中，在菁英社群中流传。因为表演艺术的接收群不可能只是广大群众，不可能只面对社会上的一个阶层。虽说普罗大众是观众的大多数，是百分之九十甚至百分之九十五的人，可是戏剧演出的金主与后台却是极少数的上层人士，有经济能力及社会权力继续维持他们喜好的表演形式。直到清朝灭亡之前，上层社会大体上还能够支持昆曲这种高雅、细致的表演艺术。即使宫廷承应的演出减少或取消了，江南富庶人家依然乐此不疲，使得昆曲在吴语地区能够保持一定的流传。而只要上层社会还爱好昆曲，即使不是全国戏曲的主流，即使只是作为花部的陪衬，昆曲也得以维持，不至于衰亡。

可是，到了民国以后，西潮席卷了中国，社会文化风气丕变，昆曲成了传统的、落伍的、封建的、上层的、没落阶级的，甚或是跟遗老有关的艺术形式，成了必须打倒的“封建遗毒”。在这样的破除传统心态下，在这种“脱亚入欧”的文化环境、文化生态下，昆曲就面临更严峻的打击。从道光年间到“五四”前后，昆曲的地位只是逐渐淡化，被新的主流通俗戏曲推到幕后，退居次席。新文化运动大兴之后，则是受到整个新一代知识人的唾弃，受到新文化主流的全盘否定与扑灭。

新文化人听听京戏，虽有意识形态的自我冲突矛盾，心口不一，口里说打倒，心里还爱听，却也是人之常情，因为人有七情六欲，有思想与意识形态的西化，也同时会有爱好流行戏曲（如京戏）的癖好。然而，对待昆曲则不同，因为昆曲不是流行通俗的娱乐癖好，已经不是日常生活“吃喝玩乐”的小道，而与文化艺术的取向有关，是传统精英艺术的登峰造极代表，是与西方表演艺术格格不入的文化白眉。既是传统精英艺术的精华，无法提供不必花费心神的娱乐，无法“云便吴歌”“以便俗唱”，又不符西方古典音乐与表演艺术的典范，既不走群众路线，又不符合世界潮流，当然就可以上升到现代化过程中必须打倒的“封建遗毒”范畴，其消亡也就成了理所当然的命运。再加上昆曲本来已经衰落，其式微本已是历史趋势，也不会引起捍卫传统人士的措意，因为他们捍卫孔孟之道与固有道德都来不及，都感到力不从心，连自己安身立命之道都有灭顶之虞，何暇顾及昆曲的存亡？

昆曲与文化传承

二〇〇五年底，我在北京中央美术学院，就“非实物世界文化传承”（英文是 intangible world cultural heritage; 法文是 patrimoine culturel nonmateriale）做过一次演讲，主要是批评中国文化官员对“文化遗产”（应读作“文化传承”）认识的偏差。我坚决反对中国文化政策的“文化搭台，经济唱戏”措施，认为这是赤裸裸的金钱挂帅，是有史以来最大规模、以政府主导的出卖文化传统的举措，敲碎了祖宗的骨殖当柴卖，可以媲美“笑贫不笑娼”，毫无廉耻可言。演讲纪要录下了问答部分，有位博士研究生问了以下的问题：

昆曲衰落是因为在现代工业化的大社会中，比较精致、古典的传统文化精神，与现代大社会存在着断层。现代的文化已经完全不同，我觉得即使是“花部”，即使是流行的京戏，也不过是所谓火花式的艺术，不可能像以前一样兴盛。所以，拯救昆曲只能是乌托邦的理想，你是怎么看呢？

我的回答很长，纪要是这么记录的：

郑：我想不是乌托邦吧，还不至于到了无可救药的地步。的确，不可能回复到明末清初那样兴盛，但我们只是希望它不要消灭掉、消亡掉，还能保留下这份文化遗产。昆曲跟现代的文化碰撞，与当前文化环境格格不入，是必须认清的现实。比较符合现代人的是流行歌曲、摇滚乐。但是，现代人难道只听，或只准听流行歌曲、摇滚乐吗？难道中国人产生了什么基因变异，听到昆曲舒缓悠扬的乐音就要反胃吗？在文学领域，包括写作的人与读者，难道只读当代的通俗小说，一定不准读唐宋时期的古典文学吗？说到唐宋文学，甚至是《诗经》《楚辞》，都有整理好的文本，甚至都有标点校注。只要文字在，只要中国人还认得汉字，我们就可以读，问题还不太严重，因为它有文字载体。可是，昆曲这类表演艺术，它的载体在演员身上，所以这些表演的人必须一代一代传下去，这就是我们说的护持、保护、保存和发扬的重大意义。我们并不奢求所有人都喜欢昆曲，绝没有希望回到“有自来水处皆唱昆曲”“家家收拾起，户户不提防”的意思。我只觉得，假如中国有十万分之一的人喜欢昆曲就不错了，就让我减少些内心焦虑，不会担心文化艺术传统的沦亡。中国有十三亿人，十万分之一是一万三千人，现在全国爱好昆曲的，可能连这十万分之一都没有。目前喜欢昆曲的人的确非常少，因为能看到的机会都不多，所以，就必须大力推动，就必须花很大的精力去保存，去传承。

刚才提到“雅部”跟“花部”的变化，以及在现代社会存留的可能性，我对此有另一种看法。就是越到现代，越到将来，像京戏，因为当年是通俗的“花部”，它存在的空间就越小。反而是昆曲，长期累积了表演艺术的精粹，又是文学经典，是非常精致的“雅部”，现在重新恢复，因其艺术与文学的经典性与精英性，是文化传承中的白眉，只针对喜好阳春白雪的社会精英，所以存在空间反而比“花部”的京戏更大。京戏的唱词太俚俗了，没有文学想象的美感，提供不了有余不尽的审美空间。可是昆曲，如汤显祖撰写的曲文，跟写诗没两样。只要你对古典文学有一点兴趣，你接触到汤显祖的生花妙笔，听到他的曲文，你就会觉得那实在很美，至少可以为你带来美感的体验。所以，我觉得京戏这样的“花部”，越到将来，面临的问题越大，更必须担心将来的存亡。我甚至怀疑，到了二十二世纪，京戏要怎么生存，是个更让人忧心的问题。现在京戏还比较蓬勃，二十二世纪时，我想会更少人喜欢京戏。京戏的文词那么俚俗，又那么吵，大锣大鼓的，整个意识形态又是传统忠孝节义，和现代人配不上套，那怎么办？我很少听到有人认真讨论京戏面临的真正危机，现在大家讨论的，都是观众少，年轻人不来听，就把它搞得更通俗一点。京戏演出表面上看还算红火，可以上电视，可以融入综艺节目，通常就跟杂耍掺在一起，跟相声小品一起，以这种方式生存。像北京的老舍茶馆，唱一段戏，看戏的洋人比中国人还要多。这不是一种艺术生存的方式，只是苟延残喘，活一天算一天。

大家观察到的现象，就是昆曲的衰微与文化变迁直接相关，而文化变迁的方向，目前很清楚地是西方文化为主导的全球化。这个趋势在短期内不会逆转，也就是说，顺着时代潮流，昆曲非衰微不可，中国各种传统地方戏曲都会衰微。大气候是对中国艺术传统不利的，而传统艺术之衰落则并非因其本身不好，只是因为中国人的思想意识变了，在西潮冲击之下，在全球化影响之下，在近一百五十年文化变迁的潜移默化下，一代又一代的中国人愈来愈倾向西方流行文化，与自己的文化传统愈来愈隔阂了。我们做的，就是对抗这西潮的波涛，重新思考人类文化与艺术发展的方向，为了保护中国传统表演艺术的精粹，更为了全人类文化艺术的多元化多样化，作中流砥柱。文化艺术应当有其相对独立的价值与意义，有其追求人类文明精神提升的境界，不该跟着市场走，不该变成资本主义社会的一种文娱商品，不该变成随波逐流的赚钱工具，不该成为大众娱乐消费的应召女郎。

青春版《牡丹亭》

然而，戏曲表演的存活必须考虑到市场，必须考虑观众，必须有人来看。逆着全球化世界潮流的戏曲，难以对抗汹涌而来的西潮，必须在潮涌之中另辟蹊径，找一条生路。谈何容易！

因此，白先勇策划的青春版《牡丹亭》自二〇〇四年春台北首演迄今，已经在海内外演出一百多场，实在是难能可贵。特别是，这个演出版本，基本保持昆曲的特色，不失昆曲的艺术境界与精神，而能造成一定的轰动，大大推动全社会对昆曲的认识与呵护，值得我们再三致意。主要的论点已经说过多次，再重复申说如下：

一、青春版《牡丹亭》是昆曲在现代大剧场演出经验中，最成功的制作。关键在于编导清楚地认识昆曲表演的写意性，明确呈显传统戏曲的“唱念做打”特色，使观众的注意力集中在演员“载歌载舞”的表演，得到诗情画意的美感经验。舞台呈演的方式走的是传统的空灵，在清明净化之中展现无限的自由空间，并不屈从流俗的市场观点，以为现代人只喜欢西方舞台的装置与道具。

二、青春版《牡丹亭》定位明晰，对象是广大有相当文化素养的青年人。知道他们不熟识昆曲演出，或从未见识过昆曲的优雅细致，便针对他们审美鉴赏的口味，精心布置了舞台呈演的方式，务必使他们有“惊艳”之感，一见钟情，大叹“此曲只应天上有，人间哪得几回闻”。白先勇特别挑选“俊男靓女”任男女主角，分饰柳梦梅与杜丽娘；演出服饰在色彩及设计上都作了改动，力求素雅精美；花神及其他配角的身段及舞蹈安排，都考虑到热闹而不喧嚣、华丽而不滞重、素雅而不枯寂，在风流蕴藉之中自显花团锦簇，在曲折跌宕之中不失行云流水。但同时也注意到，“青春亮丽”只是吸引现代观众的入门手法，本身不是消费的商品。在“青春化”的背后，还是昆曲的艺术传统。就好像是安排了青春亮丽的青年教师，吸引了大批的青少年同学，进入课堂之后，教的还是传统戏曲的学问。

二、在舞美与配乐方面，大体都以衬托演员的唱做为主，不曾过度渲染，没有一些现代大舞台昆剧演出的喧宾夺主现象。虽是现代剧场大舞台制作，为一两千观众作大型演出，其艺术效果还能不失风雅细致，中心思想还是为了避免商品化，避免变成百老汇式的歌舞剧。

四、青春版《牡丹亭》在海内外大学巡回演出，在校园中引起轰动，促使一代青年大学生思考中国传统文化与艺术可资创新的资源，对自身的文化艺术取向深刻反省。这就不单纯只是文娱表演的欣赏与消遣，而涉及未来中国文化艺术创新探索的方向，有助于创造基于文化本体的真正中国现代化（而非尾随西化）艺术。

青春版《牡丹亭》广受青年人爱戴，特别使从未看过、从未听过昆曲的新新人类惊艳不已，造成一股年轻人观赏昆剧的热潮。这是大家都高兴看到的，有人从中觇到中国文化复兴的契机，有人为传统艺术发扬光大而感到欣慰，还有人为水磨细致的昆曲在现代大剧场演出成功而振奋。不过，大多数观赏青春版《牡丹亭》的青年人，只是观赏一次，尝个新鲜。俗语说，懂戏的看门道，不懂的看热闹。大多数来尝新鲜的，看的是热闹，看一次很过瘾，载歌载舞，诗情画意，全是浮面的印象。以看电影或看话剧的观赏心态来看昆剧，会觉得《牡丹亭》的故事情节跌宕奇突，高潮迭起，再加上悠扬的曲调及动人的舞姿，一双眼睛两只耳朵忙都忙不过来，哪有本事去咀嚼细品？懂门道的行家不同，要听唱腔，要讲究吐音咬字，要看身段，还要斟酌伴奏场面是否达到衬托演员唱腔的效果。

行家的挑剔可使表演从单纯的娱乐上升到精美艺术。对细节一丝不苟的要求，可以使表演精益求精，一次比一次精彩。最起码，观者不会有机械性重复之感，不会产生审美疲劳。从这种专业及敬业的态度出发，有不少行家私下批评青春版《牡丹亭》，说有些身段太离谱，“太火”“太洒”，不合乎昆曲含蓄蕴藉的风格。也有人对吐音咬字的含混不清表示极度不满，认为是演员的躲懒，以唱流行曲的方式企图蒙混过关。这是对演员唱做功夫提出苛刻的批评，认为他们在舞台上展示“四功五法”的功力不到家，远逊目前还活跃在舞台上的老演员。我基本同意，但也不能求全责备太过。

关于昆曲的文化传承，从艺术角度出发，也就是从昆曲最根本的“唱”出发，我还是要重复十几年来翻来覆去申说的观点：演员要学着不用小蜜蜂；演出戏曲要学着不用扩音设备；唱戏要学着自然呈现，不要永远借助科技手段。我们很难想象，参加奥林匹克运动会的中国选手，为了确保加快速度，在田径竞赛中带上火箭推进筒，以此打破世界纪录。我当然了解，为了推广昆曲，让更多人能在容纳一两千人的大剧院中欣赏青春版《牡丹亭》的呈演，音量的处理借助扩音器很方便，百老汇的歌舞剧就是这么做的。但是，同时，我们也不能忘记昆曲是细致的艺术精品，讲究唱做俱佳，讲究声情并茂，总不好说是“扩音设备与身段表演俱佳”“扩音器声量与表演技术并茂”吧？昆曲的最高艺术成就与价值，作为人类文化遗产的最精髓艺术本质，是与“水磨调”的悠扬高雅相关的。我常说，昆曲虽然式微，虽然需要大力推动，要八仙过海，各显其能，但是，其中却掺不下小蜜蜂这么伟大的一颗老鼠屎。

因此，在演出大场面大剧院青春版《牡丹亭》的同时，我们也希望同样的演出制作能在小型剧场演出。一个五六百人的中型剧场或更小一点也更理想一点的小剧场，可以让演员发挥得更好，也训练他们不再依赖扩音器来演唱，重新确立昆曲作为“曲”，是展现肉声的表演艺术。让“丝不如竹，竹不如肉”，在昆曲演唱中重新进入我们的听觉美感享受。

把音响扩音设备从昆曲舞台撤下来，连带就会影响配乐的安排，让伴奏的场面认真思考应当如何配搭乐器。我一直怀疑，昆曲的伴奏是否非学西方交响乐团的形式，否则就没有生路。过去的说法是，剧场应当是西方演奏音乐的现代化剧场，不如此则不能同时为上千的广大群众服务。这种“现代化”的艺术发展观，是反映阶级意识的大是大非问题，也是艺术观的进步性或落伍性的斗争。现在没有人侈谈文化与艺术的革命进步观了，却又有不少人大谈市场效益，大谈商业化、企业化的可能性，甚至希望能把昆曲包装成大舞台的新宠儿。回头再想想，昆曲的音乐呈演，真的非学西方现代化大剧场演出不可？难道非要商品化才能维护昆曲，传承此一宝贵的中国文化遗产？

昆曲传承与学术研究

自从联合国教科文组织在二〇〇一年五月十八日把昆

曲列为“世界非实物文化传承”（不该称作“非物质文化遗产”）之后，中国人都感到与有荣焉，也就使得一九九〇年代以来在台湾与香港逐步升温的“昆曲热”，燃烧到了全中国，并开始注意昆曲演出与传承的文化意义。青春版《牡丹亭》演出的成功，在两岸三地大学校园引起的轰动，以及随后的昆曲成为时尚，显示中国人（特别是年青一代的精英）终于在传统表演艺术形式之中，找到了自己联系文化传统的纽带。

晚清以来，西学东渐，西方强势文化与艺术形式笼罩了好几代人的思维与想象，致使中国的知识阶层对传统文化与艺术视若敝屣，不屑一顾。然而，几千年的中国文化传统虽然遭到主流知识结构的鄙弃，却因其源远流长，深入民间，幸而得以不绝如缕，总在人们心底萦回，总使人们在自我鄙夷的过程中，隐约感到不安，也模模糊糊向往着未来，总有一天，能寻回自己文化中袅袅不绝的绕梁余音，找到可以抚慰心灵深处的高山流水。昆曲经过了清末的衰微与二十世纪的各种困顿与灾厄，还能承传不断，还能幸存而有所复兴，是中华文化传承的异数，值得全世界欣慰，同时也是我们理解文化传承、理解表演艺术作为“非实物文化传承”的重要学术环节。

我写过许多文章，还在二〇〇六年出版过一本《口传心授与文化传承》，呼吁大家不要继续使用“非物质文化遗产”一词，而应该转用“非实物文化传承”，以符联合国使用的英文“intangible cultural heritage”或法文“la patrimoine culturel immatériel”的本意。“遗产”一词容易误导国人，有 些人以之转为“资产”，甚至利用文化传承发展“文化产业”，利用文化当幌子，“文化搭台，经济唱戏”。长此以往，文化非但得不到传承，还会变成金钱的奴隶，在人性贪婪的鞭策下，驱动经济利益，使文化扭曲变形，斫丧文化传承的内在精神。变成资产的“文化遗产”，虽然打着“传承”的旗帜，充其量只是如何捞钱，如何发展经济而已。“非物质文化遗产”一词，虽然只是一个词语，但是，因为它是个翻译而创造的新词，在中文语境中没有约定俗成的认识规范，其语义的模糊性容易造成思维的紊乱。在官方文件与大众媒体广泛使用之际，让许多唯利是图的人钻了空子，强调“文化遗产”可以牟利，可以化遗产为资产。近几年来，许多地方政府与民众都努力申报“文化遗产”，发展文化旅游，发展文化企业，配合牟利赚钱来提倡“非遗”，完全不顾及文化传统的死活。我一直呼吁，不要使用“非物质文化遗产”一词，而易之以“非实物文化传承”，至少可以提高人们的认识，减少“文化传承产业化”的倾向与趋势。

昆曲作为举世称颂的“非物质文化遗产”，也就在认识混乱的过程中，以众声喧哗的姿态，经由各地文化机关的提倡，活跃于当前的戏曲舞台，同时也充当文化旅游的娱乐节目。改编与新编的昆曲大戏，以“文化遗产”的发展创新为名，连台出场，经常违背了昆曲传统的基本原则，却能在全国评比汇报的重要演出场合，在官方组织的全国昆曲节或戏剧节，甚至在全国戏剧评定的最高艺术成就奖项之中，接二连三获得最高的表演殊荣，得到政府与官方钦点专家团的肯定。在昆曲圈内，包括昆剧演出的“内行”演员与相关从业人员，以及爱好昆剧与从事研究的“外行”，都基本赞同昆曲政策八字真言“抢救、保护、创新、发展”的原则与立意。但对其实际的媚俗化运作，以及具体产生的产业化与庸俗化现象，许多人忧心忡忡，深不以为然。政府资助的新编昆曲大戏，在表演程序上经常都违背昆曲传统，在音乐配置上也是“华洋杂处”，以中国乐器模仿西洋管弦乐团的音乐模式，令人感到昆剧不是昆剧，话剧不是话剧，歌剧不是歌剧，音乐剧又不是音乐剧。四不像的结果，并未造就艺术实验的新锐刺激，没有令人感动的艺术张力，只看到零碎的昆曲符号，搭在摇摇欲坠的西洋戏剧格式的框架上，令人感到心惊胆跳。或许这是黎明前的黑暗，是昆曲复兴必须走过的迂回道路，在改革开放的潮流中，连昆曲都必须“摸着石头过河”，在错误的实验中逐渐取得经验。然而，这种不做基本调查研究就敢放手大干的“艺术大跃进”，不但戕害了昆曲传统的抢救与保护，也不能有所发展与创新。

昆曲的演出实践，固然是昆曲团与昆曲艺人的本业，“外行”不可能也没有能力直接参与。但是，厘清思维的紊乱，辨明什么是昆曲传统，是否典型犹在，可资遵循，则是昆曲学者责无旁贷的任务。关于昆曲作为“非实物文化传承”，到底传统是什么，昆曲的“四功五法”意义何在，在历史发展过程中如何承继，如何传延，如何演变，目前传承的情况如何，当今演出的不同版本何者符合历史传承的规律，何者违背昆曲传统的基本精神，什么是“移步不换形”，什么是“传神不传形”，都是昆曲学者应当回答与探讨的问题。由于过去的戏曲研究，在现代学术架构中属于中国语文文学学科，限于学科发展的要求与规律，多在目录学、版本学、文献学与戏曲文学方面下功夫，思考的脉络以文字范式为主，研究的是“案头之书”，而非专注舞台的表演呈现，不太研究“筵上之曲”。长期以来，把戏曲研究放在中国语文学的学术框架中去探索，忽略了戏曲最基本的内容是舞台表演，应该是自成领域的戏剧学、表演学、戏曲学研究，最后造成戏曲学术研究的“削足适履”倾向，也与戏曲传承的实践情况划清了界限，各人自扫门前雪。

在戏曲研究领域中，对昆曲舞台表演艺术作为学术课题，当作系统的学术探索领域，或许始自陆萼庭的《昆剧演出史稿》。其后如胡忌、洛地、王安祈等人，都着意开拓这个重要的领域。近年来更多学者开始专注昆曲的舞台表演以及“四功五法”的研究，探讨昆曲的实际表演情况与传承的具体操作。如古兆申、陈芳、张育华的戏曲研究专著，都能从昆曲表演的实质出发，探讨表演身段的呈现，分析唱腔如何依字行腔，通过今古对比，看出昆曲传承脉络的关键，在于舞台表演艺术如何一代一代有所继承，也因为“戏以人传”而有所发展，有助于我们理解昆曲作为“非实物文化传承”的实际情况与意义，在学术上是有重大贡献的。

过去也有一些老派的内行学者，对舞台呈演的具体编排表示过清楚的意见与批评，对新编或改编大戏的不妥之处，做过相当强烈的批评。如朱家溍在《对昆曲抢救保存的一些意见》一文中（见《艺坛》第六卷，蒋锡武主编，世纪出版社 2009），就说到乾隆年间《牡丹亭·惊梦》有所改动，有些是好的，是符合艺术呈演规律的，因为那是内行人总结演出经验之后，精益求精，循着艺术规律而改动的。他说：

“一个戏的修改发展是很正常的，但要具备有改戏资格的人才能去改，刚学会的人是没有资格的，还没消化好，就凭主观去改，是改不好的，也不会有好的发展。”他同时还指出，许多昆曲的舞台演出本早已是千锤百炼的，改起来就要特别慎重：“但很多戏的修改已到了饱和点了，当然饱和点也并不是绝对不能改，那要极其慎重，刚一学会马上就改是很危险的。”

朱家溍还对当前昆剧演出的乐队配置，很有意见：“伴奏的庞大乐队，干扰了演员演唱，在念白中本应静场念的，取其静，才有意境，不能带有音乐。现在很多种场合加入配器音乐的情况，非但不好，而且很坏。”对舞台美术制作，也颇有微词，认为昆剧团的审美品味与情趣，似乎与昆曲的高雅境界有点距离：“过多的雕饰并不美，应注意色调中花和素的协调，明和暗的对比。淡和雅不是绝对的，《狮吼记》满台人服装全淡，如同穿孝，反倒不雅。要有浓有淡，浓淡调协，才出现美。舞台美工方面传统戏汇报演出固然没采用布景，这是好的；但近年来，各个剧种都在天幕上挂一个大图案，它比台上人物更突出，不是什么好办法，各昆团都未能免俗地采用，值得深思。”

像朱家溍这样内外兼修的昆曲大佬，已成绝响，而将来也很难说是否后继有人。我们将来很难再找到朱老先生这一代人，既有文化修养，精通诗词歌赋，浸润于琴棋书画，把文化传统内化于一身，又能登台献艺，领会艺术表演的高雅风范。于今之计，对昆曲传承的深刻认识，以及建立昆曲表演艺术的学术领域，对昆曲舞台实践深入研究，提供具体客观的材料与论证，已是刻不容缓。

要发展昆曲传统，延续“非实物文化传承”，我们需要更多研究表演传承的学术著作，让具体的证据与明晰的艺术论述，来帮助昆曲传承的源流脉络，让文化官员在操作“精品工程”的时候有所思考，让改编昆曲的话剧导演有所敬畏与顾忌，而不至于捏造出“和尚打伞”式的昆曲或类昆曲。昆曲作为非实物文化传承的研究，是极其重要的学术新领域，是理解中国文化审美结构的一把钥匙。若能长足发展，就可以使后人在回顾中国文化传统之时，不再只是胸臆之中充满了遗憾的乡愁，而能感到有所依托，找到得以安身立命的艺术传统，重新出发，进行崭新的探索。我们也希望中国高等教育的学术架构，特别是人文艺术学科，不要抱残守缺，也不要盲目崇洋，以西方现代的学科架构马首是瞻，亦步亦趋，应该思考中国文化的精神内涵，重新构筑学术体系与学科架构。如此，至少也不会出现昆曲研究以文献研究为主体的情况。

其实，昆曲传承显示它是雅俗共赏的，有文人雅士的阳春白雪，也有一般民众的下里巴人，有追索幽微婉转心境的情怀，也有看透世态炎凉的针砭，以及反映市井生活的深刻观察。昆曲的学术研究也就涉及中国文化雅俗的两个层面，以及雅俗互动的关系，可以揭示社会生活的肌理。让我引用一句俗话，帮助了解昆曲传承及其学术研究的重大文化意义：我们要让后代理解传统，认识传承，“就算没吃过猪肉，至少也看过猪走路”。

原文刊载于《书城》

2008 年 5 月号

坂东玉三郎和昆曲艺术

一

中国传统戏曲的作者一般都是文人，拍曲填词，以锦绣文章编出一段悲欢离合的故事。可是表演的人，往往不是来自社会上层，而是出身低贱的职业演员，经常在上层精英社会的娱乐场合演出。明清以来，“家乐”的传统十分普遍，特别是江南士大夫家庭大多都养有家班。《红楼梦》叙述大观园建成，买了一批穷人家的孩子，训练他们唱昆曲，就典型地反映了这个现象。戏曲的演出，同时又有其通俗的一面，也在大众场合演给一般老百姓看，而有“家家收拾起，户户不提防”的群众为之风靡的情况。所以说，戏曲本身从撰写到搬演，就是上层与下层、精英文化与通俗文化的相互交汇，是一个反映多元多面的艺术形式与文化场域。清楚地了解到这一点，对于研究文化史的人来说是非常重要的。我们过去研究中国的文化史，一般都是从“子曰”“诗云”的角度，也就是从精英文化着手，所谓的“大传统”作为历史文化的主流，反映的是统治阶级的文化意识形态。现在研究文化史，则希望了解不同阶层的不同文化场域，同时又能够整合文化整体之中的不同场域，能够从宏观与微观的各种角度，看出历史文化发展的不同范式及其复杂的互动关系。我觉得戏曲本身，或者说戏曲演出的过程，就展现了这种理解文化多元一体性的资源，是理解文化的极佳范例，值得我们深入探讨。

过去的学者总是强调中国传统戏曲的独特性，如何如何与西方戏剧不同，如何如何反映了中国文化独有的精神，如何如何展示了中国人对舞台演出的慧识，是一种只有中国人或浸润了中国文化的人才能体会的艺术。我认为这种态度是封闭的民族情绪在作祟，贬低了中国文化传统的普世意义。中国传统戏曲，特别是中国传统舞台表演艺术，不只具有中国艺术的独特性，同时也具有一种普世艺术的意义，不只是中国人看得懂，中国人喜爱，不同文化艺术传统的人一样看得懂，一样可以深刻体会其精神，甚至还能从中汲取滋养，从不同角度、不同文化场域的理解，发展与丰富中国传统戏曲。假如我们看不到中国传统戏曲，乃至于中国艺术传统、整个中国文化传统具有可持续发展的普世意义的话，那么，中国文化传统、中国传统戏曲，就成了死传统，成了历史文化传统的化石，只能放在博物馆里供后人瞻仰了。然而，坂东玉三郎的出现，粉墨登场，正式搬演《牡丹亭》的艺术展现，让我们清清楚楚地看到了昆曲的普世意义与价值，让我们重新审视了表演艺术的独特性与普世性的关系。

坂东玉三郎是日本人，是日本歌舞伎传承的人间国宝。他不是中国传统戏曲科班出身，并未从小接受四功五法的训练，却跑到中国来唱昆曲，还轰动了大江南北，引起广泛的注意与讨论。从文化传承与艺术创作的角度来说，他是完全跨了界，换了一个文化场域及表演领域来演昆曲。至少从表面上，我们已经看到，昆曲艺术不只限于中国的演员与观众，对一个来自完全不同文化背景、从事另一门类表演领域的人，也可以产生足够大的魔力，能吸引他来学习和演绎，并且呈现了演出的魅力。这个事件本身，就显示了昆曲艺术不止是局限于中国文化，或者说不仅仅止步于中国表演艺术所具有的独特性，值得我们深思。

我一直参与青春版《牡丹亭》的制作和演出，并且关注观众接受的社会现象，思考青年一代如何接受传统戏曲，以及趋之若鹜的原因。青春版《牡丹亭》的成功显示了什么样的文化意义？它在中国近现代文化变迁中带来了什么样的影响？它会不会反映了二十一世纪中国文化的复兴？又会是怎么样的复兴？我经常观察和讨论这些问题，所以，听说日本歌舞伎表演艺术家坂东玉三郎要演昆曲《牡丹亭》，当然会发生兴趣，联系到这些思考的问题上。但因为比较忙，一直没有时间看他在北京与苏州的演出，但曾经询问过不同的朋友，得到不少讯息。

坂东在北京演出以后，我问章诒和，她停了一下，伸出大拇指一比，说：“是个角儿！”言下之意，就是他有舞台的艺术魅力，值得欣赏。二〇〇九年春天，张继青到香港城市大学讲昆曲的“口传心授”，我又问到坂东的演出。她是教坂东玉三郎演杜丽娘的老师，她也认为，坂东的演出已经在艺术上达到了一个境界，能够掌握到杜丽娘这个角色的心境。二〇〇九年秋天，梁谷音参加香港城市大学的昆曲传承计划，也说坂东演的《离魂》净化了舞台，“演得好！我要向他学习！”对我来讲，这是很大的刺激和震撼，因为梁谷音的《离魂》演得非常好，又是昆曲“戏痴”，居然也对坂东如此佩服。她说，坂东演【集贤宾】那一段，一动也不动，却达到了杜丽娘死别的神髓，是真不得了，真的在表演中传递了艺术的感染，其中有一种特殊的东西，这种东西可以启发她，她下次演《离魂》也可以从中汲取一些体会，而有另外一个演法。这些朋友私下对坂东的赞誉，使我感到好奇，也打定主意要亲自观赏他的演出。这次他在上海兰心剧院演出，我是专程从香港飞来观摩的。

二

我这里稍微规整一下坂东的艺术成长经历。

坂东玉三郎最先是被守田开弥收养，后来又正式进入日本歌舞伎的“坂东”传统，是第五代坂东玉三郎。他从年轻时候起就显露了出色的艺术天分。他在歌舞伎中演的是女角，叫“女形”，也就是我们讲的旦角。他演过很多歌舞伎的戏，对于歌舞伎在世界的推广有很大的贡献。

坂东的艺术生涯是很特别的，他非常非常的纯净，没有家庭，没有应酬，杜绝一切社会活动，没有绯闻。他的生命就是表演艺术，就是剧场、排练厅、家，三点一线。他的整个世界就是要呈现一个“完美”的女形。坂东曾经说过，我就是一个在身体上作画的人。演歌舞伎，是对于纯粹精神层面的悲情与唯美的追求，尤其体现在坂东所从事的“女形”行当上，更是全心全意忘我地投入。他作为一个男性演员，要在舞台上那有限而忘情的时间内，摒弃掉自己的男儿之身，藉助衣饰化妆和程序技巧，在舞台上演绎出一种理想

坂东玉三郎的“女形”

状态下的最完美的女人形象。这种首先建立在生理层面的矛盾，几经艺术折射与超越，以乾旦的艺术转化达到精神美感的完成，展现角色本身具备的悲剧情愫。

除了演绎歌舞伎之外，坂东还对其他各种各样的表演艺术感兴趣，对西方的戏剧传统有一定的体会，从中汲取了可资参考的因素，并与不同表演艺术门类合作，和西方剧种的演员同台演出，敢于实验。我觉得这一点很重要，是根基于传统，但又从完全浸润传统之后，由内而外地，从内心的深刻体会出发，进行创新演绎。以坂东崇拜的梅兰芳为例，他从一九二〇年代，就清楚地发展了很多新的东西，都是原来京剧表演里面没有的。一个最有趣的故事，就是谭鑫培跟梅兰芳演《汾河湾》(还有一说是《南天门》)，谭鑫培演其中一段时原本是没有彩的，忽然听到底下开始喝彩，他觉得很奇怪，转身一看，原来梅兰芳在配合剧情表演，在“做”呢，该有悲哀的就悲哀，该有欢乐的就欢乐，动起来了。戏曲在清末的传统表演方式，都是轮到我唱的时候大家都注意我，其他人不动；京戏青衣还有一个传统说法叫“抱肚子青衣”，就是抱着肚子唱，基本上就是唱，没什么做工。梅兰芳却不是这样，他不仅是一个艺人，更是一个表演艺术家。一个艺术大师在艺术成长中对新生事物有兴趣，不是依样画葫芦地摹仿，而是会吸取养分。像梅兰芳就对电影这种新的表演艺术有兴趣，喜欢看电影，还一心要拍电影，但是他在舞台演出，并不是按照电影的写实表演学样，而是融会了表演要有整体舞台感来演出。有人说坂东是梅兰芳之后出现的一个了不起的、稀世的表演艺术家，说他的表演有“透明感”。这个说法很有趣，虽然不一定准确，却触及表演艺术的感染力问题，我会在后面谈到这个“透明感”是什么意思。

坂东非常重视艺术表演与文化内涵的关系，演出时尽可能少用肢体动作与表情，而用整体呈现文化内涵的方式，展现内心世界。我们知道昆曲载歌载舞，内心感情必须借助肢体的动作展现出来，可是坂东演昆曲，借助了自己歌舞伎的艺术体会，很收敛，很含蓄。虽然也有动作，但是他并没有按照传统的演法，一招一式、亦步亦趋来表现“原汁原味”。

或许有人会批评说，他的昆曲身段功底不足，特别在《游园》一段减省了许多身段，在技术上还不过关呢。但是，他可以扬长避短，表达的方法比较收敛、含蓄，而这一点，恰好可以配合杜丽娘这样特殊的闺门旦所具备的大家闺秀气质。我们必须注意，这个“恰好”绝不是歪打正着，绝不是身段技巧不足，碰巧了表达出含蓄的闺秀性格，而是经过精心思考，对人物性格深刻揣摩之后，才作出的符合整体艺术感染的改动。因此，内行人看了，不觉得突兀，不觉得他唐突了传统演出的原汁原味，反而觉得有一种异样的合理，看到了更符合汤显祖《牡丹亭》境界的杜丽娘。

坂东在处理情感爆发的时候，虽然是一种比较含蓄的爆发，却爆发得很厉害。在这一点上，我觉得可能和他的歌舞伎文化底蕴有关，因为但凡艺术，都追求一个“美”字，但像歌舞伎那样无时无刻不在竭力营造出一种极度的唯美和悲情氛围的却也并不多见。在歌舞伎的舞台上，充满了神秘且哀伤的情绪，不同于西方悲剧所传达的悲壮，也不同于昆曲点到为止的写意悲情。歌舞伎作为一种纯粹的表演艺术，它的歌、舞、技巧，都是一种自发状态下的混合，于无意识中渗透出来日本这个民族本身对于“悲”与“美”的理解，优雅、柔弱、细腻，然而大悲大恸一旦降临，却能够呈现出一种刚烈的，甚至充满残酷气息的美感。

坂东和中国戏曲有着千丝万缕的关系。梅兰芳到日本演出时就曾经跟他的养祖父守田开弥同台演出过，坂东还到北京跟梅葆玖学过《贵妃醉酒》，融合了京戏里面的一些身段，改编成歌舞伎《杨贵妃》。后来他又接触了昆曲，觉得昆曲细腻、和谐、安静，而且有一种特殊的高贵气质。这种特殊的文化境界可以通过舞台表演而展示出来，让他非常佩服，所以想演《牡丹亭》。他最初想搞一个歌舞伎的《牡丹亭》，可是他在思考排演的过程当中意识到，昆曲的《牡丹亭》已经达到一个不太容易逾越的艺术境界，所以转换成歌舞伎可能会出问题，或者达不到他想象的境界。所以他最后决定演绎原汁原味、载歌载舞的昆曲《牡丹亭》。

可以说，这是一个跨界的演绎过程，歌舞伎在舞台上的表演是由舞蹈、技巧和不太多的一些念白所组成，因为歌舞伎的乐部和伎部是分开的，乐部是有人在那里唱，伎部就是主要演员在台上表演，有念白，但不唱。昆曲则不同，载歌载舞，唱、念、做、舞，整出戏是边唱边做，通过综合表演来展现剧情的。这跟歌舞伎的伎乐分途、各自展演完全不同。况且昆曲《牡丹亭》还是世界文学的顶级杰作，蕴涵着深厚的生命意义与文化内涵。汤显祖自己叙述全剧宗旨说："情不知所起，一往而深，生者可以死，死可以生。"要在演出中展现其艺术境界，不只是单纯掌握了表演技术，还必须深刻认识作品的蕴意，才能恰当展示剧情的真谛。汤显祖的生花妙笔，以及累积了四百年的舞台演出经验，要换成歌舞伎来演，真的不是一件很容易的事情。坂东决定跨界演出，以自己的歌舞伎背景来表演昆曲，不只是要学习昆曲的唱念做舞，还得体会汤显祖的蕴意，也真不简单。

坂东自己说："当我画完妆，穿上服装后，从那一秒起，我的状态和思想要完全服从我要呈现的女性。我不是要饰演古代女子，我本就是画中的她，我本是她。"研究戏剧的人都知道，斯坦尼斯拉夫斯基也这么说。不管怎么说，这个体会是必要的。然而，你要演杜丽娘，光学习斯坦尼体系大概还不成。所以，这里面要思考的问题非常多。坂东在这方面的认识很有趣，起点很高，因为他要思考的是汤显祖和杜丽娘之间存在的微妙的分寸感。他的这个认识，让我感到很震惊，因为这个角度的思考，完全是从学术探索、文化研究的意义出发的，而坂东一针见血就点到了这个问题本身。《牡丹亭》剧本中到底哪些文辞是杜丽娘想说的？哪些词句是隐藏在文本背后、关于汤显祖自己对生命、对爱情的思索？不单是一个纯洁少女的懵懂情怀，而是汤显祖经历坎坷一生后的终极追问，是个极有兴味的学术问题，也是理解《牡丹亭》深厚内涵的一把钥匙。我们知道，汤显祖写《牡丹亭》的时候弃官回到家乡，经历了一生中无数的挫折之后，把自己对于人生起落穷达的思考都融入在这部作品中。坂东想到了这个问题，就对《牡丹亭》有了深一层的理解，不只是演才子佳人，还要演人生的无可奈何与锲而不舍；不能只是用演绎杜丽娘的方式去表现汤显祖的想法，也不能把汤显祖的想法强加在杜丽娘的身上，可是又要同时顾及作者蕴意与人物性格所揭示的内容。在表演上，就要做到融入人物，必要的时候又要跳出人物，这和斯坦尼体系是不同的。

所以说，坂东演绎的杜丽娘，不在于“形”，而在于“心”。在《离魂》中，他特别展现了生死的问题，他的《离魂》让所有人感动，我猜想就是这个原因。他用心在演，肢体动作尽量淡化，将杜丽娘生命之火行将熄灭的那一刹那，拉得特别长，悠悠荡荡的，好像三魂七魄都在中秋的细雨中飘飘荡荡，引得观众也为之心荡神移。传统戏曲的时间和空间性是非常活泼的，即我们所说的 poetic flexibility in drama，可以拉长，可以缩短，可以压扁，具体到分寸在哪里，这就是一个最优秀的表演艺术家需要掌握的东西。坂东用梦境般的方式表现了一个美好生命即将消失的状态，但这状态本身却并不是悲切的，因为杜丽娘还有另外一个世界要去追寻，所以这个死，好像很悲，又好像是一个很圆满的深化。青春版《牡丹亭》里表现这个场景时，杜丽娘拿着一枝梅花，慢慢的，好像脸上又露出一丝微笑，表达得比较露一点。坂东《离魂》的演出非常含蓄，又充满了汤显祖所着意刻画的诗意。他没有预先就假设观众看不懂，他觉得他要表达的观众统统都能够理解，从这个角度讲，他非常尊重观众。倒转过来说，作为一个观众，你也要有理解艺术的本事，去理解他对你的艺术尊重。

三

这次坂东在上海的演出，又新增加了《写真》和《幽媾》。《幽媾》里面有一些女性意识的展现，显示妇女也有情欲主动的主体意识。这个感觉在《牡丹亭》的演出中显得越来越重要，有一个很主要的原因，是跟二十一世纪的女性自我意识发展有关。四百年前，汤显祖写剧的时候，已经把这样一种可能发展的空间放在那里，也是了不起的。他不可能很清楚地在四百年前，就大张旗鼓地发挥女性自我意识，但是他在剧情铺展中，确实预留给后人思考的空间，让后人可以充分利用，使杜丽娘可以扬起女性意识的旗帜。伟大的作品之所谓不朽，就在于作者对人性与人生际遇的理解比我们深刻，看到的东西比我们远。在汤显祖的时代，很多人体会到汤显祖的辞藻华丽，文章优美，“几令西厢减价”，可是，汤显祖超迈同代人的，显然还有另外的东西可以给予后人。他对女性自我意识的认识远远超过了他的时代，而涉及了我们今天讲的“现代性”。别忘了我们的这个“现代性”，再过四百年，也是老掉牙的东西，将来还有将来的“现代性”。可是不管怎么样，我们发现，汤显祖在《牡丹亭》里已经写进了女性意识可以发展的空间，而坂东也能充分体会这个空间，都是很了不起的。

中国传统戏曲在表达剧场艺术感染方面，有一种很特殊很重要的形式，即是舞台表演一定要有一个气场。其他剧场表演形式也要发挥“气场”的作用，不过不及中国传统剧场之甚。演员在舞台上的表演和观众在台下的欣赏一定要形成一种精神的互动，要制造相互能够呼应的气场。制造艺术气场，说来容易，却不是普通演员能做到的，一定要有了艺术体会，多少揣摩到了艺术境界，能够和扮演的人物角色融而为一的时候，才能达到。正如亮相，表面上是简简单单的一个pose，其实一点也不简单，能马上看出演员的功底与本事。气场要在亮相的一刹那，由演员的“手眼身法步”散发出来，感染整个剧场的观众，让他们一起参与这一场演出。这不是一天两天造成的，是演员积蓄了毕生功力，才能在亮相时集中展现自己的精神面貌。大多数长期看戏的观众一看就知道，所谓“内行看门道”，所以章诒和跟我说坂东“是个角儿”，就是说，是角儿不是角儿，看一眼就有了。

在日本的演剧传统中，对演员如何成“角儿”有相当深刻的认识，而且是从演员的训练培养角度进行探讨的。十四、十五世纪之交的能剧名家世阿弥，曾撰有一部《风姿花传》，指出演剧要有“风神”，要在演剧展现风姿的时刻开出“花”来。这种“花”是艺术之花，有“花”才有艺术之美，才能使人惊艳，使观众的心灵有所感动，达到情感的交流与共鸣，创造了演剧所追求的境界。世阿弥提出“花”这个概念，是用譬喻的方式说明演员展现艺术的现象，但能够培养出“花”的过程，则是演员如何内化演剧艺术，又能通过舞台表演而外铄，感染观众，让剧场开出亮丽的花朵。

世阿弥在《风姿花传》中，从演员艺术成长的演化角度，解释了“花”的绽放，在演员一生从艺的不同阶段，可以展现不同的姿彩，以不同的面貌感动观众。他指出，青年演员有青春亮丽之美，可以风靡一时，但是，这种“俊男美女”式的舞台风采只是“一时之花”，不但不能持久，而且不能算是真正达到表演的艺术境界。世阿弥告诫我们，三十而立，是开花的关键时刻，可以绽放青春亮丽之花。但是，这样的“花”只是初学时期的“花”，“若将一时之‘花’误为是真正的‘花’，离真正的‘花’则更远”。世阿弥区分了“一时之花”与“真正的花”，是提醒我们，艺术有其长久追求的境界，要虚心学习，刻苦训练，不断精进，才能日臻完善。艺术之花，不是靠一时亮丽的噱头可以达到的，演员要有一种对表演艺术的慧识与敬畏，才能正确辨认自己技艺的成长，让青春之花转化成艺术之花。演员的青春不能永驻，但是，通过艺术的提升，艺术之花却可永不凋零。

世阿弥指出，不管演员年轻时多么风光，也不能阻挡自然规律，不能避免年华老去。吊诡的是，能剧演员要能完全掌握表演艺术的精髓，却又非到老年不能臻于化境。演员自身的形体与容貌都已衰老，动作也欠灵活，只能点到为止，但是，依然可以通过深刻的艺术体会，以静制动，以无为有，犹如“古木逢春”，开出灿烂的花朵。到了此时，“若‘花’尚存，即为真正的‘花’”。

观赏坂东演出《牡丹亭》，看到一位歌舞伎的老演员，一个五十来岁的男士，饰演青春美丽的杜丽娘，是十分奇特却又动人心弦的经验。坂东当然熟悉世阿弥的演艺理论与教导，到了晚年仍然努力精进，在表演艺术上不断追求超越自我，展现艺术的“真正之花”。我觉得坂东特别值得尊敬的就是他对于艺术的虔诚态度，使他“拿得起，放得下”，不惜冒着艺术生命受损的危险，放下自己处于巅峰状态的歌舞伎，从头来学昆曲。在越界的探索中，坂东兢兢业业，一丝不苟，完全放下了身段，像一个小学生那样从头学起，体现了自己对昆曲艺术境界的向往，也展示了他对中国传统文化的敬畏之心。

从观剧审美的角度来说，坂东演出《牡丹亭》，提供了表演艺术不只是技术展现的实例。表演的技艺固然重要，是演出成功的必要条件，但不是达到艺术最高境界的充分条件。坂东的昆曲表演技艺，单从技术层面来审视，大概还无法取得中国国家评审标准的三级演员级别，但是，他的演出所展示的艺术境界及感染观众的强度，绝对可以和中国一流的昆曲表演艺术家媲美。这也是为什么梁谷音要说，看了坂东的《牡丹亭·离魂》深受启发，以后要循着坂东的演法来发挥的道理。

中国艺术美学中，有一个很有趣的说法，叫作“以生做熟”，是要把熟练的技艺当作很生疏的技艺来处理，产生一种“间离”效果，让我们重新体会艺术的新鲜感。坂东演出昆曲，本质上就有“以生做熟”的性质。一个日本歌舞伎艺人唱昆曲，本身就具有强烈的新鲜感，可以给观众无限的想象空间与审美刺激。他要用原汁原味的中文唱昆曲的中州韵，念白要念苏州腔的韵白，还要走昆曲舞台的台步，要耍水袖，这一切都要从头学起。日本人说话发音，有许多的音是与中国音韵不合拍的，除非是专门学习中文多年，有些中文的音就是发不准，何况是昆曲的中州韵及苏州腔。你要五十多岁才学昆曲的坂东——口腔发音的肌肉都基本定型了——怎么发？另一层的生疏与间离，是坂东以“乾旦”的身份，而且是日本歌舞伎唱女形的男旦，来扮演杜丽娘，本身就有好几层的角色互换，都牵涉了生疏与熟悉在审美上的冲突。再说他唱的是昆曲的闺门旦，而昆曲里面旦角行当分得很细，闺门旦是五旦，丫头旦是六旦，行当分明，但又不是僵化死板的只有一种样式，坂东也得掌握其间的分界。

从观赏戏曲的角度来讲，“以生做熟”可以制造审美距离，而这个距离本身让人有反思的空间，产生一种审美的客观处境，得以用新鲜的眼光，重新审视熟悉的表演题材。看的时候投入，不会因为熟悉重复而厌倦或无动于衷，在关键时刻得以重新受到心灵震撼。同时因为是熟悉的题材与剧情，通过陌生化，也会产生客观的理解层次，甚至会产生多重距离的认知，在情感受到震撼之际，知道这是在演戏，而对生命的多重意义有所洞察。这种多重客观认知引起的新鲜感，是舞台表演艺术可以一次又一次吸引观众观赏同一剧目

（甚至同一个演员演出同一出戏）的基本原因。而戏剧表演的多重观点所提供的洞察力，也展示了人情世故，呈现了具体历史文化环境中的人间合理性，造就了艺术想象的透明化与超越性。表演艺术的透明化，让观众能够理解别人的生命处境，让大家觉得虚构的人物可以十分熟悉，而对生命意义有穿透性的体会。

坂东的演出涉及“以生做熟”，有其特殊的吊诡性，因为他是以日本男旦“女形”来演昆曲。我觉得可以具体讨论两个方面。

第一，有关唱做的生熟问题。拿《游园》的唱念来讲，我们可以非常清楚地听到，坂东在咬字吐音上面有他的障碍，可是我们接受他这个障碍，因为我们作为中国昆曲观众，可以视为这是一个外国人唱昆曲的陌生与陌生化过程。他在咬字吐腔上非常努力，但是有些中文的音，对他来讲显然非常难发。最有趣的是，他的苏州腔比正常的苏州话要夸张得多。他是跟着张继青学的，比所有我听过的昆曲演员的收音都要收得重、收得突兀。出乎我意料的是，以一个不必展示唱工的歌舞伎演员来说，他昆曲唱得还不错。他当然是扬长，可是倒也不避短，该唱就唱，该念就念。虽然有些唱段与身段简化了，然而简化得都还合理，该做的就做，该舞就舞。懂得戏曲的观众看坂东演出，会深受感动，因为你可以看到他对昆曲艺术的虔敬，绝不打马虎眼。艺术创造其实就是艺术家的自我超越过程，而表演艺术实际上就是演员的自我挑战，所以，坂东能够达到目前的技艺水平，而又能够展示一种境界，这一点已经让人很惊讶、很佩服。去看坂东演出，不是去看一个普通科班出身的昆曲演员的演出，不是去看他技术熟练不熟练，而是知道，有日本表演艺术家要唱昆曲，要挑战自己艺术境界的最高峰，去看他挑战的过程。

纯从技艺角度来批评，坂东的《游园》，有“过”与“不及”两方面的问题。像杜丽娘的念白“剪不断，理还乱，闷无端”，入声字念得特别突出，收音收得十分急促，比我听过的所有闺门旦的念白都要突出响亮，让人感到有点过分了。普通话里现在已经没有这种入声收音，吴语、闽南语、广东话都还保存了入声字。英文里面有一种发音的现象，叫glottal stop。美式英语的发音已经柔和了，但许多英国人发音要显示glottal stop，就是要停一下，让我们听来有中断之感。英国人总是觉得他们的发音才正宗，有时就故意显示这种急促收音的现象。一般人是学不来的，但是英国殖民地的子民学习正宗英国发音，想要说得比英国人更英国的时候，经常就显得更突出，如有些新加坡人讲英文就会有这个现象，这就是模仿正宗发音的“过”。坂东的《游园》，也有“不及”之处，主要显示在身段尽量地减少。《游园》的身段很麻烦，特别是【皂罗袍】与【好姐姐】两段，小姐与春香要载歌载舞。坂东不是科班出身，动起来是要出问题的，所以他就尽量减少身段，台步简约，水袖略展，舞蹈抽象，点到为止，以不变应万变，居然也还贴切灵动。换句话说，他在整个艺术气场的烘托和构筑上，有另外一套本事。他能展示演员的魅力，制造气场，跟观众有心灵的互动。因为戏曲展演的非生活化及陌生化性质使他可以“以生做熟”，追求艺术境界。我们在批评他、挑他演出技术问题的时候，反而

坂东玉三郎“游园惊梦”的亮相，下接【绕地游】，唱“梦回莺啭”

看到了他在艺术上的追寻。从传统昆曲演出的技术角度来讲，他有很多的问题，同时我们又必须看到，他怎么超越这些问题，而使内行观众深受感动，这对我们整个讨论表演艺术有很重要的启发性。

第二，以歌舞伎“女形”的基础演昆曲闺门旦的问题。很显然，他对于歌舞伎“女形”的内敛和含蓄已经完全内化，融化到他自己的表演之中。不管是歌舞伎也好，昆曲也好，只要是传统社会的女性，他都有一种深刻的体会，对她们的人生处境有着心灵的共鸣与同情。讲到底，他表演传统的大家闺秀其实就是厚积薄发。你可以感觉到，凡是大家闺秀的特质他都有，只是不随便也不刻意表现出来。从观戏的角度而言，你觉得也合理，因为杜丽娘是养在深闺的小姐，在台上跑来跑去，和丫头春香表演活泼的双人舞，从静若处子突然变得动若脱兔，也的确有点奇怪。我在这里要特别提出一个看法，就是坂东“以生做熟”的陌生化间离效果，与大家熟悉的布莱希特间离效果不同。坂东所展现的其实是中国与日本传统艺人常用的，是一种内在的间离效果，不像布莱希特，演到一半，戏突然停了，硬生生插入“间离效果”，让台下的人突然震撼，开始问问题、开始思考等等。坂东的戏剧间离感，展现在他自己角色的身上，这也是梅兰芳时常讲的“进出角色”的问题。在他特别内敛含蓄的表达方式当中，演员制造的气场要求观众必须投入，必须把观剧的感情投射进去，而又能借着表演的内在间离，让你的感情投射得到控制，从而能进行想象和反思，然后让你觉得，这种收敛式的间离还蛮有道理的。

坂东《离魂》的演出，集中在“唱”上面，而他的“做”基本上是“不做”，制造了一个气若游丝的气氛。演员本身不太动，没什么身段，可是又让你感觉到他“不做”的原因，是因为人物就快要死了，不太能够动了。他唱这一段，充满了悲恸，营造了一个关键的氛围，肢体却以不动为动，要观众在面对人物的不动当中，感受到杜丽娘在生死之际徘徊的大动与大恸。生命最大的变动，莫过于生与死的转换，走向死亡的每一步都是惊天动地的大变动，再跨过一步就死了。坐在观众席上，你可以感觉到杜丽娘正处在生死挣扎之际，唱【集贤宾】，表面上没有什么动作，而内心正像歌词一样，在那里颤抖，在与死神作最后的搏斗，在悲叹生命凋谢的痛楚。坂东演出的“不做”，以基本凝然不动的示意方式，展现生离死别的变化，以内心的剧烈情感煎熬，取代了外在的剧烈动作。

坂东到上海演出之前，有一场内部座谈交流，其中有昆曲表演艺术家梁谷音与蔡正仁。梁谷音从内行的角度，说自己演出《离魂》已经淡化了身段动作，而坂东玉三郎的“不做”，对她的表演体会有着关键性的启发：

> 玉三郎的《离魂》，更提高了一个境界，他的唱念做舞，我完全忘了，只剩下杜丽娘的灵魂真正升天……我觉得我已经很淡化《离魂》的肢体语言。但是，玉三郎比我更淡化，只是剩下一个杜丽娘的离魂，所以，我今年五月份在杭州演的时候，也减弱了很多的形体跟舞蹈，因为这个《离魂》已经不是惊梦的时候，她已经即将要离开人间，所以，她不可能用很多的形体，她只是

用一种状态，一种即将离去的神态，但是她又不是悲悲切切的，她是一种感情的升华，是离魂去世了，但是能在另一个世界找到梦的轮回，所以我看了玉三郎的《离魂》，非常感动。近几年我多次演出《离魂》，这里面也有很多是受了玉三郎先生的启发。

蔡正仁也说：

我欣赏了玉三郎先生《牡丹亭》的演出，我是非常欣赏的。我觉得很了不起的一点是，他的动作表演，动作不是很多，但是给我感觉他就是一个杜丽娘，就是一个活生生的，很形象，就是一个杜丽娘的形象。我深深体会到，一个演员在台上动作非常多，是很容易的，动作越是少，难度越高。在这一点上，我看到玉三郎《离魂》那一场戏，眼睛里头的戏，包括他的台步，他的很多动作，我是非常欣赏的。我觉得他是经过非常严密的提炼，看了一遍以后，给我头脑里头留下了很深刻的印象。他的表演已经到达了（很高的）境界，这点我表示非常敬佩。

我曾经指出，中国传统戏曲以肢体动作为主，来表达内心情感冲突的方式，因为近代舞台灯光舞美的发展受到客观环境变化的影响，而有了一定的变化。例如，梅兰芳老师那一代，如陈德霖，唱的是青衣，本来是不动的，所谓“抱肚子青衣”。听戏的观众也以“听”为主，因为戏台上没有适当的灯光，也看不清楚演员的表情与细微的身段动作。到了梅兰芳这一代就不同了，舞台现代化了，有明亮的灯光了，梅兰芳在台上开始注重脸上的表演，更发展出“花衫”这种新行当。观众也开始“看戏”了，声光化电改变了剧场，也改变了观剧的方式。以前点的烛火，你看不清楚演员的表情，非借助肢体的大动作不可。现代的灯光照明，让你看到了演员的容貌甚至面部表情。怎么办？板着脸不动，只靠肢体动作来展现内心情愫？这是一个艺术表现形式变化的问题，坂东演《离魂》的肢体“不做”，也跟现代剧场的发展有关，没有必要非遵循昆曲老路子的“有唱就有做”，关键是如何找到最恰当的平衡。

坂东《离魂》的成功，在于集中呈现了生死的思考，让我们感到汤显祖在塑造这个人物角色的时候，刻画了生离死别悲痛的超越性，是普世经历的痛苦，是人世间悲怆的反映。这是汤显祖通过杜丽娘的角色，追寻生死超越的伟大情怀，也是探索生命意义的深刻反思。李渔在《闲情偶寄》中，说汤显祖戏曲的辞藻是不得了的，可是汤显祖的“二梦”（《惊梦》《寻梦》）不适合舞台演出，是失败的剧本，因为曲文太深奥，不像元人写剧的本色易懂，一般人根本不知所云。四百年的历史事实证明，李渔的批评完全是错的，因为我们看到，汤显祖的《牡丹亭》不但历演不衰，特别是李渔抨击的《惊梦》和《寻梦》，成为最感人也最常演的折子。那么，李渔这个戏曲大行家，当年为什么会讲这样的话？会作出如此遭到历史驳斥的判断？关键是，李渔没有想到，汤显祖追求的不是通俗的舞台演出，不是一刹那舞台的娱乐性，而是对于生命的思考。生命的意义是什么？生命有没有追求？追求什么？生命的意义与追索在艺术上怎么表现？怎么升华？汤显祖的《牡丹亭》逼着你想这些问题，而这些问题也是四百年来一直被人思考的，特别是涉及妇女的主体性这个环节。坂东的演出体会，紧紧抓住这个主题，清楚地认识到汤显祖讲的“情不知所起，一往而深，生者可以死，死可以生”是超越生死的思考，超越杜丽娘这一个角色的生死，也就是超越一个时代的生死，而涉及普世的关怀，涉及我们对生死、对生命、对爱情、对幸福的追求与向往。

我看完坂东演出之后，在香港《明报》写了一篇短文《日本人唱昆曲》，是这么开头的：

> 台上的杜丽娘怯怯娜娜的，带着七分羞涩，三分娇媚，缓缓步向台前。临风人独立，微雨燕双飞。她站在那里，弱不禁风，婀娜之中别有一丝愀然的风流。“袅晴丝吹来闲庭院，摇漾春如线。”没错，就是她，一往情深，“生者可以死，死可以生”的杜丽娘。

我眼前的杜丽娘，若是让《牡丹亭》的作者汤显祖老先生看了，一定也会拍案叫绝，甚至大声喝彩。

若是让世阿弥看了，他一定会颔首微笑说，孺子可教，没想到歌舞伎的精心培育，可以开出昆曲之花。坂东对杜丽娘内心世界的精彩阐释，更可以证实他的信念，只要演员的“花”常存，艺术的独特风格就能上升到普世的境界，成为人类共同享有与欣赏的风姿，流芳后世。

最后要回到戏剧是什么的本原性问题。当然可以有很多解释，我这里只是就坂东演出昆曲来说。坂东的演出，展示戏剧是生活的升华，是情感的投射，是真实的超越，是生命的反思。他演出昆曲《牡丹亭》，超越了技术的欠缺，理解了深厚的文化底蕴，内化了汤显祖的生命境界追求，表现了他对舞台表演的虔诚体会。他让我们看到了，昆曲的普世意义就是表演艺术的普世意义。让我们认识到，昆曲不是只限于中国这块土地上的一种表演艺术，昆曲的艺术价值绝对是世界性的。我非常感谢坂东，他不但提醒我们昆曲传统的宝贵，也展示了多元呈现的可能，还指出了昆曲不至于成为

“艺术化石”而有可持续性发展的前景。至于他的演出能不能超越张继青、梁谷音，是另外的问题，或者说是个误导性的问题，因为坂东给我们带来了很重大的刺激，让我们重新思考汤显祖的《牡丹亭》与昆曲演出到了二十一世纪究竟可以揭示什么样的文化思考与艺术追求。

原文刊载于《书城》

2010 年 3 月号

李商隐诗的朦胧意趣

一

一九八〇年代初期，中国涌现了一批青年诗人，吸收了西方现代主义与象征主义的话语形式，表达出长期压抑的情怀，以幽微婉转的情愫附丽于跳跃的意象，有的诗句欲言又止，有的则是朦朦胧胧，既不革命战斗，又不萎靡堕落，使不少刚经历了火红年代的读者一时看不明白，遂出现了“朦胧诗”这一名目。其实，写诗而朦胧，让人无法一眼看透，需要七猜八猜，还不一定能猜中作者的真实用意，乃是诗的本性。我写一首诗，让你老妪都解，三岁娃娃都说得明明白白，知悉字面背后隐藏的涵义，那大概不是属于文学艺术的“诗”，而是革命年代喊的口号，和平时期唱的一段顺口溜。

有的诗表面字字清晰好懂，涵义却很深远，属于意境朦胧蓊郁一类，只在此山中，云深不知处。脂砚斋评点《红楼梦》，探索贾宝玉与林黛玉的幽情，经常使用的评语是“囫囵”，特别说起林黛玉千回百转的情怀，“其囫囵不解之中实可解，可解之中又说不出理路”，似乎说到了写诗的诀窍。拿崔颢《长干曲》的第一首为例：“君家何处住，妾住在横塘。停舟暂借问，或恐是同乡。”乍读之下，实在是好懂，看得明白，老妪都解。看明白之后，你好像又感到有些言外之意，有些在水波之外的涟漪，向云水苍茫处飘扬而去。要问好在哪里，为什么千载之下还有这么多人诵读、说好？这就是诗的囫囵之处了。每个字都懂，就是你家住哪里，我家住哪里，说不定是同乡呢。为什么好，好到人们读了一千多年还叫好，还要选入语文教科书，要学生去背，去分析，为什么？

让我们看看历代诗评是怎么说的。《批点唐音》说“蕴藉风流”，《唐诗选注》说“情思无穷”，《历代诗法》说“一问一答，婉款真朴，居然乐府古制”。大家都同意，这首诗写出了真挚朴实的感情，有无穷的情思，可以上承古乐府之风。《唐诗真趣编》分析此诗所写的情景，最为仔细："望远杳然，偶闻船上土音，遂直问之曰：'君家何处住耶？'问者急，答者缓，迫不及待，乃先自言曰：'妾住在横塘也，闻君语音似横塘，暂停借问，恐是同乡亦未可知。'盖惟同乡知同乡，我家在外之人或知其所在、知其所为耶？直述问语，不添一字，写来绝痴绝真。用笔之妙，如环无端，心事无一字道及，俱在人意想间遇之。"这就解释了一目了然的诗句背后，原来蕴藏着无限的情思，有着旅人说不清道不明的感觉，在囫囵朦胧之中，呈现了悠远的诗情，勾起读者追怀乐府古意的蕴藉。

二

中国古典诗歌中最擅长设计囫囵文字陷阱、构筑朦胧意境的诗人，应该是李商隐。他的《锦瑟》诗好像魔法一样，在虚空中营造了海市蜃楼，让读者评论了一千多年也没有定论，而且还人人理直气壮，各执一词，相互批评，好像在法庭上争夺李家遗产似的。《锦瑟》朦胧如梦如幻，如九天之外无端传来的天籁，值得另文欣赏，这里暂且不论，说说他年轻时（冯浩判定为十六岁）写的一首《无题》："八岁偷照镜，长眉已能画。十岁去踏青，芙蓉作裙衩。十二学弹筝，银甲不曾卸。十四藏六亲，悬知犹未嫁。十五泣春风，背面秋千下。"看起来平铺直叙，是一种赋体，写少女成长的过程，有点像古诗《焦仲卿妻》所写："十三能织素，十四学裁衣，十五弹箜篌，十六诵诗书。十七为君妇，心中常悲苦。"然而，你多读几遍，就发现不是那么回事，李商隐不是老老实实写少女，是用象征手法写赋体，指东打西，假借少女自叹芳华，描写惨绿少年的青春迷惘。冯浩在《玉谿生诗集笺注》中指出，李商隐的《上崔华州书》说："五年读经书，七年弄笔砚。"又在《樊南甲集序》中说："十六著《才论》《圣论》，以古文出诸公间。"这首诗没有明说自身境遇，但潜藏在背后的意思是，自己九岁丧父，家境困难，虽然才华横溢，琴棋书画无一不能，却谋事不臧，前途茫茫，因此才“十五泣春风，背面秋千下”。

怎么如此确定李商隐不是写少女情怀，而是施展烟幕，自叹自哀呢？这就得知道李商隐写诗的朦胧法术，最拿手的一招，即是诗题：“无题”。

诗人写诗，一般总是呕心沥血，把长期累积在内心的感觉，与突如其来的灵感，通过云里雾里捉摸不到的想象天使，在星图上画好位置，安排字句的星芒，让它安安妥妥地在天穹上闪烁不朽。一首诗写完了，总会立个诗题，有时是为了画龙点睛，引导读诗的知音溯溪而上，进入落英缤纷的桃花源；有时则是施展障眼法，为了自己也说不清的隐晦心理，让读者“只在此山中，云深不知处”，在想象的迂回辗转之中，获取朦胧摸索的乐趣。古人命题，想说又不想落入实打实的牢笼，最拿手而常用的本领，就是“无题”。题目都没有，你只好猜了。猜对猜错，没有可以实证的答案，读诗的人就得运用自己的想象力，进行“再创作”，体会诗艺的杳渺深致。

李商隐的诗写得好，但却深邃隐晦，选词用典都极为深刻幽微，不容易理解。他的诗集有大量的“无题”诗，写的都是自己婉转幽眇的内心世界，是可望而不可即的惆怅与怨望。或许写的是思念美姬的恋情，或许是香草美人的寄托，却不给你具体的题目，像是把解诗的钥匙藏了起来，引得历代解诗的学者费尽心思，揣摩诗人是否有具体的意旨，到底想说些什么，是否有什么不可告人的隐私与秘密。我们可以举一两首看看，也可从中学到读诗的门径。

三

有首我们最熟悉的“无题”诗，是收入《唐诗三百首》的：“相见时难别亦难，东风无力百花残。春蚕到死丝方尽，蜡炬成灰泪始干。晓镜但愁云鬓改，夜吟应觉月光寒。蓬山此去无多路，青鸟殷勤为探看。”现代人读这首诗，一般都说这是首情诗，两个有情人分别生活在不同的环境，相见固然很难，相别则牵肠挂肚，更是艰难。东风无力改变春天的消逝，百花都开始凋零。但是情爱不渝，像春蚕吐丝，直到丝尽死亡，又像蜡烛燃烧成灰，烛泪才会停止。看到镜中的容颜逐渐衰老，鬓发逐渐变白，却不能相聚相守，在夜间吟诗，总觉得明媚的月光带来的是凄清的寒气。你生活在仙境般的楼阁，我生活在墙外的闾里，其实相距不远却无由见面，希望传信的青鸟能够为我殷勤探望。

喻守真编的《唐诗三百首详析》分析李商隐作意，“此诗有表白两情坚固至死不渝之意”。程千帆的《新选新评新注唐诗三百首》是这么说的：“李商隐集中有好些篇无题诗，其中绝大部分是写爱情的，而且写得极好。许多注家认为它们是作者写来寄托政治感情，主要是反映其在牛李党争中的遭遇和困惑的。……但就诗论诗，我们却不能忽视这些精品。本篇写得既缠绵又执着，尤其是第二联，写对与生命相终始的爱情的执着以及这种执着的爱情遭到破坏之后无穷无尽的哀伤，尤为深挚感人。”

刘学锴、余恕诚编的《李商隐诗选》，由人民文学出版社出版，是“教育部全国高等学校中文学科教学指导委员会指定书目”的“大学生必读”，将此诗列在“未编年诗”，是作为爱情诗来疏解的：

> 这首无题写暮春时节与所爱女子别离的伤感和别后悠长执着的思念。……全篇写别恨相思，纯粹抒情，不涉叙事，而感情的发展脉络清晰，转接自然，续续相生，环环相扣，没有作者其他无题诗常见的跳跃过大、比较晦涩费解的缺点。无论思想内容和艺术形式，都更为精纯。这种爱情诗，已经舍弃生活本身的大量杂质，提纯、升华为艺术的结晶。后代据这类无题去考证作者的恋爱事迹，犹执精以求粗，不知作者早已舍粗而取精了。

有趣的是，历代解诗的学者都说，这首诗的本意，也即是作者作诗的意图（poetic intention），不是写爱情，而是以“香草美人”的寓意，诉说自己对恩主令狐绹的忠诚。虽然自己的生平际遇陷入了党争的政治漩涡，但是他对最初提拔他的令狐家族一直充满了感激之情，希望能够再次得到眷顾，拳拳初心，至死不渝。

徐德泓《李义山诗疏》说：“此诗应是释褐后，外调弘农尉而作。纯乎比体。首句（相见时难别亦难）喻登进之难而去亦难。‘东风’句，承‘别’字来。风为花之主，犹君为臣之主，今曰‘无力’，已失所倚庇，而不得不离矣。然此情不死，故接以‘春蚕’两句。五六（晓镜但愁云鬓改，夜吟应觉月光寒），又愁去后君老而寥寂也。末言使人探问，见情总难忘也。弘农离京不远，故曰‘无多路’。惓惓到底，风人绪音。”说的是君臣眷恋之感，李商隐难忘恩主垂爱之情。

程梦星《重订李义山诗集笺注》说：“此诗似邂逅有力者，望其援引入朝，故不便明言而属之无题也。起句（相见时难别亦难）言缱绻多情，次句（东风无力百花残）言流光易去，三四（春蚕到死丝方尽，蜡炬成灰泪始干）言心情难已于仕途，五六（晓镜但愁云鬓改，夜吟应觉月光寒）言颜状亦觉其可怜，七八（蓬山此去无多路，青鸟殷勤为探看）望其为王母青禽，庶得入蓬山之路也。”每一句诗，都能编排得对号入座，解到不留一丝疑问，好像李商隐的诗是登陆月球的宇宙飞船，虽然构造复杂，却一丝都错不了，可算是索引派的模版。

纪昀不喜欢李商隐，看不起他的低三下四，在《玉谿生诗说》中指出："感遇之作易为激语，此云'蓬山此去无多路，青鸟殷勤为探看'，不为绝望之词，固诗人忠厚之旨也。但三四（春蚕到死丝方尽，蜡炬成灰泪始干）太纤近鄙，不足存耳。"纪昀也认为这不是一首情诗，写的是仕进感遇的主题，但是极为贬低三四两句，斥之为鄙俗不堪。张采田大为不满，在《李义山诗辨正》（见《玉谿生年谱会笺》）中说："三四两句如此典雅而谓之鄙，此真小儿强作解事语，纪氏之诗学可知矣。"为了维护李商隐诗歌艺术的纯正典雅，生气骂起学识渊博的纪晓岚了。

张采田《李义山诗辨正》对这首"无题"诗的创作时间背景，好像有了相当的把握，试图说得精确，却还是存疑："此篇为陈情不省，留别令狐所作。首云'相见时难别亦难'，结云'蓬山此去无多路'，味其意在大中三年将赴徐幕时耶？徐辟在十月，义山至幕则为明年正月。诗中‘东风’等字，不必泥看。况十月亦可称小春乎？此诗盖已至徐幕所作。故写景皆系春时，与《转韵》诗‘蒲青柳碧春一色’正同。玩结语知其非在京留别之作矣。”他在《玉谿生年谱会笺》编年之时，说得比较确定，认为这首诗写于大中五年(851)：“此徐府初罢，寓意子直之作。‘春蚕’二句，即谚所谓不到黄河心不死之意。结言此去京师，暂探其意旨之所向也。确系是时作，观起语自悟。”

汪辟疆《玉谿生诗笺举例》，完全沿袭张采田的说法：“此当为大中五年徐府初罢，寓意子直之诗也。欲绝而不忍遽绝，中怀悲苦，故以掩抑之词出之，然诗意固显然也。起句言相见既难，即决绝亦不易。此‘别’字，非离别之别，乃诀别之别。次句言绹既无意嘘植，而已则必就沦落。‘东风’指绹，‘百花’指已。”

学殖深厚的周振甫编选《李商隐选集》(上海古籍出版社 1986)，在《前言》中引述岑仲勉《玉谿生年谱会笺平质》质疑张采田，指出朱偰的《李商隐诗新诠》颇有见地，批评张采田的编年索引解诗法："惟张氏（采田）解诗，牵强附会，在在皆是，故其编年诗所列，多由曲解间接推之，未足为凭。"周振甫似乎也赞同此意，认为诗歌编年是十分困难的工作，除了诗题已经标明年月，或者确有其事可资证明的诗，应该宁缺毋滥。但是，我们看到周先生疏解这首《无题》，却又言之凿凿，袭用了张采田的说法：

张采田《会笺》把这首诗系于大中五年，商隐在徐州卢弘止幕府，弘止死，商隐从徐州到长安，他长期在各地幕府中做幕僚，想回京进翰林院，向令狐绹陈情。绹入相后，礼绝百僚，商隐求见极难。但商隐除了向他陈情外，又无路可走，所以说"相见时难别亦难"，求见难，就这样辞去也难。"东风无力百花残"，何焯评："所谓光阴难驻，我生行休也。"东风无力指没法挽留春光，春光消逝，百花零落，表示青春易逝。但对绹陈情的心情还是固结不解，"春蚕到死丝方尽，蜡炬成灰泪始干"，未死则情思不尽，未灰则蜡泪难干。承接青春易逝，所以愁云鬓改；用吐丝来比夜吟，感到月光寒的孤寂。……《无题四首》里说“刘郎已恨蓬山远”，这里说“蓬山此去无多路”，大概在迫切陈情中，认为请绹推荐入翰林院有希望，所以说蓬山不远，请青鸟去探望。何焯评：“末联不作绝望语愈悲。”纪昀评：“不作绝望语，诗人忠厚之遗。”说蓬山不远，还在希望绹的援手，实际上已经绝望，却还要“到死”“成灰”缠绵不解，所以愈加可悲。这样不肯决绝，所以是忠厚。这也构成了《无题》诗荡气回肠的特点。

四

再看看同样脍炙人口的“无题”诗：“昨夜星辰昨夜风，画楼西畔桂堂东。身无彩凤双飞翼，心有灵犀一点通。隔座送钩春酒暖，分曹射覆蜡灯红。嗟余听鼓应官去，走马兰台类转蓬。”这首诗是《无题二首》的第一首，接着还有同时写的第二首：“闻道阊门萼绿华，昔年相望抵天涯。岂知一夜秦楼客，偷看吴王苑内花。”

现代选本一般只选第一首，就诗中意象解诗，有的说第一首是艳诗，见到钟情的美女身在楼宇，觉得两人心灵可以相通，却无缘更为亲近，只好牵肠挂肚，把思念提炼成凄美的诗篇。也有人坚持，李商隐所有的“无题”诗都是烟幕，都有君臣遇合的寓意，都写的是希图贵人垂青，让自己可以晋身要津，有所作为。解诗成了猜谜，谜题却是无题，猜起来真是河汉无极，莫衷一是。《无题二首》的麻烦不只是“无题”，还是个双重的“无题”。因为两首诗同时写就，所写的思绪是相连的，也就是诗人环绕着同一所指，让想象飞翔，让诗情远扬。意象可以翱翔徘徊，像飞鸟一样，或高或低，曲尽遨游天地之奥妙。但是，诗情相连的思绪，就如比翼双飞，前一首言不尽意，有第二首接着补充，发抒绵绵此情的迢遥无尽。解诗的时候，若是单取前诗来解析，排除了第二首的蕴意，就可能挂一漏万，甚至违背了诗人暗藏的蕴意。

喻守真编注《唐诗三百首详析》这样解说李商隐前首的

“作意”（author’s intention）：

> 据赵臣瑗《山满楼唐诗七律笺》云：“此义山在王茂元家窃窥其闺人而为之。”自来解无题诸诗者，或谓其皆属寓言，或谓其尽赋本事，各持偏见互持莫决。大抵义山无题诸作，都属艳情，实有所指，不便明言，故一律称为“无题”。我们亦不必寻求其寄托些什么。

认为这首诗是艳情诗，可能就如赵臣瑗所说，是偷窥到他老丈人王茂元家的美姬，想入非非，又无从亲近，为怅惘迷离的情思而作。过去的诗评分为两派，一派说是寓言寄托，属于比兴一脉，另一派说是赋体，说的就是男女恋情，争论不休。喻守真则强调，李商隐的“无题”诗都是艳情诗，其中没有什么寄托之意，而这一首是艺术性极高的艳体诗：

> 凡作艳体诗，须处处从“艳”字着笔，事艳，情艳，景艳，人艳。要艳得清雅幽娴，不要艳得轻薄猥

衰。其方法是融情入景，使事入化，并须运用相当的华丽辞藻，或作情痴言语，或效儿女口吻，均须因事点缀，佐以慧心妙笔，才是好诗。

到底这首“无题”诗是艳诗，还是别有寄托，古人早就吵得不可开交。《西昆发微》引杨孟载说，“义山无题诗，皆寓君臣遇合，得其旨矣。”钱良择《唐音审体》就完全反对：“义山无题诗，直是艳语耳。杨眉庵谓托于臣不忘君，亦是故为高论，未敢信其必然。”这是总论李商隐“无题”诗的阵仗，我说全是寓言寄托，你说全是艳诗，划下道来，咱们拼搏一场。就“昨夜星辰”这一首而论，争辩就比较具体，探讨到意象的运用，以及诗人写作的实际时间与际遇。姚培谦《李义山诗集笺注》：“此言得路人与失路者之不同也。星辰得路，重以好风，画楼桂堂，正得意人积聚之地。此时虽不必傅翼而飞，已心许作一路上人矣。于是隔座送钩，分曹射覆，眉眼传情，机关默会，留髡送客之乐，不言可知。而余以听鼓任官之身，虽从走马兰台之后，巧拙冷暖，真有咫尺千里之叹。”

程梦星支持寄托说，但是论述得比较婉转，在《重订李义山诗集笺注》中说：“义山无题诸作，世多以艳语目之，不知义山转皆有题，凡无题者皆寄托也。杨孟载能知其为寓言是矣。但皆以为感叹君臣之遇合，未免郛郭。”讨论这一首“无题”诗，论及具体的时间地点，认为诗旨是感叹官场失意：“此诗第一首有‘兰台’字，当是初成进士，释褐秘书省校书郎，调补弘农尉时作，盖叹不得立朝，将为下吏也。”

然而，这些强调寄托的讨论，都没有提到紧接着的第二首“无题”诗，没有解释“阊门”是怎么回事，“萼绿华”指的是谁？是李商隐的恩主令狐绹吗？假如“秦楼客”是李商隐，说的是自己成为王茂元的女婿，那么，他偷看的“吴王苑内花”又是谁呢？看起来，似乎与君臣遇合、寓言寄托拉不上关系。

胡以梅就沿着这条思路，在《唐诗贯珠串释》中，以第二首“无题”诗配合第一首，来解析全诗意蕴：

此诗下半首，语气显然。且若作遇合论，席间座上已是灵犀通照，何尚烦转蓬之叹乎？此章本集内二首，其二曰：“闻道阊门萼绿华，昔年相望抵天涯。岂知一夜秦楼客，偷看吴王苑内花。”则席上本有萼绿华其人，于吴王苑中偷看之而感情耳，已有脚注。

因此，他认为“昨夜星辰”这首诗，“是席上有遇追忆之作。妙在欲言良宵佳会，独从星辰说起，是言星辰晴焕，昨夜如良夜，而风亦和风也。迭言‘昨夜’，是追思不置”。一二两句（昨夜星辰昨夜风，画楼西畔桂堂东）“凌空步虚，有绘风之妙”。以下每一句都丝丝入扣，相互辉映，只可能是追忆艳遇，不可能是写遇合寄托：

得三、四（身无彩凤双飞翼，心有灵犀一点通）铺云衬月，顿觉七宝放光，透出上文。身远心通，俨然相对一堂之中。五（隔座送钩春酒暖）之胜情，六（分曹射覆蜡灯红）之胜境，皆为佳人着色。且隔座分曹，申明三之意；送钩春暖，方见四之实。蜡灯红后，恨无主人烛灭留髡之会。闻鼓而起，今朝寂寞，能不重念昨夜之为良时乎？若欲谓之伤遇合而作，则起处何因，首二句旨在何处，便入暗室。五、六亦觉肤浅泛语，嚼蜡无味矣。

有趣的是，许多泛论李商隐“无题”诗为寓言寄托的评家，针对这两首“无题”，都认定是艳体诗无疑，关键是他们认为掌握了写作的时间与地点，虽然无法确知李商隐跟谁在那里“心有灵犀一点通”，但却物证齐全，即使诗句朦胧暧昧，也逃不掉偷窥美姬的事实。赵臣瑗在《山满楼笺注唐诗七言律》剖析这两首诗，条理分明，说的清清楚楚，像法官判案一样：

一（昨夜星辰昨夜风）是记其时，二（画楼西畔桂堂东）是记其地。三（身无彩凤双飞翼）可望而不可即也，四（心有灵犀一点通）是欲舍之而不能舍也。五六（隔座送钩春酒暖，分曹射覆蜡灯红）是实记其所见之事，两行粉黛，十二金钗，后庭私宴，促坐追欢，有如此者。七八（嗟余听鼓应官去，走马兰台类转蓬）彼席未终，我踪靡定，彷徨回惑，唯有付之一叹而已。此义山在王茂元家窃睹其闺人而为之，或云在令狐相公家者，非也。

赵臣瑗更进一步指出，第二首绝句中说到，“岂知一夜秦楼客，偷看吴王苑内花”，“则义山固已自写供招矣，又何疑焉？”物证齐全，再加上自己招供，当然就是偷窥美姬写艳诗了。

冯浩在《玉谿生诗集笺注》里，赞成赵臣瑗的分析，指出第二首绝句实是关键：

自来解《无题》诸诗者，或谓其皆属寓言，或谓尽赋本事，各有偏见，互持莫决。余细读全集，乃知实有寄托者多，直作艳情者少，夹杂不分，令人迷乱耳。此二篇定属艳情，因窥见后房姬妾而作，得毋其中有吴人耶？赵笺大意良是，他人苦将上首穿凿，不知下首明道破矣。《鼓吹》合诸《无题诗》而计数编之，全失本来意味，可大噱也。又曰“秦楼客”，自谓婿于王氏也。

王鸣盛也对第二首诗充满兴趣，企图解释“阊门”“秦楼”“吴王苑内花”，认为不过是贵胄之家的家妓，不必太过拘泥，非得解释成王茂元的后房姬妾：“其所怀者，吴人也，故云‘阊门’，又云‘吴王苑内花’。冯（浩）先生因‘秦楼’二字用萧史弄玉事，故以为王茂元后房，恐太泥。唐时风气，宴客出家妓，常事耳，何必妇翁？”这就引出了用典指实吴地苏州的问题，认为与李商隐“心有灵犀”的美女是苏州人，真是节外生枝，惹得一身虱。我们暂且搁下，后面再来细论。

纪晓岚是一贯贬低李商隐的，就说“二首直是狭邪之作，了无可取。何以定二首为实有本事也？以第一首七八句断之”，还说，“义山风怀诗，注家皆以寓君臣为说，殊多穿凿”。硬是断为艳诗，而且说是狭邪之作。

张采田《玉谿生年谱会笺》把这两首诗的写作时间定在会昌二年（842），认为是寓言之作，李商隐三十一岁，想投靠李卫公（德裕）。他反对赵臣瑗与冯浩的说法，理由是：

> 此初官正字，歆美内省之寓言也。首句点其时其地。“身无”二句，分隔情通。“隔座”二句，状内省诸公联翩并进，得意情态。结则艳妒之意，恐己不能身厕其间，喜极故反言之也。次章意尤显了，萼绿华以比卫公。阊门在扬州……此指淮南。下言从前我于卫公可望而不可亲，今何幸竟有机遇耶！“秦楼客”自谓茂元婿也。观此则秘省一除，必李党汲引无疑。义山本长章奏，中书掌诰，固所预期。当卫公得君之时，藉党人之力，颇有立跻显达之望，而无如文人命薄，忽丁母忧也。此实一生荣枯所由判欤？

以李商隐的生平大略，配合诗中线索，张采田把“阊门”“萼绿华”“吴王苑内花”都说成暗指李德裕，就让人难以接受，感到他索隐工夫走火入魔，猜谜猜成一团迷糊。这就应了朱偰对张采田的批评，“往往以意逆之，牵强附会”。

岑仲勉撰写《玉谿生年谱会笺平质》，也说张采田时常断章取义，把笼统的泛指硬说成具体的实指，把模糊的诗歌想象空间，坐实为具体的历史事件，是为阙失。不过，就这两首“无题”诗而言，张采田在后来的《李义山诗辨正》中，自己却翻了案，又去附和赵臣瑗与冯浩的看法，说“此二首疑在王茂元家观其家妓而作，后篇已说明矣。‘隔座’二句点明家妓。盖因亲串，故晦其题耳”。居然又倒过来，说是艳诗了。前后矛盾，似乎也可表明张采田的索隐只是“自由心证”，不可当真的。

过去的诗评家纠缠于第二首的用典，对“阊门”“萼绿华”“秦楼”“吴王苑内花”的解释众说纷纭。纠缠得最厉害的就是张采田，引经据典说扬州也有阊门，好坐实地点是淮南，证明“萼绿华”“吴王苑内花”就是曾任淮南节度使的李德裕。周振甫虽然大量引用张采田的论点，也觉得张氏解析这首绝句，为了说明李商隐陷入牛李党争，硬拉上李德裕，甚至认为李商隐以“萼绿华”“吴王苑内花”暗指李德裕，未免不伦不类，误入歧途，是说不通的。

其实，我们应该尊重李商隐毕竟是诗人，写诗是在进行文学创作，不是像英国的塞缪尔·佩皮斯（Samuel Pepys）那样用隐语写日记，每一句话都落实在现实世界，找得到人证物证。把想象放宽一点，就可以知道，这首绝句所用的典故都与游仙有关。“阊门”所指，不必是苏州或扬州的阊门，也可以是阊阖天门或阊阖宫门，影射的是难以晋身的禁苑，而“萼绿华”就是禁苑中可望而不可即的仙女，所以才有第二句“昔年相望抵天涯”。“一夜秦楼客”与“吴王苑内花”对应，以秦楼对吴苑，从文字艺术的想象而言，倒是般配。“秦楼客”当然用的是萧史弄玉的典故，指涉他成了贵人王茂元的女婿，而“吴王苑内花”，则如冯浩所说“暗用西施”之典，泛指他遇到了绝世美女，不一定非要是苏州女人，当然更不是李德裕。

刘学锴在《唐诗鉴赏辞典》及《李商隐诗选》中，对这首诗有极为详尽的解析，而且在《汇评本李商隐诗》（上海社会科学院出版社 2002）中罗列诸家评注之后，重复申说他在《李商隐诗选》的论断，作了相当明确的解释：

此为有诗人自己出场之赋体无题，抒写对昨夜一夕相值、旋成间隔之某一贵家姬妾（即次首所谓“吴王苑内花”）之深切怀想。领联“身无”“心有”相互映照，不仅写出心虽相通身不能接之苦闷，且写出间隔中之契合，苦闷中之欣喜，寂寞中之慰藉，将对立感情之相互渗透与交融表现得深刻细致而又主次分明。星辰好风、灯红酒暖之追忆，加深今夕之怅惘。末联于爱情间阻之嗟叹中微露转蓬之感，使此首抒写爱情之无题亦带有自伤身世之意味。

说明这是一首艳情诗，不是寓言寄托之作，但不排除其中有自伤身世之感。

五

也许李商隐的“无题”诗都有难言之隐，隐含着复杂而多重的意指，但关键是写得真好，怎么读都让人感到艳思缠结，情意绵绵，辗转悱恻，无以忘怀。或许古代学者们说得对，李商隐的“无题”诗都是感慨身世，哀叹仕途坎坷，借香草美人之词，发鸿鹄不得翱翔之叹。但是，千载之后，我们在二十一世纪读李商隐的诗，作为文学经典的旷世杰作，大家都已忘却了牛李党争的纠缠，忘却了李商隐仕途的坎坷，忘却了李商隐无权无势，在权力结构的蜘蛛网中愈陷愈深，却无法脱身，像飞虫一样做着垂死挣扎。我们读诗，只读到“无题”诗中的深情款款，缠绵纠结，在朦胧囫囵之中，达到了言不尽意，言语道断，依旧还是情思袅袅，是情诗意趣神色的极致。反正“诗无达诂”，读来情思缠绵，海枯石烂，此情不渝，也就是情诗了。

李商隐诗集的开篇是《锦瑟》：“锦瑟无端五十弦，一弦一柱思华年。庄生晓梦迷蝴蝶，望帝春心托杜鹃。沧海月明珠有泪，蓝田日暖玉生烟。此情可待成追忆，只是当时已惘然。”简直是朦胧到了极点，又让人感到诗情无限。闲愁无端，是因为锦瑟的五十根弦，还是弦上弹出的乐音，让诗人感慨年华逝去？庄周梦蝶，还是蝶梦庄周，是真还是幻，是梦幻在翩飞，还是作诗的想象在翱翔？意象与典故，纷至沓来，交织成一片彩霞，在天边诉说洪荒以来的情孽，有待追忆，待谁追忆？诗人自己都已惘然，我们如何解诗？朋友，你真的知道他在说什么吗？古代的大学者也七猜八猜，各有说法，有人说是序诗，有人说是悼亡。金代元好问《论诗绝句》评论李商隐的诗，就说："望帝春心托杜鹃，佳人锦瑟怨华年。诗家总爱西昆好，只恨无人作郑笺。"郑玄解经，比较容易中规中矩，来解李商隐的"无题"诗，恐怕郑笺也只能猜了。其实，李商隐的诗怎么猜都好，无题有题都不要紧。诗人构筑了扑朔迷离的朦胧诗境，展现了言语道断的思恋意趣，只要诗好，就好。

原文刊载于《书城》

2017 年 2 月号

青花瓷联想四题

一面青花瓷盘

到普林斯顿大学开会，同时还有一些学术交流的工作安排，住在神学院的招待所里，离校园只有几步之遥，十分方便。想到三十多年前，也曾在校园内住过，参与剑桥中国史明史计划，在牟复礼教授的指导之下，整天不是在葛思德图书馆的书库里孜孜矻矻，翻阅古籍，就是跟着前辈学人问学。记得当时黄仁宇先生正在计划写萨尔浒之战，就跟他讨论战役的兵力调度。黄先生说自己是行伍出身，懂得打仗的，于是画了好几张战术部署与调动的示意图。有些我看不明白，他就指手画脚，带着极为浓重的湖南口音给我解释。我说，黄先生，你的湖南话我领教过，懂的我也听不懂，请省省吧，再解释我也是没法听懂的，我们笔谈吧。他就又画又写又说，解释努尔哈赤如何调兵遣将，在几天之内连破明朝三路大军，夺取决定性的胜利。说着说着就发起感慨，从明朝的萨尔浒战役讲到国共内战的徐蚌会战（他不说“淮海战役”），说国民党的机动部队只有机械是机动的，战术的运用一点也不机动。讲着讲着就激动起来，批评国民党的将领脑筋僵硬，不懂得学习历史经验，也不看看努尔哈赤的用兵之道是多么灵活。激动一番之后，又感叹说，学剑不成学书，学书也无俾于国计民生，算了，今天不研究了，我们到美术馆去看看，陶冶一下性情。

普林斯顿大学美术馆就在葛思德图书馆附近，绕过教师俱乐部的花园后面，几步路就到了。美术馆的收藏十分富瞻，西方美术传统的艺术品不用说了，就是东方艺术的藏品也异常精美。我每次去，总是流连于中国书画，对其他藏品无暇多顾，跟着黄先生四处观赏，则信步游览，没有特定的目标。展出的东方艺术部分，有几件明代青花瓷，又引起黄先生的感慨，说明朝工艺多么精巧，科技的掌握绝对是世界制造业的前沿，怎么文化艺术可以达到如此巅峰，却到了后来，政治军事一败涂地，以至于亡国了呢？我们看着那几件青花，特别是一只缠枝牡丹纹饰的梅瓶，好像面对历史的讽刺，许久许久，寂然无言，默默离开了。

时隔三十年后，我在普林斯顿大学校园闲逛的时候，穿行在老榆树与山茱萸的苍劲与明媚之间，正觉得赏心悦目，突然就想起那次与黄仁宇先生逛美术馆的事。走着走着，就走进了美术馆，也是随兴参观，突然看到一幅十七世纪荷兰画家范施特雷克（Juriaen van Streeck，1632–1687）静物画。画中描绘的是当时荷兰早餐桌上的食物，青花瓷盘中盛着橘子与削了皮的柠檬，柠檬后面遮住了一把餐刀，只露出刀柄。盘子后面是一串紫黑色葡萄，新鲜亮丽，还带着葡萄藤的枝叶。盘子左后方是一只高脚玻璃杯，靠前是较矮的玻璃酒杯，盛了微带青黄色的白葡萄酒。酒杯前方是一颗剥开的糖果，糖果的碎粒散布在桌面上。画面的右下角，也就是紧靠着瓷盘的右前方，是切开一角的面包，露出了面瓤的肌理。这幅油画是典型的工笔静物画，食物画得栩栩如生，但

Juriaen van Streeck 的静物画（藏美国普林斯顿美术馆）

是最吸引我的还是那面青花瓷盘，因为这面瓷盘显然是漂洋过海，从遥远的中国运来的。

瓷器的发明是人类物质文明进展的一大成就，始自中国大地，可说是中华文明对人类的重大贡献。从唐宋以来，陶瓷一直是海外贸易的大宗，随着船舶漂洋过海，把文明的光辉，沿着南中国海、印度洋、波斯湾、红海，一路散布到欧亚大陆的西陲。青花瓷的出现较晚，要到元朝因为有了大量钴料从西亚进口，才兴盛起来，到了明朝就成为外销瓷器的大宗了。十五世纪末至十六世纪初随着新航路的开辟，葡萄牙成为第一个来华贸易的欧西国家，随后来的是荷兰人，运送了大批青花瓷，贩卖到欧洲，开启了东西方海上交流的新篇章，引发了欧洲歆慕中国的“中国风”（chinoiserie）。十七世纪期间葡萄牙的海上霸权逐渐衰落，代之而起的是荷兰，成为英国崛起之前最成功的东西海上贸易的主导。荷兰人的日常生活也都跟着改变，增加了东方因素，连吃早餐用的盘子都是来自中国的青花瓷。

我站在画前，看了许久，凝望着历史展现在画面上。这幅画上的青花瓷盘，是景德镇按传统图纸出产的，还是荷兰订制的？或许是福建民窑仿制的？如何装到船上，曾经转运何处，到过巴达维亚吗？如何穿越印度洋的？是荷兰舰队护送的吗？经过郑和下西洋的航路吗？循着达伽马所走的航线吗？如何绕过好望角，沿着西非的海岸，是经过英伦海峡，到达荷兰的吗？这面瓷盘到哪里去了？打破了，扔掉了吗？这幅荷兰的静物画，又是怎么卖到普林斯顿大学美术馆的呢？最后这个问题不难回答，查查美术馆的档案就知道了。可是，前面的历史问题，就不是那么容易回答了。

我又想起了黄先生对着青花瓷，凝视历史的眼神，十分落寞，又十分动情。

景德镇御瓷

明代嘉靖万历年间的文坛领袖王世贞，有个弟弟王世懋，也是当时著名的文人学者。在他的《二酉委谭》中，有一段关于景德镇的记录，说江西饶州府浮梁县城外二十里地，设有景德镇官窑，也就是给皇室烧造瓷器的所在。景德镇整个地区则是“天下窑器所聚”，当地老百姓制造瓷器为生，财源滚滚，富甲一省。王世懋曾经派到当地做官，亲眼见识了景德镇窑业的繁荣与发达，是古代农业社会绝无仅有的奇景：“万杵之声殷地，火光烛天，夜令人不能寝。”于是，他给景德镇取了个诨名，叫作“四时雷电镇”。

景德镇在明清时期，为皇室烧造瓷器，设有御窑厂，产品当然是不惜工本，精益求精，在技术工艺上不断寻求发展与突破，以求餍足宫廷的需要。精美的御瓷，摆在宫中可以赏心悦目，粉饰太平；用于御膳可以衬托菜肴的美观，增强食欲；宴饮品茶可以怡情养性，消烦解闷。皇家设置官窑，动用宫廷画师设计图案，调遣全国能工巧匠制作御器，只管精美无瑕，天下第一，绝对不会去想制造工序的繁杂，去体恤工匠在烧造御器过程中的辛勤与劳苦。但是，文明的发展与进步总是充满了反讽，皇帝对瓷器穷极奢侈的欲求，虽然劳民伤财，道德有亏，却集中了当时的聪明才智，不惜工本，使制瓷工艺日新月异，更上层楼。皇帝老子引领品赏瓷器的风气，上层社会的达官贵人必定跟风，亟亟追求陶瓷工艺的精品。甚至上行下效，连一般老百姓都“草上之风必偃”，促进了民间窑业的蓬勃发展，模仿御窑产品款式与花样，大量生产，带动了景德镇的陶瓷工业，造就了王世懋说的“四时雷电镇”。

明朝人对明代瓷器的品赏，主要是以景德镇瓷器为标准样品，一直影响到现代专家对古董瓷器的审美品评。晚明时期见闻广博的王士性，在他谈论人文地理的著作《广志绎》中说：“本朝以宣、成二窑为佳。宣窑以青花胜，成窑以五彩。宣窑之青，真苏勃泥青也，成窑时皆用尽，故成不及宣。宣窑五彩，堆垛深厚，而成窑用色浅淡，颇成画意，故宣不及成。然二窑皆当时殿中画院人遣画也。世庙（嘉靖）经醮坛盏，亦为世珍，近则多造滥恶之物。惟以制度更变，新诡动人，大抵轻巧最长，古朴尽失。然此花白二瓷，他窑无是，遍国中以至海外彝方，凡舟车所到，无非饶器也。”可见，晚明期间最为人称道的，是宣德窑与成化窑，或许是因为洪武窑与永乐窑的器物，精品都藏于宫苑，加之时代久远，必有大量损耗，在民间少有流传，也就说不出名堂。其实，这段论述，指出了当时品赏瓷器的普遍看法：最好的瓷器，宣德窑是青花，成化窑是五彩（清代之后称为“斗彩”），嘉靖窑则是轻巧的青花。而普天之下流传的，甚至远到海外，都是景德镇的产品。

王士性就其见闻所及，讨论景德镇瓷器的品等，可算是当时文人雅士的共识。但是，明代文人并没有机会好好研究御窑厂的制作，更不可能到紫禁城里去调查历朝历代的御器，仔细分析比较不同时期的各类官窑与民窑器物。因此，明代瓷器品赏的普遍看法虽然很有价值，影响后世研究瓷器的方向，但是也有值得商榷之处。

近年来考古工作者在景德镇发掘了明代御窑厂，出土了大量官窑御用瓷器产品，使我们眼界大开，看到许多贡器的副品与次品，也就更深了解了本属于宫中不传之秘的宝物。官窑出产的上贡瓷器，一般总要按指定数目多烧一些，以确保能够提供完美无缺的贡品。多余下来的瓷器，即使也是完美无瑕，甚至与贡品一样的巧夺天工，因为是御器，是给皇

景德镇御窑厂遗址（作者拍摄）

家使用的，民间不准僭越使用，也没人敢冒着杀头的危险去偷偷使用，于是只能造册敲毁，掩埋在御窑厂内。考古学家发掘御窑厂，就发现了满坑满谷的御瓷，完整堆埋在固定的坑里，有条有理，丝毫不乱，好像苦守住文明隐秘的冤魂，等着考古学家来发掘出土，要向世界宣告它们深埋在历史地牢中的冤情。

不久前我到景德镇考察明代瓷窑，主要的目的，是看看昌江河边的观音阁地区，以及明了附近明清青花瓷堆填的情况，希望弄清楚景德镇民窑制造外销青花瓷的情况。同时，也就参观了珠山保留下来的明代官窑考古工地，亲眼看到出土御窑碎瓷的土坑。不禁大为感慨，跟考古所所长说，假如当时没有敲碎，完完整整埋下去，那多好，一定会让你们发掘时雀跃三尺。所长说，要真是那样，岂止三尺，要跳起三丈，甚至跳过龙珠阁呢。御窑贡品，当今的市价每一件都可以上亿，一个坑里面就有十几件到几十件，真是价值连城，岂是开玩笑的。

参观完了官窑考古工地，所长带我去看拼对起来的御瓷展览，从元青花一直到康雍乾三代的御窑产品，琳琅满目，精彩万分。我正赞叹万分，所长说，考古所里还有很多珍品，你要不要“上手”？上手，当然要上手。观赏瓷器最开心的时刻，就是上手了。在掌中抚摸经历了五六百年岁月的杯盘，仔细摩挲带耳的瓷瓶，贴近宝器，肌肤相亲，细看釉色与图饰的深浅，掂量瓷胎的轻重，那感觉实在是笔墨难以形容，山色岚气有无中，简直跟孔老夫子闻韶一样，“三月不知肉味”。

因为时间有限，考古所拿出了二十来件御瓷，一一让我上手观摩。印象最深的是一件洪武青花蕉叶竹湖石纹执壶，一件永乐红釉靶盏，一件宣德斗彩鸳鸯莲池纹盘，一批宣德青花蟋蟀罐。那件永乐红釉靶盏，侈口深腹，盏内壁施以红釉，却毫不张扬。隐隐可以看到印有双龙纹，盏心则印有“永乐年制”四字双行篆书款。所长告诉我，这是永乐红釉瓷盏中一件最早的带款器。至于那件宣德斗彩鸳鸯莲池纹盘，则五彩鲜明，同时端庄大方，绝不输任何成化斗彩，不禁让我怀疑起王士性所说的“宣窑五彩，堆垛深厚，而成窑用色浅淡，颇成画意，故宜不及成”。是否因为他及同代的文人，从未见过宣德宫廷使用的斗彩，可以如此淡雅呢？所长很同意我的推测，指出宣德斗彩已经达到很高的水平，绝不在成化斗彩之下。

看了这许多御窑宝物，意犹未尽，跟所长说，来我们香港展览一下，也让我们震撼震撼吧。所长面露微笑，说没问题，香港回归颇使我们震撼，我们景德镇也去震撼震撼香港吧。

元青花大展

自从“鬼谷子下山”这件元青花瓷器罐，二〇〇五年七月在英国伦敦佳士得拍卖，落槌时叫出一千四百万英镑，创造了中国艺术品的天价之后，“元青花”就成了家喻户晓的词语。人人争说元青花，市面上也大量出现元青花，甚至接二连三，有好些人声称拥有同样的“鬼谷子下山”瓷罐，要不要？人民币一百万？二十万？五万，一万，传世的，家里

元青花瓷罐

藏了好几代了，买了吧，好不好？

英国拍卖的一千四百万英镑，折合人民币，值两亿三千多万，当然看得人眼红，中国的高仿市场也就跟着疯狂了一阵子，连夜赶制。不过，你虽然聪明绝世，人家也不笨，冷眼旁观了好几年，还是只有英国的那一件卖到两亿三千万。中国制造（已经是made in China了）的，虽然乍看可以乱真，几年下来也就尘埃落定，在景德镇满街摆卖的“鬼谷子下山”，开价也就是人民币四五千，讲讲价，两千也可以搞掂。前年我去参观一个朋友的高仿厂房，看到架子上成排成溜的“鬼谷子下山”，少说也有上百件，不由惊叹鬼谷子果然道术高强，分身有术。朋友说，批发价嘛，两千可以了，在外面商铺里面，至少应该卖个三四千元一件，否则就没有利润了。

高仿的元青花虽然遍地都是，也都有模有样，令人惊艳，可是，精彩的真品却寥寥可数，基本上都藏在国内外的大博物馆中，轻易还见不到。这次上海博物馆办了个元青花大展，联系了国内的文博考古机构及世界各大博物馆三十多

元青花蒙古包（藏俄罗斯冬宫）

家，展出近百件元青花珍品，真是洋洋大观。我刚好参加一个国际外销瓷研讨会，到了上海，也就欣逢盛事，赶上了开幕，观赏了这一批走遍世界各地美术馆还不一定给你看的稀世珍宝。

因为研究明代中期以后的青花外销瓷，当然对元青花这些青花老祖宗充满了敬意，有机会总要观赏一番，也对参展品多少有点认识。有不少展品是我邂逅过的老相识，在国内外的美术馆里见过面，打过招呼。可是，惭愧得很，这近百件展品中，只有一件是我曾经肌肤相亲，上过手的，其他物件都是可远观不可近玩，只能隔着玻璃窗柜说哈啰。我唯一上过手的这一件，是藏在镇江博物馆库房的青花云龙纹罐，主体纹饰是两条四爪行龙腾云驾雾，气势昂扬，似乎在天穹上兴云作雨。我当时拿在手上，轻轻爱抚，心中充满了柔情蜜意，居然十分不敬的，想到了美人温润的胴体，神情恍惚之中感到，青花瓷是如此的滑腻如玉，如此的超越了具象的实体，进入艺术想象的浪漫灵界。这次在上海博物馆再次相逢，看到镇江的云龙罐和其他的元青花一起，封锁在玻璃柜中，周遭围着一群保安人员，如临大敌，心里不禁暗自得意。人生自是有情痴，此恨不关风与月。

上海元青花大展，让人大开眼界的，不仅是看到了英国大维德中国艺术基金会所藏的“至正十一年铭青花云龙纹象耳瓶”、价值一千四百万英镑的“青花鬼谷子下山图罐”、日本出光美术馆的“青花昭君出塞图盖罐”、大阪东洋陶瓷美术馆的“青花鱼藻纹罐”等等传世精品，还有我从来没见过的许许多多元青花，真是如行山阴道上，目不暇接。最令我流连不去的有两件，一是俄罗斯圣彼得堡艾尔米塔什博物馆（Ermitage，又译作隐士庐、冬宫）所藏的“青花缠枝莲花杂宝纹蒙古包”，二是江西省博物馆藏的“青花釉里红堆塑人物楼阁式谷仓”。那个青花蒙古包，呈半球形，下方开有门洞，形制独特，真是从未见过，而且全世界大概也就仅此一件。顶心的纹饰是大雁展翅，在朵朵祥云中飞翔。其余纹饰则分为四层，依次为：缠枝菊花、缠枝莲花、海涛纹、佛道杂宝纹，杂宝纹中居然还有个十字架纹，或许与当时的景教传布有关。青花釉彩极为鲜亮，同时还有积淀的黑斑，显然用的是伊斯兰世界传来的苏麻离青钴蓝。

江西省博物馆的那件釉里红谷仓，更是精彩绝伦。在青白釉为底的楼阁上点缀了釉里红，让屋檐、梁柱、栏杆显得十分灿烂抢眼，更突出了人物与乐伎的头顶与眉眼，使得整个场景多彩多姿，生动活泼。这件釉里红谷仓，是陪葬的明器，制作之精良令人叹为观止。仓门两侧用青料书写了一副对联，书法沉稳大方。上联是“禾黍丰而仓廪实”；下联是“子孙盛而福禄崇”；横批是“南山宝象庄五谷之仓”。此外，在左右侧壁还书写了“凌氏墓用”和“五谷仓所”。楼阁的背板上，还有一百五十九字的墓志铭，书法工整有力，字迹清晰，显然出自高手，写着：“夫人故景德镇长芗书院山长凌庸山之孙女也。生而贤明，长而贞淑。适同郡扬州路召伯大使刘文史男炳文……”我去江西南昌多次，也认识省博物馆的馆长，却因为每次都是去大学讲学，无法抽身，没机会参观省博物馆，也就与这件器物缘悭一面。好在出现在上海的元青花大展，让我能够一饱眼福。

这次元青花大展，展品件件精彩，若要一一述说，可以

元青花釉里红明器（藏江西省博物馆）

讲上三天三夜。我从头到尾看了一遍，观之不足，又回去了几趟，沉浸在七百年前巧工能匠的艺术创作之中，几乎流连忘返。

历史的吊诡

研究历史，时常遭遇的一个情况是文献不足，能掌握的只是些“断烂朝报”，无法拼凑出完整的历史图像。古人通过文字描述，记载人物事件，探讨社会经济与文化发展的情况，难免要掺杂个人主观的认识观点与角度，造成历史材料的片面性。我们能做的，只是尽可能搜集一切材料，通过比对分析，重新构筑历史图像，提供相对客观的人类历史经验。人们是不可能完全理解自己的生活经历，更不可能知道自己生活时代中的点点滴滴，究竟有什么会对后代产生长期的巨大影响，有什么当时的“自珍”会变成后世不屑一顾的“敝帚”，而做出清楚睿智的选择，详细记录人类历史的重要材料。

这种历史材料欠缺所造成的历史理解缺憾，也使得一些原本是研究文学理论的后现代理论家（如 Hayden White）提出质疑，认为历史与文学差别不大，都是通过想象与虚构，对人类经验的文字叙述。其差别只在叙述的动机与角度不同，本质上是一类的货色。假如历史家硬要强调历史与文学不同，只不过是“五十步笑百步”，自欺欺人。对于这种极端性的理论，我不敢苟同，因为任何认识论一走极端，就无可理喻，就像是说：人类与狗类也没有什么差别，都是脊椎动物，都一样要吃喝拉撒睡，都一样有生老病死。所以，人就是狗，狗就是人，等等。但是，后现代理论家的确提醒我们注意，历史资料、历史写作、历史事实、历史理解、历史意义之间，有着很大的断裂与缝隙，有着相当吊诡的关系，不可能直接画上等号。

比如说，瓷器的发明与使用，绝对是中华文明对人类的伟大贡献，也是物质文明扩散在全球历史发展的无比大事，比帝王将相的家世与家史要重要得多。但是，我们有连篇累牍的帝王将相历史资料，甚至知道每一个开国皇帝是不是跟他父亲吵过架，是不是用木桶打了井水洗澡，却不知道瓷器最初是何人（who）发明的，是在何时（when）发明的，在何地（where）发明的，是如何（how）发明的。我们学历史，到底在学些什么（这可算是 what）？

我们还时常夸耀中国的四大发明，指南针、火药、纸、印刷术，如何对人类做出伟大贡献。其实，仔细想想，指南针与火药为人类带来什么好处？为中国及世界的人们贡献了什么？早期大力推崇中国三大发明（指南针、火药、印刷术）的培根（Francis Bacon,1561–1626），显然是从西方历史发展的角度来看这些“新生事物”，是对西欧崛起与拓展带来了莫大的好处，对欧洲殖民全球提供了最“给力”的工具。中国人是什么时候开始夸耀“四大发明”的？我没有进行过研究，推想总是清末民初接触了培根的说法之后，听到洋人夸赞就飘飘然，大讲特讲，脍炙人口，以至于妇孺皆知，编入教科书不说，还不断向外国人宣传中国科技文明古已有之，为人类科学发展提供了基础。提供了什么基础？战争科技发达的基础？帝国主义侵略殖民的基础？我们为什么不夸耀中国人发明了瓷器，给人类的日常生活提供了清洁卫生、实用便利的工具，改善了人类生活的质量？难道这不是中国的一大发明？仔细想想，这一大发明，是不涉及战争硝烟与屠杀流血的，是不涉及攻城略地与奴役殖民的。当我们探讨历史理解，探讨历史意义，难道不应该重新审视瓷器的重要，不应该把瓷器放在指南针与火药之上吗？我们难道希望人类后代的历史认识，重战争轻和平，鼓励杀人放火、掠夺资源，反对改善民生、重视民瘼吗？或许我在此强调对比，有人会觉得我在颠覆“四大发明”的历史地位，不能谨守历史的客观性，作出过度夸张的陈述。不过，我相信大多数人能够理解我的意思，不会反对我提出瓷器的重要性，及其引发的历史意义的吊诡性质。

近十年来，我一直带着几位青年学者研究陶瓷，进行“陶瓷下西洋”计划，研究中国历代瓷器外销的情况，想摸清楚外销瓷器的规模、类型、产地、在国内的运销路线、合法与走私出海的港口、海上运销的路线、停泊的中转站、最后的目的地以及当地使用瓷器的方式。促使我研究这个项目的动机，跟上述的历史意义思考有关。首先，就是文献资料缺乏。过去的文字记录零零星星，历史记载很少，也完全不重视，不知道瓷器的发明、运销、使用的全球化历程，有什么历史意义。其次，当然是因为考古材料的出现，可补文献资料的不足，让我有足够的实物资料，重新审视瓷器作为物质文明载体的意义。全中国大量瓷窑的发掘，世界各地水下沉船考古的发现，使得瓷器作为历史文物以及历史研究的基本材料，成批成批地浮现在我们历史认知的模糊领域。

许多人收藏瓷器，是当古董珍品来把玩的，我却喜爱抚摸散布在世界各地，从瓷窑或海底发掘的残破瓷片，从中看到比较完整的历史画面，看到从中国随着海洋的波涛，扩散到世界各地，人们是如何带着欢欣的笑容，使用中华文化的伟大发明，改善了他们的日常生活。

原文刊载于《书城》

2016 年 9 月号

书海放帆

台湾“中央研究院”中国文哲研究所为我举办个人书法展，并协商出版一本图录，要我给展览命名。我想到书写的作品，从《诗经》《文论》到唐诗、宋词，一直到明清戏曲、弹词，都是古典文学名篇，皆为斯文一脉，遂定名“书写斯文”。朋友提了个建议：既然办展，就该写篇学书感想，介绍自己的习字过程，谈谈伸纸濡墨的体会，跟大家切磋切磋。我说，写字就写字了，其中甘苦，如人饮水，冷暖自知，哪里讲得清楚。米芾曾经这样批评自己的《海岱楼诗》：“余写《海岱诗》，三四次写，间有一两字好，信书亦一难事。”宋代书法四大家，苏黄米蔡，其中米芾是我的偶像，心中对他的崇敬，油然发自心底，真不亚于世人对观音菩萨的虔诚。他的《海岱楼诗帖》跳掷洒脱，龙飞凤翥，如大龙湫瀑布从天而降，水花飞扬满天穹，弥漫苍翠的山谷，给人不假思索一挥而就的感觉，居然自我批评得如此严苛，甚至挑剔到了吹毛求疵的地步。一首诗写三四次，只有一两个字好！米元章对艺术之苛求，真是无以复加。予何人也，哪里敢谈什么书法体会！

就有朋友说，别拿米芾做标准，你就讲讲什么时候开始练字，临的什么帖，学哪一家的书法，最受影响的风格是什么，也好让我们知道，你的字渊源有自，有其传承脉络，免得我们瞎猜。哦，原来是问我学习书法的履历，像古人考科举，总要填个三代，身家清白，不是从石头里面迸出来的孙悟空。其实，过去也有人问我，怎么学的书法，学什么体，算是哪一家嫡传子孙？我一般都是信口说说，学过颜真卿《多宝塔》、柳公权《玄秘塔》，也临过王羲之《兰亭序》与欧阳询《九成宫》。虽然都是真事，却也是不怎么相干的“今天天气哈哈哈”，搪塞了账，没有透露习字过程的私密。

老实说，我练习毛笔字，是有“幼功”的，而且是十分痛苦的经验，很像戏曲演员的科班训练，夏练三伏，冬练三九，就差没有“打戏”了。父亲酷爱书法，而且每天练字，主要是临褚遂良的《大唐三藏圣教序》与汉隶《史晨碑》。我五六岁的时候，没听过什么儿童保护法与快乐成长法，只知道学乖听话。父亲规定，每天要写大楷几张、中楷几张，否则不准出门，不准和自己的小伙伴们在草地上打滚，在阳光下奔跑追逐，在春风中快乐成长。现在回想，父亲每天孜孜不倦的练字自娱，或许还有超乎掌握书法诀窍的目的，因为他所临的碑帖都是明拓本，上面还布满了朱红的钤印。他每天早上展开宝爱的明拓本，脸上浮起欣然的笑容，就透露了他浸淫书法是为了与古人神交，自得其乐。他会随意拿起四五张毛边纸，顺手写几张大字、一两张中楷，要我照着描摹。我就照猫画虎（应该说是“照虎描猫”），应付交差。仔细想想，我从小临摹的，是褚遂良的变体，其中夹杂着汉隶。母亲后来说起，父亲喜欢汉隶另有隐情，是因为他青年习字时期，随着民初风尚，沉迷过赵之谦融合隶楷的书风。

高中就读成功中学，其间与几位国文老师最接近，影响我最深的是祝丰（茂如）老师，写得一手好字，是清瘦俊俏的欧体。我便自觉临写欧阳询的《九成宫醴泉铭》，写得有些模样了，却又感到有点瘦瘠枯硬，好像老和尚吃斋还要辟谷，一副营养不良的面貌。这时也开始读帖，心仪王羲之、王献之的行楷，揣摩宋代四大家的风貌，才知道为什么褚遂良学欧体，却能自出机杼，清丽刚劲，在婉媚之中展现遒逸。颜真卿曾问书法之道于草圣张旭，张旭举了五项用笔要点，最后又转述他老舅陆彦远亲闻的褚遂良独到体会。褚说："用笔当须如锥画沙，如印印泥。"陆彦远一开始想不通，"后于江岛，遇见沙平地静，令人意悦欲书。乃偶以利锋画而书之，其险劲之状，明利媚好。自兹乃悟用笔如锥画沙，使其藏锋，画乃沉着。当其用笔，常欲使其透过纸背，此功成之极矣"。这个"印印泥、锥画沙"的故事，对我的启发，不单是写字要力透纸背，而是临摹名家掌握技巧，只是奠定初步基础，最后还得发现自然的韵律，找到展现自我风格的气韵。

从此摆脱褚遂良，忘记欧阳询，转益多师，特别喜欢临写米芾与张即之，喜欢米芾的风樯阵马，痛快淋漓，喜欢张的雄健清新，结体俊逸。偶尔也学学苏东坡、赵孟頫与文徵明，但总是觉得，这几位大家的书艺各臻其美，无可挑剔，但却不能完全符合自己脾性。于是有很长一段时期，因为迷恋汉字结构，喜欢线条变化层出不穷的可能，临摹之外，最爱读帖，信手而书，表达个人喜爱的书写风格。后来读到黄山谷论书法临摹的一段话："古人学书，不尽临摹。张古人书于壁间，观之入神，会之于心，则下笔时随人意，自得古人书法。"不禁大乐，原来我"读帖不临帖"的习字法，竟然暗合古人学书的奥秘，耳濡目染，自然就进入意识深层，天长日久，也就融会贯通，成就一家之体。

摸索于书法千变万化之境，也得感谢现代印刷技术之进步，让我得到接近真迹的书帖版本，可以观察一笔一画、一钩一捺的细节，体会名家用笔的诀窍。最早在一九七〇年代，省吃俭用买得的一批日本二玄社《书迹名品丛刊》，是引领我进入书法领域的明灯，也是我闲来自娱的"玩具"。读帖久了，逐渐得到一种难以言传的感召，深感汉字的书写特质，是人类文明发展的奇葩，为其他文化拼音文字所不能企及。书法之能达到视觉艺术的最高境界，成为中国文化的瑰宝，首先要归功汉字的结构及其表意功能，以及三千年来使用汉字的亿兆人们的日用实践。无论是篆、隶、楷、行、草甚至是各种独特的字体，都有深厚的前人心血作为基础，赋予无垠无际的文化联想与创作暗示。也正是因为汉字的文化特性与源远流长的书法传统，才能给予后人丰富的艺术提示，发挥个人的艺术体会，创造出浸润了传统的独特风格。

除了特别钟意米芾与张即之外，还曾醉心杨凝式《韭花帖》的舒爽颖亮，总觉得我喜欢亲近的书艺，无论是结体还是运笔，都像雪霁之后晴朗的冬日，梅花绽放，映照着蓝天白云，散发沁人心脾的芳香，令人寤寐思服。也不知道为什么，虽然佩服赵孟頫与董其昌，却从心底感到一丝腻味，觉得他们的妩媚缺少英挺之气，有点标高疏淡高洁的姿态，却又摆脱不了柔靡的本性，好像昆曲舞台上的小生要弄折扇，在开合之际，故作风流潇洒，却透露了原来弱不禁风，出门就得坐轿，走不了二里路，遑论攀山涉水，登泰山而小天下了。

我从来没想过自己与二王传统的关系，学习书法的过程也是跳跃反复，不循常规的。写字跟写诗一样，只是自己的爱好，也就从未理会当代书法理论研究的指引。奇怪的是，二三十年下来，当我离开美国，来到香港之后，居然回归了书法传统，回到王羲之的《兰亭集序》。开始像小学生习字一般，临冯承素摹本（神龙本）、虞世南临本、褚遂良临本、俞和临宋拓定武本，一笔一画，重新揣摩古人用笔的蹊径，条理了自己写字的心路历程，让历代名家的风格在我心底重新调适，随着自己的脾性，按照个人独特的艺术感觉，一一归类。依旧喜欢褚遂良、米芾、张即之，同时也欣赏苏东坡、黄庭坚与文徵明，依旧对赵孟頫、董其昌有所保留，同时又极端厌恶乾隆字迹的庸俗。每次看到乾隆模仿董其昌，画虎不成反类镶金戴玉的哈巴犬，透露出天王老子假冒斯文的土豪恶俗，焚琴煮鹤，调制一碗十全大补风雅三清汤，我就跟不小心吞了苍蝇或蟑螂那么恶心。濡墨伸纸，落笔写字，也似乎若有所悟，跟着感觉走，好像毫端自有罗盘指引，笔墨游走，有其不可遏抑的自然之势，就如苏东坡说的，“行于所当行，止于所不可不止”。

宗白华《中国书法里的美学思想》一文，说中国古代书家在写字的时候，要想让笔下的“字”表现出生命的态势，“成为反映生命的艺术”，“就须用他所具有的方法和工具在字里表现出一个生命体的骨、筋、血、肉的感觉来。……通过较抽象的点、线、笔画，使我们从情感和想象里体会到客体形象里的骨、筋、肉、血……”把书法本身当作有生命的形体，固然强调了艺术体会的移情作用，说的其实是书写者的艺术生命，通过书法艺术的质材，展现个人追求“气韵生动”的历程。放到书法史中来体会，则反映中国传统美学思维中“天人合一”的精神，企图通过人为的艺术发抒，达到自然所展现的天工，创造情景交融的意境。

书法讲究笔墨，用笔墨展现汉字字形，赋予艺术生命，最自然的联想当然就是人体本身的筋骨血肉。早在传为卫夫人的《笔阵图》中，已有“筋、骨、肉”的说法：“善笔力者多骨，不善笔力者多肉。多骨微肉者，谓之筋书；多肉微骨者，谓之墨猪。多力丰筋者圣，无力无筋者病。”这里强调的筋骨，就是线条艺术的骨架与结构。书法艺术最基本的特质，是空间结体的线条安排，展现出灵动的态势与精神。要结体美观匀称，首先就得讲筋骨，骨是柱础与梁檩，筋是综绾建筑的结构技巧。然而，既用人体作为譬喻，则有骨无肉只是骷髅，血脉不通则为僵尸。因此，古人论书，就像解剖学教授上堂，大讲血肉。南朝王僧虔就说：“骨丰肉润，入妙通灵。”这个说法，想来一定让苏轼听得入耳，不单是因为东坡的书法以肥腴见称，还因为他也明确说过：“书必有神、气、骨、肉、血五者，缺一不为成书也。”

有关书法的“神气骨肉血”，古人的讨论很多，有些甚至作出相当机械化的技巧分类，长篇累牍探索运笔用墨的骨肉筋血之法。如元代陈绎就提出极为具体的操控秘密，在《翰林要诀》中告诉我们，书法要诀可以明确到“水者字之血也”“大指下节骨也”“字之节，笔锋过是也”“字之肉，笔毫是也”等等。对于这种过于繁琐而机械的说法，我们不能太过认真。若要奉为指南，不过是塾师教小学生练字，并

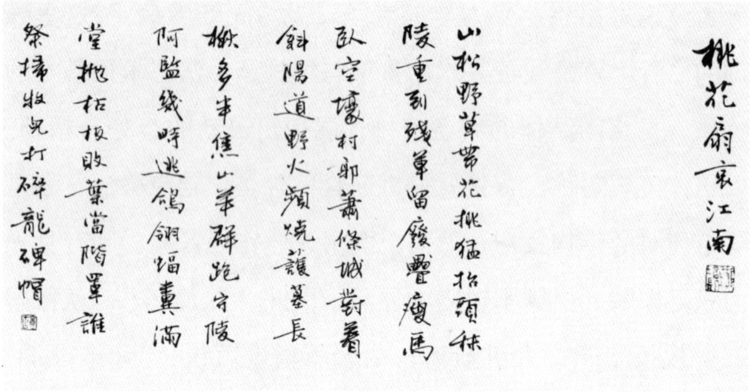

郑培凯书法作品　孔尚任《桃花扇·哀江南》(局部)

不能圆满解释书法艺术的精髓。我们要记得，说书法的笔墨结体有其筋骨血肉，是为了形容艺术展现生命流动的譬喻，而譬喻是永远不能竭尽其比喻的本体的。

古人讲用笔，有各种各类的技法，有中锋、侧锋、藏锋、出锋、方笔、圆笔、轻重、疾徐，五花八门，不一而足。关键还是在如何利用毛笔的特性，通过水墨，在各种质地的纸张上，展现线条美，也即是如何在空间中表现点、线、面的艺术感，而能触动我们的心灵。说到底，书法是线

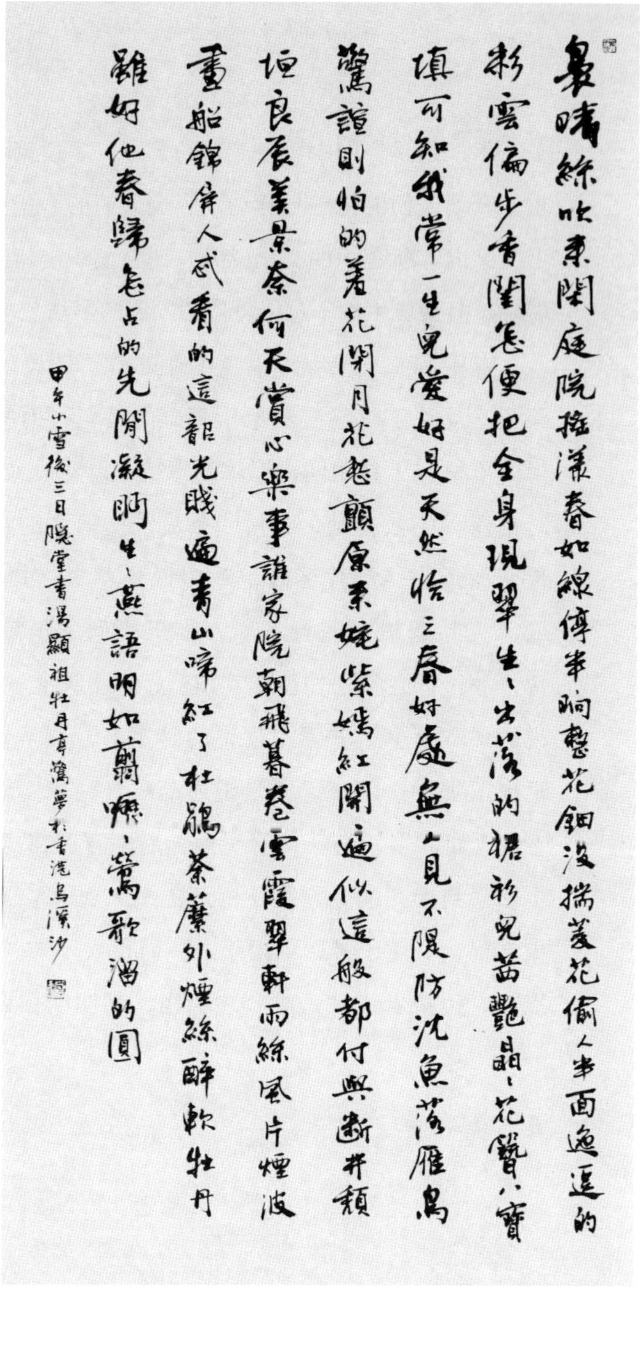

郑培凯书法作品
汤显祖《牡丹亭·惊梦》

条艺术，也是空间中线条流动的艺术。字迹流动的空灵或滞重，牵动人们的情感与脉动，影响人们的心境与情绪。再加上文字内容所蕴积的文化感染，便会编织出错综复杂的艺术展现，凝聚成生生不息、可持续发展的书法艺术传统。

在中国文化传统中，“书画同源”是长久以来积累的共识，反映了汉字有其象形基础的特色，而写字与画画使用的质材与工具相同，追求的意境也基本一致。古人论画，时常探讨书法精髓，分析线条流动所萌生的自然韵律。唐代张彦远在《历代名画记》中说到草书之体势，“一笔而成，气脉通贯，隔行不断。唯王子敬（王献之）明其深旨，故行首之字，往往继其前行，世上谓之一笔书”。这里说的“一笔书”并不仅仅说的是草书，也不是民间写“一笔虎”那种一笔字，而是说通篇一气呵成，让个别字体与全幅文字相互照应，气脉贯通。后来石涛在《画语录》中，更联系到天人之际，发扬光大之：“一画者，众有之本，万象之根，见用于神，藏用于人，而世人不知。”似乎说的有点玄，但接着讲“一画”之为用，却明明白白说的是书法艺术的体会："动之以旋，润之以转，居之以旷，出如截，入如揭。能圆能方，能直能曲，能上能下，左右均齐，凸凹突兀，断截横斜，如水之就深，如火之炎上，自然而不容毫发强也，用无不神而法无不贯也，理无不入而态无不尽也。"石涛所说的笔墨奥妙，虽然源自鸿蒙，但还是要通过个人的艺术体会，才能上天下地，无所不能，金石水火，无不贯通。其实，说的就是精研前人累积的传统，在磨炼砥砺之中，找到自我完足的艺术展现方式，把自己的艺术体会倾注于笔墨的发挥。如此，便能如庄子《逍遥游》中说的鲲鹏，上天入海，无往而不利。

文徵明曾经批评明代人不肯学习传统的精华，只会要弄些花拳绣腿的技巧，要不然就是泥古不化，抱残守缺。他说："自书学不讲，流习成弊，聪达者病于新巧，笃古者泥于规模。"书学的道理，与论画的"谢赫六法"是相通的，除了专属绘画技法的"应物象形"与"随类赋彩"之外，其他四法"气韵生动、骨法用笔、经营位置、传移模写"，都是书法的要诀。"传移模写"就是临帖学习的功夫，是基础，通过“骨法用笔”与“经营位置”的长期锻炼，融汇了书法传统的精华与个人修养的体会，才能达到“气韵生动”，展现书法的“神气骨血肉”，呈现出个人的艺术风格与生命。文徵明的感慨，是警告所有研习书法的人：要写好字，必须具备书学功夫，必须打好基础，融会古人传承下来的艺术展现，同时还得胸中自有丘壑，学习古人而能自出机杼，内化传统，表现出个人的艺境。文徵明特别提到“聪达者病于新巧”，批评的是当时的浮躁风气，没有书学基础就求新求变，企图以花巧怪奇来掩饰书法的低劣。对于这种假借涂鸦作为另辟蹊径的行为，明眼人一看便知，只能糊弄不知就里而又附庸风雅的群氓。苏东坡就曾说过：“书法，备于正书，溢而为行草。未能正书而能行草，犹未能庄语而辄放言，无足道也。真生行，行生草，真如立，行如行，草如走。未有未能立而能行，未能行而能走者也。”也是说的书法要有基础，不能还不会站立，就先学飞。

书学基础来自传移摹写，于是，就有泥古不化的人说，书法之道，二王已臻神妙，晋唐已达巅峰，后人再也不能逾越，只能依样葫芦了。其实，完全不是那么回事。清代梁巘的《评书帖》中，有这样一段话："学欧病颜肥，学颜病欧瘦，学米病赵俗，学董病米纵，复学欧、颜诸家病董弱。"反过来看，就是各人有各人的独特风格，无可取代，留给后人的是更多的发展方向与更深厚的基础。历史上有过李白、杜甫、莎士比亚，将来的人还会进行文学创作；世上有过王羲之、王献之，只要不抱残守缺，不妄自尊大，二十一世纪也会出现令人赞佩的书法家。

在书法的长河中启程，我只是一叶小舟，当然难以与王羲之、米芾这样的艨艟巨舰相比。学书一甲子，却也有些自己的体会，至少可以解缆放帆，在波涛之中弄潮，驾扁舟以遨游，看岸边的风景，寒波澹澹起，白鸟悠悠下。

本文系作者为"书写斯文——郑培凯教授书法展"(2015 年 10 月 17 日–11 月 20 日) 所作序言

原文刊载于《书城》

2015 年 9 月号

“书写斯文”背后的文人审美

——郑培凯教授访谈

访问者　顾红梅

每次与郑先生闲谈，忍不住提问。总会从他标识性的朗声笑谈间，获得闻所未闻的见识，然后，再牵扯出更多问题。因了书城杂志社策展“书写斯文——郑培凯教授书法展”的机缘，数月浸润于郑先生书法作品。好奇于他墨迹落在宣纸瞬间的每一种情感和思考，透过纸背，作为历史学家和文化学者的目光如何在至诚至真至美的探寻中，留下悲悯的停顿。遂收拢几年来散浮于脑际的问题，列访问提纲，征得郑先生同意，约访谈时间。

书法展开幕前一日（2015 年 10 月 16 日），在他下榻的宾馆客厅，进行了两个半小时正式访谈。他谈得最多的是“同情”，“人生怎么对得起自己，怎么不要太对不起自己，都是不容易的”，他落墨处匆容决绝的笔伐，“我对人、对世界都有关怀，但必须要实在，这个关怀必须和中国文化有关”。次日开幕挥毫雅集前试笔，我裁下一截宣纸，草草折叠一番，以备吸墨之用。他见后，把宣纸重新铺开、抚平，一丝不苟地折成方正之状。他如此谦恭、温厚地对待每一寸宣纸，哪怕它行将成为废纸。

录音整理后，电邮给郑先生斧正。在辗转杭州、上海、台北讲学期间，他逐字逐句修改文稿。在书法展特别活动——郑先生诗歌作品朗诵会前一日（11月4日），他抽空抵沪，文稿基本改定，但他还要通篇诵读，调整文辞，作最后修订。十一月八日，终于收获郑先生布满红色修改痕迹的定稿，屏息静念，目光落在郑先生这句话上：

我一生只有一个追求，我想了解，作为中国人，我这些文化情怀怎么来的？是自问，也是他问。

顾红梅

二〇一五年十一月九日

顾红梅：您多次谈到，写字有助于体会古人书写时的感受，帮助您融入文学意境，与古人神交。您抄书的内容从《诗经》《文论》到唐诗、宋词，一直到明清戏曲、弹词，读您的书法作品，觉得您是以书写的方式和您心仪的古人订交。您以怎样的审美标准来选择书写的对象？

郑培凯：为什么会有一批书法是某个人的篇目，而不是另外一些人的？我选材的一个重要标准，是对我心灵有触动，我喜欢他，我愿意和他交往。和古人神交，就好像交朋友一样。

我写了大量的辛弃疾诗词，因为从小喜欢辛弃疾；我写苏东坡，也是从小喜欢。小时候我不太喜欢周邦彦、柳永，可是他们某些作品很美，那我可能只选择让我觉得在文学上有成就的作品。再比如晏幾道，我也不见得特别喜欢他，但觉得他词写得好，自己的感受写得很深刻。即使他的视野局限在一个比较狭窄的领域里，但感情细腻，描写内心情愫用词精准，动人心弦，我也没有忘记他。有些人，我和他不熟，心灵没有呼应，不是在一个精神波段，或者感觉拉不上线，我就写得极少。

我很喜欢陶渊明、白居易、苏东坡这一脉的作品。他们的洒脱、乐观向上、不做委屈自己性格的事、尽量保持自我心灵的纯真，这是中国文化里可爱的东西。他们在各种困境中找到自己安身立命的位置，一定有很深厚、很强的精神力量支撑。我书写陶渊明的乞食诗，无限心酸。那个时候做官要拍马屁，他不愿意做官宁愿挨饿，所以这是他了不起的人格。

顾红梅：您研究汤显祖《牡丹亭》中杜丽娘之父杜宝时，发现了汤显祖有意在他的唱词中融入辛弃疾的词。您提炼出的杜宝形象勤于政事、关心百姓，很正面，这是否和您喜欢辛弃疾词有一定关联？

郑培凯：辛弃疾的词我写了很多，当然特别熟。汤显祖笔下的杜宝，让人联想到辛弃疾的事功，关心社会、关心百姓生活。有许多研究者把文学研究当成意识形态的表述，比较教条，认为杜宝压制女儿的爱情，是封建遗毒的代表，所以是反面人物。这完全无视人生复杂处境的真实情况，硬要上纲上线，对人毫不同情，也拒绝理解，非要把人打趴在地，还要踏上一只脚，这是阶级斗争论的遗毒未退。《牡丹亭》里的杜宝绝对不是反面人物，履任南安太守时，春天劝农耕作；任封疆大吏时，与将士们并肩战斗，豪气干云，慷慨悲歌。他基本是个好官，也很爱女儿。接触汤显祖笔下的人物，要放到他们生活的具体历史环境中，并感受每个人之间的相互影响。杜宝是很实在的一个人，他对女儿婚姻的态度、对女儿死而复生的怀疑，从情感角度也符合人之常情。

汤显祖为什么以辛弃疾式的豪迈风格，让杜宝出场？汤显祖年轻时热情洋溢，悲歌任侠，到了中年还直言急谏，从首辅骂到钦差大臣，震动朝野。经历很多打击之后，才开始专注在精神世界的审美追求。我觉得这个问题很有趣，一方面汤显祖在《牡丹亭》曲文上，因杜宝的出场，一改先前《紫钗记》辞藻华美、纤巧柔靡的作风，在文学修辞上受辛弃疾影响，出现了前所未见的雄武气势；另一方面，辛弃疾有抱负，也经受挫折，但不哀怨。我想，这可能是汤显祖在逆境中需要的审美力量。

顾红梅：您肯定活生生有血有肉的人，思考他们在文化变迁、文化碰撞或遭遇挫折时，如何真实地面对自己。比如关汉卿，比如吴梅村。

郑培凯：我很喜欢关汉卿，他是一个特别真的人，我喜欢书写他的作品。我们从教科书或文学史中的选句，往往只记得他写“我是个蒸不烂、煮不熟、捶不扁、炒不爆、响当当一粒铜豌豆”的正面形象，得到的是断章取义的印象，抽离他真正的生活环境与性格。我们不要忘了，他表明自己响当当个性的这段话，来自他写的《不伏老》，原文开头是：“攀出墙朵朵花，折临路枝枝柳。花攀红蕊嫩，柳折翠条柔。浪子风流，凭着我折柳攀花手，直煞得花残柳败休。半生来折柳攀花，一世里眠花卧柳。我是个普天下郎君领袖，盖世界浪子班头。愿朱颜不改常依旧，花中消遣，酒内忘忧……”他自己从不回避风流浪子的一面，道出了蒙古人统治时期读书人不受重视的困境。

关汉卿混迹于花街柳巷，那是他不得已的处境，他生活在蒙元时代，作为汉族的读书人，无路可走，但他充满才华。我们对古人要有历史的同情，要理解他们的艰难处境，不要让自己化身为假道学，以道德化与政治化的极端态度来评论古人。因此，我书写《不伏老》，从头到尾给他写下来，让人看看关汉卿的真实生活与他刚毅坚强的性格。他从来没有隐瞒过他生活在花街柳巷，从不讳言自己周旋于伶人歌妓之中，因为他是书场才人，靠写曲填词过生活，他是娱乐圈的人。我很尊重他的不卑不亢，真觉得他是响当当、铁铮铮的人物。

我写字是抄书，抄书是有目的的，我抄一些我喜欢或者感受特殊意义，或者是我同情的某个人的作品。

像吴梅村，虽然曾经屈服于满清的统治，没有反清抗暴的浩然正气，但是我蛮同情他的。他的诗文集，我从头到尾，来回读了好几遍。他的诗词，我也认真写了好几十种，因为他很真实，吐露了读书人的困境。明亡之前，他显露才气纵横的时候，碰到朝廷或整个社会上的钩心斗角，所以他没有那么积极进取，企图明哲保身。后来明朝亡了，他希望在文学、艺术方面有追求，可是又被迫去侍奉满清朝廷。他

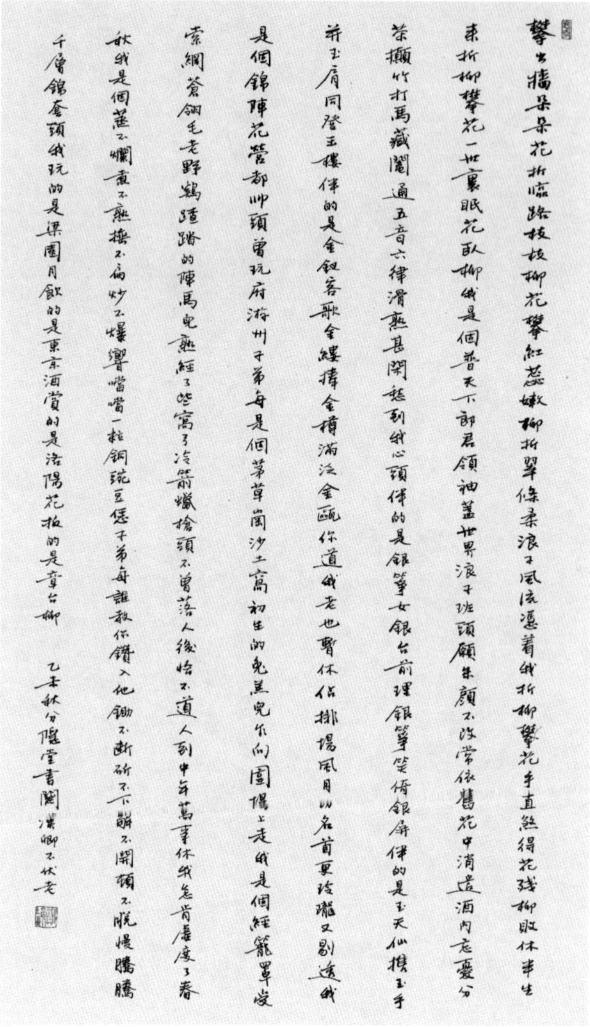

郑培凯书法作品　关汉卿《不伏老》

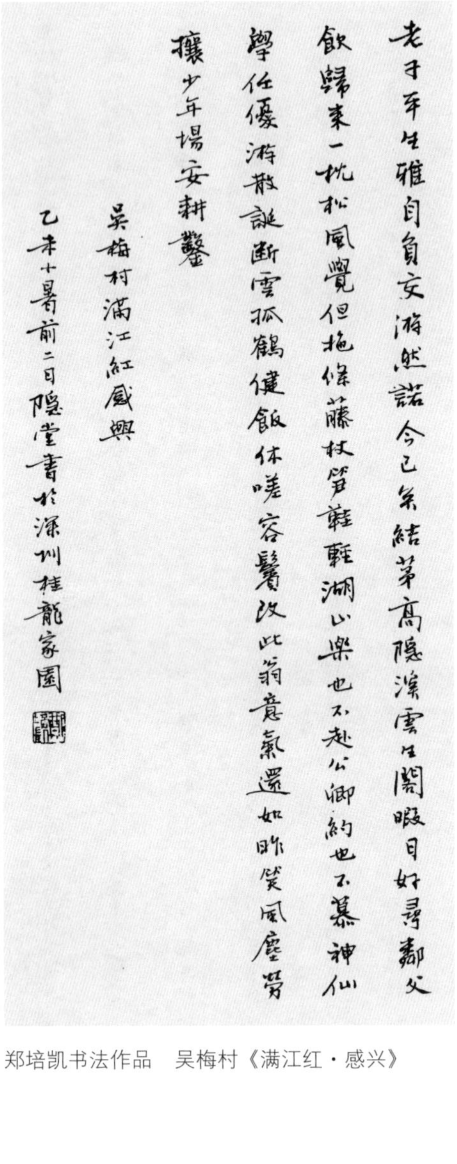

郑培凯书法作品　吴梅村《满江红·感兴》

不想去，但家人苦苦哀求。这段经历让他后悔了一辈子，后悔为满清做事，大节有亏，使他晚年无限感慨懊悔。

人的处境不是由自己控制的，像陈寅恪《柳如是别传》就写得很深刻，写了钱谦益与柳如是的人生处境与抉择。钱谦益也有他可怜的地方，很惭愧他没有勇气殉国赴死。柳如是作为女中豪杰，总觉得钱谦益有点畏葸，没有想象中那么伟大。他就觉得对不起柳如是，这种感觉很有意思，这是存在于夫妇之间特有的复杂心绪，却是富有人情的。他尊重和爱柳如是，柳如是的意见强烈地影响到他。另外，他没有殉国，的确也很惭愧。陈寅恪写《柳如是别传》也是想了解钱谦益这个人，就发现钱谦益后来搞反清复明了，这种人生抉择过去很少人讨论。深入挖掘之后，就会发现他其实是个很真实的人，可能有些东西不是轰轰烈烈，但是感情是真实的，他把命搭上去了，等于做地下工作。当你很清楚地知道他的人生经历时，即使不能深交，也很同情。

钱谦益的诗，我个人不是那么喜欢，诗写得很好，但是典故太多，古典今典相互辉映，经常都很切题而深刻，不过，我也就是研究研究，书写的兴趣不大。吴梅村的诗虽然也有典故，没有钱谦益用典用得那么精微，但很深沉，感染力强，可能和他才具与处境有关，读来特别有共鸣，所以我就写了很多吴梅村的诗词。在晚明清初天翻地覆的变化中，这样一个有文化的人，一个有修养、有抱负、有自己品格的人，觉得惭愧终生，这很有启发性。想想我们自己经历的时代，也是天翻地覆，很多事也身不由己，就会觉得，其实一个人经历一生，怎么对得起自己，怎么不要太对不起自己，都是不容易的。所以我很同情吴梅村。

我研究历史，很感谢我的老师余英时。我年轻的时候，少年气盛，满脑子公平正义与社会主义理想，时常和他对时政与历史大势争吵，倒有点“吾爱吾师，吾更爱真理”的架势。他对我说，不能为了社会理想拿人做实验，因为每一个人都是活生生的、有血有肉的具体的人，不是历史棋盘中的一颗棋子。他点醒了我一件重要的事，即是对人要有真切的关怀，不能只谈历史大趋势。我们还应该了解每个人，而每一个人都有其性格，人是有好有坏的，有的人就是坏人，品格残忍低劣，即使能够颠覆乾坤，也不能以历史大势的发展来洗刷残暴的罪行。有的人则一心想要做好人，但是掌握不了自己所处的环境，让自己陷入尴尬的处境，在生命的拐点上做出悔恨终生的事，让后人为之扼腕叹息。历史上有很多事很多人，各有各的实际生活经历，使我既研究历史文化大势，也关注每一个具体的生命个体。

我书写的东西都是有感情呼应的，有时不是偏好这个人，而是佩服他的才华。比如我写陆机《文赋》，对陆机这个人没有很大的兴趣，甚至不怎么佩服这个人，但是《文赋》写得好，是辞藻华丽的骈体文，却能叙事流畅，说理明晰，我很佩服。我写李长吉，喜欢他怪奇诡谲的意象，同时哀悯他的英年早逝。在文学艺术的创新上，他有特殊的角度，是个鬼才，但算不上大师。我写了许多李长吉，似乎是出自一种怜惜，觉得老天不太公平，对待这么一个呕心沥血的诗人。居然年纪轻轻他就夭折了，那么，我多写些他的作品，也算是个补偿吧。唐诗里我写了大量的杜甫诗，因为他很了不起，是很努力很伟大的诗人，诗是真好，尤其是晚年的诗。他的《秋兴八首》与《咏怀古迹五首》，我来来回回地写，总不少于几十遍了，但是，奇怪得很，我觉得自己不会和他成为好朋友，也许是由于过度崇拜，也可能是他严肃得有点凄苦。

最近我大量书写陶渊明的诗，我喜欢这个人。接下来我也会多写《诗经》和《楚辞》。苏东坡的诗词，我会一直书写下去。

顾红梅：谈到文人审美，想到您二十年前在《汤显祖与晚明文化》中阐述的文化美学，提出您钻研的文化美学，专注文化意识史涉及艺术思维与创造的部分，通过这特殊领域的材料及这些材料衍生的文化价值思考，理解与评定历史文化发展的意义。您当时人在美国，是离开文化母体的游子，不像现在回到国内以后有那么多实实在在的审美体验，但是您发现了文化美学的价值。请您谈谈当时研究文化美学的初衷。

郑培凯：这和我整个求学经历和我自己思考的经历有关。早年在台湾成长的过程中，我觉得整个中国文化很腐

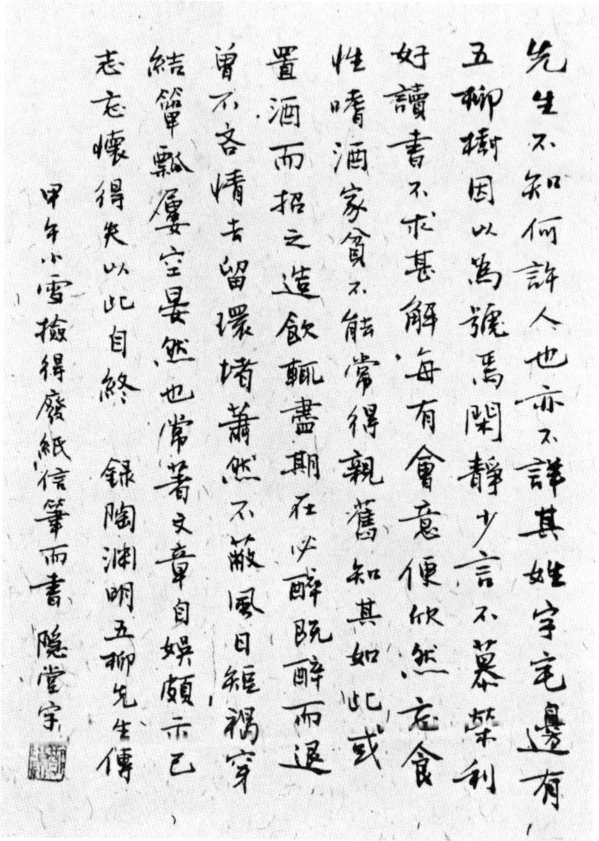

郑培凯书法作品　陶渊明《五柳先生传》

朽。我是受五四新文化运动影响的第三代，我的老师们和五四新文化运动第一代还有接触，甚至有些也是第一代的，基本上都是反传统的，倡导科学与民主。

我们成长时期的观念里，崇拜五四新文化，甚至赞成全盘西化，觉得中国传统文化让我们封闭，束缚了我们，不够开放，所以落后于欧美。我还记得在高中时代，醉心于现代主义的主张，写现代诗，欣赏现代画，追随“横的移植”，反对“纵的继承”，喜欢西方的东西，学西方文学和文化。但是，这是我们主观意识层次的取向，追求民主与科学，向西方看齐，自我感觉良好。现在回想，我们生活在中国文化的环境之中反传统文化，其实并不确知自己反对的是文化场域的“文化”，还是政治社会场域的“传统”。我们也无法确知西方文明优秀特质的历史进程，只是毫无历史反思能力地崇拜西方物质文明的先进，进而笼笼统统崇拜现代西方的一切。

生活在二十世纪五十年代与六十年代的台湾，我成长的文化场域其实还浸润着浓厚的中国文化传统，没有经历大陆“文化大革命”的摧残，因此，这也是另一种耳濡目染，不知不觉渗入我的文化意识（或潜意识）之中。我的中国文化底子主要来自家庭熏陶，父母都出身于山东的传统大户人家，言传身教都与传统文化有关，立身处世的人生道理大体上都来自《朱柏庐治家格言》，也就成了我们沉潜在心底的文化涵养。父亲喜欢练习书法，耳提面命，逼着我从小写字，居然也成了我一生可以掌握的爱好与技艺，我一生珍惜汉字的书写。我们是中国人，生活在中国文化场域中，要用汉字阅读、书写，要用中文表达。从小的生长环境，使我不知不觉习惯了中国的审美传统，比如说书画、瓷器、园林、美食，以及大多数《长物志》上关注的事物。那时我反儒家传统，但觉得孔子是个很讲道理的人；我反对道家的隐逸遁世思想，但觉得老子很有智慧，庄子更是想象丰富，令人神往。我倾心西方现代文学，却又迷恋诗经楚辞、唐诗宋词，还喜欢看传统章回小说与武侠小说。现在回想，其实我的成长过程是一个华洋杂处的矛盾体，自以为是全盘西化派，事实是孕育孳乳在文化传统之中，只是拒绝承认而已。

由于我对文学创作产生了浓厚的兴趣，除了浸润在古典文学与西方文学之外，还想通读五四以来的新文学，但是这个愿望却受到台湾白色恐怖的压制，一直到我赴美求学之后，才得偿夙愿。当时台湾是一个白色恐怖时代，我在台湾除了可以读到朱自清与徐志摩，还从同学手里得到一本《鲁迅自选集》(还记得是上海春明书局印行的)，几乎没有接触过五四新文化运动以来的文学作品。时常听母亲说起她年轻时读巴金的《家》《春》《秋》，读老舍、茅盾、丁玲，就深感自己受到国民党的心灵迫害，遭到文化的割裂，产生强烈的叛逆感。年轻人叛逆的第一个动作就是读禁书，我到美国夏威夷大学读硕士，发现收藏极为丰富的中文图书馆，就没日没夜地读近现代中国文学，一书架一书架读过去，完全不顾系统，从艾青读到张天翼、周作人，我觉得这是我应该知道而被剥夺的知识，我像中了魔一样，拼命读书，觉得这是我的宿命，我非看不可。有一天看到周作人说，中国新文学应该溯源到晚明小品，因为晚明思想开放，开始注意个人的主体思维，重视生活中不可磨灭的经验与乐趣，对审美品味有所追求，向往高雅的境界，我觉得他讲得有道理，要搞清楚这是怎么回事。我到耶鲁读博士，研究中西文化交流，比较中国与欧洲思想文化史的历史脉络，最后就选择了晚明时期，也就是世界史研究的“早近代”(early modern)，我称之为“早期全球化”的时期，作为研究的切入点。

晚明这个时代很特别，西方基督教的耶稣会士来到了中国，东西方文化有一个直接交锋和接触，有碰撞但不是打架，有争辩但似乎还能包容，比十九世纪再次接触的情况要平和得多，这是怎么回事？当时我在耶鲁历史系，必须专修两种不同领域的专门史，我选择的是欧洲和中国思想史。我对思想史的认识有一个变化，先是研究观念的历史变迁，后来觉得哲学观念太抽象，所以想研究时代思潮和具体的人到底想什么，刚好觉得晚明十分有意思。

开始做博士论文的时候，汤显祖不是我研究的主要部分，我主要钻研十六世纪的文化变迁，具体是江南包括江西这一块与福建沿海这一带，究竟当时的经济社会变化与当时精英思维的审美创造有什么关系。我选择了两个人做个案研究，一是福建泉州的李贽，二是江西抚州临川的汤显祖。我想弄清楚明代中叶以后社会文化为什么蓬勃发展，到了清朝为什么收缩。

对于怎么认识晚明，我的意见和钱穆先生不太一样。他主要从政治制度考量，批评明朝是一个非常专制的政权，是黑暗时代。但是我思考的，是实际的历史经验，是明代中晚期的具体生活情态。明朝中叶以后皇帝都很懒很昏庸，不上朝、不理朝政。一方面，有锦衣卫、东厂这些镇压机构，压制个别在朝堂上向皇权挑战的举措；另一方面，因为皇帝取消了宰相，又不肯励精图治，不能很好地执行专制皇权，整个帝国的管治是松弛的。天高皇帝远，就有一定的开放空间，特别是在文化思维与艺术创作场域，风起云涌，鸢飞鱼跃。中国很大，不同地区的社会经济发展不一致，东南地区的繁荣就促成了思想的活跃与审美品味的提升。当然，这个宽松开放是相对的，锦衣卫还会出来抓人，可是他们抓的是惹皇帝不开心的、个别的人，与大多数老百姓无关。

清朝的康、雍、乾三代，从军事上、政治上、疆域上把中国的大版图建立起来，可是我们也别忘了，他们对于大多数人文化、思想的镇压，非常严酷。从文字狱的全面钳制到《四库全书》的禁毁封杀，清朝的盛世同时也是中国文化的灾难，禁锢了人们创意思维的开发。明朝中叶以后，十六世纪到十七世纪差不多一百多年时间，因为比较开放而发展出来的文化艺术，到了清朝就萎缩了。龚自珍后来回顾清朝时批评道，“避席畏闻文字狱，著书都为稻粱谋”，说得十分沉痛而且深刻。近代中国的思想封闭腐朽、文化精英的堕落、艺术创意的僵化、审美品味的庸俗，主要得算在满清统治之上。

我们今天回头看历史，不是看几十年，我们应该看几百年、上千年，这样才能看出一个脉络来。所以在这个意义上，昆曲的发展跟晚明的文化审美有关，跟中国历史有一段时间比较开放、活泼、有探索精神有关。为了搞清那个时代，我重点研究李贽和汤显祖。我在耶鲁的第一个导师 Arthur Wright 劝我不要做汤显祖，太复杂了，集中精神研究李贽和泰州学派的思想，可我不听话。Arthur Wright 觉得我研究明清时期，并涉及中西文化思想的接触，应当跟随欧洲思想史的Franklin le Van Baumer与研究清初历史的史景迁。于是史景迁就当了我的导师，他很开放，从来觉得我自有主张是好事，是可以发展出一套理论的。所以我在美国读书很幸运，有老师加持，一直都拿着全额奖学金。整天都在读书思考，海阔天空，想着中国传统的审美精神与西方传统不同，到底有何历史意义，到底与中国文化的前景有什么关系。四年奖学金结束后，我还在读中古欧洲如何转化到文艺复兴时代，同时又研读马克思主义与中国革命的关系，暇时则找已经转到耶鲁的余英时老师，论辩时政与中国历史发展趋势。回想起来，史景迁对我真是关心，又帮我申请了耶鲁大学特别奖励的青年学者奖学金，为期两年，其中还提供经费，让我到中国大陆做访问研究，使我成为第一个来自美国而能够进入故宫明清档案馆的学者。后来他看我过于恋栈学习的乐趣，忍不住说我该毕业了。于是我才匆匆写完了论文，毕了业，因为回不了台湾，只好留在美国教书，一教二十年。其实我没有（也不可能）做完我博士论文中提出的历史框架与中国文化美学理论，到今天我还在做。

终于台湾解除了戒严法，过了二十年浪迹海外的生活，我可以回台湾看看父母了。一九九二年大陆的昆曲和京戏都到台湾演出，看到大陆戏曲团的精彩演出，特别是昆曲曼妙优雅的艺术展现，感到非常震撼，原来世界上真有这么美的东西！原来埋藏在你心底的那个梦，那个对历史文化的向往，居然是真的，居然像天籁一般出现在舞台上。我开始联系起自己对晚明文化的认识，认真研究昆曲的表演艺术与审美境界的关系。朋友认为，我应该把汤显祖研究的某一部分先整理出来，所以一九九五年在台湾出版了《汤显祖与晚明文化》。研究昆曲的人一般都是研究戏曲的，但我是研究文化史、文化变迁、文化美学的，觉得昆曲和文化向往、文人审美很有关系，而且是理解中国文化内涵的关键。

《牡丹亭》所展现的，和汉族的文人审美息息相关，在音乐、文学、表演艺术上达到了巅峰。其实整个昆曲的兴盛，审美的境界可以跻身阳春白雪的高雅风范，跟文人雅士投身剧本写作，并躬亲参与舞台演出的艺术展现有关。戏曲的曲词就是写诗填词，它的曲文都是诗。昆曲舞台表演都是诗的展现，是审美境界的追求。

中国文人审美的着眼点，是放在有实存人生经验的人间。拿茶道为例，日本学的是中国寺院茶道，日本社会茶道又是武士道精神的发展，综合了儒学、佛学及封建武士道精神。日本茶道非常宗教化，趣味性很弱，仪式性很强。但中国茶道绝对有趣味，洋溢着人间生活中的美，对生活实存体验有超越性的追求，但并非宗教仪式。中国人的主流宗教倾向，就是宗教意识人间化，即使对生死及来世有强烈的感悟，却也并不忘怀现世的生存体验，重视人间情怀。现在全世界的宗教也有这个倾向，基督教和天主教放宽了很多。

中国文化对人间的审美体验强调很多，我在戏曲中也发现了这点。戏曲好像很通俗，也充斥着一些反映历史过去的意识形态，甚至有些今天看来落伍的忠孝节义情结，可是戏曲文词和境界都很优美。从舞台表演艺术的角度来看，以小见大，寓千山万水于一桌二椅，以诗词之幽深杳渺呈现人生境遇之跌宕起伏，以婉转优美的曲调唱出人间的悲欢离合，其中有很优秀的东西。

说回到探索文化美学的初衷，其实，我一生只有一个追求，是想了解我作为中国人，这些文化情怀怎么来的。我对人、对世界有关怀，而且从小就希望人人都生活得美好、生活得幸福。我又不是圣贤，我这个关怀是哪里来的呢？我相信是我从小耳濡目染，与中国文化传统有关的，这也说明中国文化里绝对有优秀的东西，需要重新发掘认识与弘扬。当然，西方文化也有许多优秀的东西，但轮不到我来发展与弘扬，我必须知道自己的能力，做力所能及的事。我当年读台大外文系，努力学习西方文学与历史文化，至少了解西方文化的大概，需要它来平衡我对中国文化的思考。

顾红梅：您曾分析过汤显祖文艺观的根本：一是受泰州学派大师罗汝芳影响；二是以“情真”为审美追求。无论是罗汝芳顺适自然的良知之学，还是杜丽娘百死不回的爱情，都离不开“真挚”之情，这是否是文人审美的核心？

郑培凯：在西方戏剧里，尤其是十九世纪以来的话剧传统，最重要的是故事性和清楚的情节安排，人物性格随着情节而展现。中国的戏曲不完全是讲故事，它同时强调音乐和舞蹈，制造一种整体的氛围，这是中国戏曲了不起的地方，它是综合性的。中国的戏曲有文学性，也有音乐性，曲文是诗歌性的，抒情性很强，这跟中国的文艺传统有关。人物性格的展现，通过诗化的抒情唱段，淋漓尽致地吐露内心情愫，在显示角色内心独白的同时，也体会文人审美的辞藻运用，基本上是丰富含蓄，温柔蕴藉，但又大方得体，不失角色的身份。我们看《牡丹亭》的《寻梦》一折，最能体会这种审美精神。

西方文学最重要的荷马史诗《伊利亚特》和《奥德赛》，基本是叙事诗，从头到尾跟你讲故事的诗。亚里士多德在《诗学》中，就清楚地并列史诗与悲剧，作为同一性质的文学叙述来探讨。中国诗歌传统，从《诗经》《楚辞》以来，基本是抒情传统的诗。

那么这又牵涉到另外一个问题，有人说："中国当然有史诗，中国的《诗经》里头，你看也有一些讲周朝祖先怎么发展的，这些也是史诗啊，《孔雀东南飞》也是史诗啊。”你要想一想，荷马的史诗，一般来讲，是有两万颂左右；印度的史诗《摩诃婆罗多》（Mahabharata）有的版本多达二十万颂之长，不管是《摩诃婆罗多》还是《罗摩衍那》（Ramayana）都以说书形式一段一段地讲故事，有点像中国后来的弹词一类，这与中国的诗歌主流是大不相同的。中国的诗学注意的从来都是抒情这个部分——人的感情和诗人的感情，或诗人所拟想的他人的感情部分。假如我们借用亚里士多德的理论，说文学是对人生经验的摹仿，那么，中国文学的摹仿对象，是诗人的“我体”多于“客体”，对自我内心感情经验体会的参悟，多于客观观察“他体”的呈现。

中国的戏曲也是这样的，中国的戏在唱的时候，会把内心所有的感情都凝聚在非常精炼的诗句里唱出来。我们看中国的曲文，它就是诗。诗、词、曲是同一个脉络的，这个脉络就是诗，这是抒情诗的传统，这跟西方真的是很不一样。

中国文化的主要脉络是什么，这就必须有文化的比较，从比较中看出特色。几大文明之中，我觉得中国文明特别强调人际关系，重视人的真实社会处境，也就是孔子不断申说的“仁”，其实就是讲人的感情关系，和实在的生活经验有关，有孝亲之情，有忠君爱国之情，有男女之情，有“泛爱众而亲民”之情，都是情。

再讲到汤显祖，他不是创作戏曲出身的，他是阳明学派哲学调教出身，他的老师罗汝芳是阳明学泰州学派的一个大师。他师承非常明确，十四岁的时候就跟着阳明学大师罗汝芳学阳明心学，所以他青少年时期就对于整个中国文化思想脉络有一个基础。他是江西临川人，他的交游基本上是当时的江南精英和一些主要的思想家、文学家。对他影响最重要的有三个人，一个是他的老师罗汝芳；一个是李贽（李卓吾），也是一个思想非常开放的人，被道学基础教义派视为异端，最后被逼死；还有一个大和尚，明末四大高僧之一达观真可。达观真可很有意思，追着汤显祖几十年要度化他。到最后汤显祖也没有完全被度化，因为他说他有一个东西过不了，就是对人、对情没有办法完全感到一种空。他希望自己能够超脱所有的人世间的东西，可是他觉得他对人的情还在，不只是单纯爱情的情，包括所有的情。

其实达观和尚何尝没有人世情。达观和尚是怎么死的？他是为民请命，反对矿税，后来陷入了宫廷斗争。他为了停止明朝政府征收不应当的税收，为老百姓维权，而四处奔波。当时所谓的矿税，是属于太监管的，太监到了哪个地方，他要征收你的税就假借一个名目说这里有矿，这很可怕。达观和尚就是为了这个奔波，被抓入狱中，最后死在监牢里。这样的大和尚，你说他没有人世情吗？这也是人世情。

汤显祖有狂的一面，也有狷的一面，有所为，也有所不为，都展现在文学、展现在他的交游上，他的性格使他不愿意遭到世间蝇营狗苟的污染。他强调情，强调关注自我主体，而且最有意思的是，他的思想独立自由，敢于想象，敢于追求。通过《牡丹亭》我们可以看到，他写出了女性应该追求自己个人的主体性，追求个人的幸福，追求个人的爱情，可以从生入死，由死还生，这就是《牡丹亭》说的“至情”，是超越生死的。他不是单纯写一个故事，他背后的思想内容非常丰富。

汤显祖的老师罗汝芳后来告诫他说，你不能天天在那边写戏曲呀，写诗呀，一直散发你自己的个人想象，我们这个阳明心性之学，还是要追求一个圣贤之道。老师教训了一番，汤显祖那天晚上睡不着觉，怀疑自己是否背离了师教，可是忏愧归忏愧，他毕竟也没改，还是继续他的文学想象与创作。所以这非常有趣，罗汝芳没有造就一个思想家，可是造就了一个有深刻思想的文学艺术家。老师希望他还是属于阳明学派，弘扬阳明学思想，可是他走的是文学艺术之路。你说他有没有把阳明学的一些精髓展现出来呢？有。他重视个人主体，发现自我，真诚面对自我。对于情，要的是真情、至情，不是普通的情。这个至情已经提升到了超越生死之境，也就是追求不朽，是包含真善美的一种情。

顾红梅：所以您的文人审美的着眼点，在真情实感的人世间，不是倾向于宗教超越的神界？

郑培凯：这和中国文化强调血缘家族有关。中国人对于情考虑得比较切身，造成中国人对于人生感受很在意，很少有完全宗教性质的追求。中国人对于宗教的态度很宽容，不走绝对性的神人叛离二分，不管是印度佛教还是欧洲基督教，都没有办法变成思维意识的主流，这就是文化积淀的影响所致。所以中国文化的融合性很大，佛、道、儒、基督教什么都可以，就好像宗教的追求不是一个至高无上、要超越所有世间情感的问题，到最后，所有的精神追求和最基本的人世间感受有关。所以，中国审美当中要讲的是趣味，是灵悟，是境界，是精神性的，但却不涉及高于人间认知的神性。我以前和刘再复辩论过，他说中国文化有一个大问题，就是没有宗教的救赎精神，我觉得不能这么说，这是从基督教角度来讲，先设定了神的完美无缺，再设定人类的堕落有罪。我们也可以说，救赎精神是人类设立了全能全知的完美的神，作为仰望崇拜的对象，而对自己的奴性自贬，希望自己能够脱胎换骨，晋身圣域。中国文化的发展不同，与最早的祖宗崇拜及家族血缘信仰的承继有关，从神巫信仰转化为人文化的祖宗家族信仰。西方继承了犹太教的一神教信仰，其实是由早期的神巫转化成全知全能的上帝，为人类对真善美的仰望与追求，提供了绝对完美的形象。

顾红梅：《牡丹亭》“惊梦”“寻梦”曲词，是您濡墨伸纸反复书写的对象。您特别愿意浸润其间，一定有您的审美意趣？

郑培凯：《牡丹亭》最感人的，是“惊梦”和“寻梦”两折，说出了杜丽娘内心最深沉的向往，然后通过最美的文辞把它表达出来。这两折也很难懂，清朝初年的大戏剧家李渔讲汤显祖的戏，特别标出这两折戏，说文辞实在美，可是在舞台上不能演，因为语言不够本色，没有人听得懂。他的意思是，他看得已经很吃力了，何况老百姓。但是为什么这两折戏，一演演了四百年，到今天仍是最受欢迎的剧目，跟李渔的论断完全相反，这是值得探讨的事情。什么原因呢？戏剧表演是门综合艺术，建筑在剧本的思想、感情、内容上，也要戏曲音乐人、伶工，也包括舞台提调（导演）、演员来配合，理解了剧本的“意趣神色”，便可以一代一代深化理解丰富的戏剧内涵，创造了这两折戏的表演方式。你可能看一次看不懂，两次看不懂，我总是说，就算十次看不懂，你看一百次你就懂了。这就是伟大艺术作品的感染力量，也是《牡丹亭》不朽的原因。四百年来，中国老百姓就是这么看懂“惊梦”与“寻梦”这两折戏的，历史的积淀比李渔有耐心。

还有一点很重要的是，我时常跟学生说，你们看戏，不要以为你是去看故事，其实这个故事你应该知道的，你要看的是表演。看表演的时候你就知道，原来通过表演，舞台能够把这个曲词里面的思想内容淋漓尽致地，通过演员的身段、通过他的声音、通过他的唱腔表达出来。你感动不感动？你感动，坐在那里可以落泪，因为这是震撼你的心灵的东西。汤显祖的“惊梦”“寻梦”就能够做到这一点，所以演了四百年，一直演下去，而且人人都要看这两出戏。

我曾经讨论过，李渔跟汤显祖还有一个差别，因为李渔虽然聪明机巧，但是思想境界比不上汤显祖，他没有想到，艺术到最后可以征服许多的困难，那些表面上的审美困难。戏剧作为艺术，要成为传世不朽的文化经典，不能往下看，不能追求“票房说了算”，必须向上看，见贤思齐，为长远的人类文化尽力，作出长远的贡献。

我觉得最优秀的文学艺术作品，就是艺术家毕生追索所表达的内涵。我们必须提高自己的修养，在慢慢接近汤显祖的过程中，发现他似乎是永远发掘不完的，就好像我们时常说的“永远发掘不完的莎士比亚”一样。洋人喜欢这样讲，其实汤显祖的东西也是这样的。

顾红梅：这次在您的“书写斯文”书法展中，还展出您的部分著作，其中有您早年出版的诗集。您的诗歌主“情”，学术主“理”，两者有关系吗？

郑培凯：写诗和学术没有直接关系，但是也有一些关联，因为写诗，我对文字的要求和敏感度会提高很多。近代因为学术分科，强调专业知识，连文史哲三科都壁垒分明，甚至互不通气，可能有些研究历史的人对文字敏感度并不重视，拿着史料就当成客观真理来看待。我则强调文史哲会通，对文字表述特别敏感，而产生多角度的想法，对历史的解释会有不同层次的理解。

历史用文字记录下来，好像都是客观的，其实不然。我就会想，记录的人当时在想什么，他用的词、用的表述语气，是否存有褒贬，还是有什么其他主观意图。有些是大家都很清楚的，有些则不是那么容易理解。我自己读古文史料的时候，敏感度高一点，会思考古人遣词用句是否潜藏了什么典故，在那里拐弯抹角地暗示什么意思。学古典文学的人，有这种训练，这是必须思考的，现在有些学历史的人，古文底子有问题，找到的史料就拿来用了，根本说不到点子上。其实，所有史料都要经过审慎思考，才能引用恰当。我因为写诗，对每一个字如何使用得恰当，都比较挑剔，所以，直觉上就对资料敏感，对各种史料思考得多一些。因为我处理的，是文化意识与文化变迁中艺术创作的进程，不仅使用传统正史野史的资料，所有的历史材料我都用，包括小说戏曲，甚至书画唱本，因此写诗的经验对我处理这些“旁门左道”的材料是有帮助的。

我现在写书法，对古典文学比以前体会得更深。我抄写古诗的时候，一笔一画写，就会想到，古人也是一笔一画在写，整个书写感觉，还牵扯到如何呈现文字的形态，考虑到汉字结体的美观。这也让我联想，古人写作，会不会也考虑这个问题。我写诗的时候，同一个词我不会在同一段里重复，非要表达那个意思，我就要找一个方法，讲讲同样的意思，但是要换一个不同的词，甚至改动整句表述的方式。写书法的时候，我更能体会古人对文章表述的重视，不但要准确地表意，还要呈现审美的意境。

我是研究历史的，但有些人以为我只是研究文学，或是研究茶文化，研究园林、陶瓷、昆曲、电影，研究一些风马牛不相及的领域。我写历史，很多人以为我在写文学或文化评论。有人说我写的论文，文字很顺畅，那是因为我想过文章要怎么写，文字怎么表达。现在学术界存在的大问题是，文字不通不要紧，干巴巴的不要紧，只要堆砌材料，把学问放上去就行。我不敢苟同。我们现在的文史哲研究，不重视文辞表述，是近半个世纪的怪现象。古人非常讲究文章写作，连清代都强调，义理考据文章并重，五四一代新文化健将的文字也都各有风采。当代著名的西方哲学家、史学家都是文采与学殖并重，我认识的几个耶鲁历史系的老师都如此，史景迁的文字很好，Peter Gay 的文字很好，余英时的文笔也很好，而且都著作等身，是值得我们反省的实例。

原文刊载于《书城》

2015 年 12 月号

土耳其乱弹

啊呀索菲亚

从小学地理课本知道，欧亚大陆有一条分界线，即是土耳其的博斯普鲁斯海峡与达达尼尔海峡，上连黑海，下接地中海，彼岸是欧洲，此岸是亚洲。土耳其一个国家跨越两洲，总让人感到疑惑，到底是欧洲国家，还是亚洲国家？刁钻古怪的地理老师，考试偏偏要出这一题，不是考地理知识，是考我们的思辨逻辑呢。大家不知道该怎么回答，只好挑亚洲，因为土耳其人总不是欧洲白人吧，总和我们一样是亚洲人吧。试卷发回来，当然是错，大家都拉长了脸，听老师给的标准答案：不是欧洲，也不是亚洲，是横跨欧亚两洲。废话，谁不知道啊，可是你老人家出的是选择题，A 是

索菲亚大教堂

欧洲，B 是亚洲，还有个混淆视听的 C 是非洲，而“光荣正确”的答案却装在兜里，不肯拿出来。当老师的，高高在上，假充英明，目的不就是向我们显显威风，你对我们错，土耳其横跨欧亚两洲嘛。倒是从此之后，牢牢记住了土耳其，记住了博斯普鲁斯海峡，记住了达达尼尔海峡，还知道伊斯坦布尔即是君士坦丁堡，襟两海而扼两峡，据欧亚之要冲，乃兵家必争之地。说起来，智慧之海真是浩瀚无穷，老师溅起的一片浪花，激得我们满脸狼狈，却刻骨铭心，记住了海水是咸的。

我站在索菲亚大教堂门口，脚踩着伊斯坦布尔的欧洲土地，前面就是博斯普鲁斯海峡。放眼望去，窄窄的一道海峡相隔，是伊斯坦布尔郊区栉比鳞次的屋宇，是亚洲了。住在海峡西边的，是欧洲人？住在海峡东边，每天搭渡轮上班的，是亚洲人？我想，这样的问题不会浮现在土耳其人的脑海里吧？生于斯、长于斯、老于斯的伊斯坦布尔人，上小学的时候，会不会也有地理老师问，“是欧洲还是亚洲”呢？海风吹动了衣襟，提醒我是来参观索菲亚大教堂的。穿过古树森森的庭院，看到各处散布着断垣残柱，不少柱头都雕着十字架，默默展示东罗马帝国衰亡的历史陈迹。

索菲亚大教堂是东罗马皇帝盖的，后来却成了伊斯兰教的清真寺，其中缘由，不问可知，当然是东罗马灭亡，信天主的遭了难，阿拉的信徒征服了基督教的神庙重器。奥斯曼帝国崩溃以后，土耳其成立了共和国，索菲亚大教堂成了博物馆，供人参观游览，瞻仰逐渐消逝在历史文化中的辉煌。索菲亚的确壮观，一走进去，就不由得你不由衷赞叹：啊呀索菲亚。那穹顶辽阔如天宇，就像镶嵌马赛克壁画的天使Gabriel，舒展虔诚信仰的神迹。大理石柱素净庄严，像守卫时光的武士，整齐肃穆，企立在神界与人世之间，撑起了我们仰望膜拜的憧憬。

土耳其人称索菲亚大教堂为Ayasofya，念起来就是“啊呀索菲亚”，并不是由于建筑壮观而赞叹，而是另有含义。这个称号来自希腊文Haghia Sofia，也即是东罗马帝国时代拉丁文的Sancta Sophia，意即“智慧的殿堂”或“智慧教堂”，译成古典化的中文，可称“上智堂”。若是我小学地理老师晓得“啊呀索菲亚”的真正含义，还不知道会问出什么充满智慧的问题呢。

土耳其国父

小学在台湾读书，就知道土耳其有个伟大人物凯末尔，是土耳其的国父，带领土耳其人民建立民国，学习西方，发展现代化事业。到底凯末尔具体做了什么，不清楚，但是，他很伟大，却毋庸置疑，因为课本这么说，老师课堂上这么讲，一些政治人物也经常引述凯末尔的成就来阐述“三民主义”。奇怪的是，耳濡目染日久，凯末尔的形象竟然愈来愈模糊，愈来愈像孙中山，好像他在土耳其的功绩都是推行“三民主义”的结果，是“国父思想”在土耳其的翻版实践。

凯末尔（Mustafa Kemal Atatürk,1881–1938）出身军校，是奥斯曼帝国末期的杰出军人，屡立战功，特别是在第一次世界大战期间，坚守达达尼尔海峡的加利珀里战役，击退同盟国联军，声名鹊起，成为民族英雄。其后，奥斯曼帝国在第一次世界大战中战败而崩溃，国家遭到瓜分之际，凯末尔发起土耳其独立建国运动，驱逐了列强，于一九二三年建立了土耳其共和国，并成为土耳其第一任大总统。他的姓名最后还被国民大会冠以 Ataturk 荣衔，Ata 是土耳其文“爸爸”，Turk 指土耳其人，意即“土耳其国父”。在他领导之下，土耳其奉行他提出的“六箭主义”，进行一党专政的“民主改革”。所谓“六箭主义”，是共和政体、以民为本、世俗教义、国民革命、民族主义、民生国管。其实很像孙中山提出的“三民主义”，若是硬要比附，我们甚至可以把土耳其的立国精神改译作“六民主义”：民主、民权、民治、民革、民族、民管。

回顾起来，近代中国与土耳其的历史经历有许多相似之处，一边是满清帝国的覆灭，另一边是奥斯曼帝国的崩溃，一边有孙中山领导国民革命，另一边有凯末尔肇建土耳其共和。或许是因为这些相似的经验，使得台湾当局悍悍相惜，从小就给我们灌输凯末尔的伟大，项庄舞剑，意在沛公。我后来时常想，孙中山在一九二五年就去世了，国民革命尚未成功，一党专政也未实现，何况孙国父也不是军人出身，没有赫赫战功。所以，国民党党工一心灌输给我们小孩的“伟大凯末尔”，大概是“伟大蒋公”的土耳其分身，让我们耳濡目染之后，更加崇敬蒋公之伟大。

近来到土耳其开会，到伊斯坦布尔机场，发现机场名曰“土耳其国父机场”（Ataturk Airport）。在一所大学里举行人文学前景的学术研讨会，发现每一间教室都挂着凯末尔国父的标准照，让我感到，蓦然又回到旧日的台湾。不久前，在台湾闹“去中国化”“去蒋化”，把中正机场改名为桃园机场，不知道中小学教室里是否还悬挂孙中山的肖像？不过，反过来想想，美国的小学教室里还挂着布什的标准照，英国也挂伊丽莎白女王的玉照，连泰国餐馆里都悬挂泰皇与皇后的照片。挂不挂“标准照”，与国家的民主进程，也不一定有必然的关系。

御膳房里的青花瓷

研究青花瓷的朋友，动辄就感叹没去过伊斯坦布尔，没

托普卡陂皇宫里的青花大盘

去过那里的托普卡陂皇宫，因为奥斯曼帝国举世闻名的青花瓷收藏就坐落其中。不止是明清青花瓷，还有元代青花大盘、元代青花大碗，价值连城，都藏在土耳其的老皇宫里。朋友谈起来，满脸的怅惘，眉头皱得像青花的纹饰。我说，他们出过三大本图录，图书馆里看得到，可以稍补不能远赴重洋的遗憾吧。他说，不能，一定要亲眼看到土耳其人坐拥的青花宝贝，否则死不瞑目。讲得如此严重，好像伊斯坦布尔成了他心目中的圣地，像基督徒的耶路撒冷或穆斯林的麦加一样，大有不到圣地朝圣，就枉此一生，算是白研究了青花瓷。

我到伊斯坦布尔开会，报告完毕，抽空去了老城的东北角。隐蔽在索菲亚大教堂后面，严严实实围在高耸的淡红色宫墙之内的，就是奥斯曼帝国的故宫，托普卡陂皇宫（Topkapi Sarayi）。“征服者穆罕默德”在一四五三年打败东罗马帝国，攻下君士坦丁堡，就选了这块龙蟠虎踞的风水宝地，建了皇室家族的生活禁区。元明青花瓷器藏在这片禁宫中，也是因缘际会，有其历史的必然性。

跟北京的紫禁城相比，奥斯曼故宫的风景要优美得多，可以从后宫直接看到山崖下的博斯普鲁斯海峡，看到帝国的亚洲地域，无限延伸到烟霭朦胧的尽头。从另一个方位又可望见“金角”（Golden Horn）水域，看到伊斯坦布尔的芸芸众生，在清真寺传出的诵经声中，惶惶，忙忙碌碌，奔波于禁宫之外的自由世界。托普卡陂皇宫颇似北京紫禁城与颐和园加在一起，兼有气势规模与优游玩赏之胜，在面积上则须除以二或三，大体就差不多了。算起来，托普卡陂比紫禁城年轻了一百年，也没经过改朝换代，少了点明清易代的天翻地覆，但是宫廷的历史沧桑、皇室亲属的离间倾轧、后宫佳丽遭遇的悲欢离合，想来也不遑多让。再加上黑太监、白女奴、蒙面的纱巾、带穗的小帽、镶嵌了宝石的灯笼裤、贴满花彩瓷砖的大理石宫殿，让游人迷离于说不清楚的神秘感，流连徜徉。

我去托普卡陂皇宫，目标明确，直奔元明青花瓷收藏。有趣的是，展出的珍品都陈列在御膳房内，与炉灶厨具为伍，很不合乎我们中国人对皇家御用瓷器的景仰心理。仔细想想，土耳其人的态度倒是更合乎情理，合乎历史实情。因为这些青花大盘大碗，虽然价值连城，在博物馆放在显眼的地位，在拍卖场上每件可以叫价三千万美元，当年却是供皇室日用的碗盘，是属于御膳房的管理范畴。

看到如此精美的元明青花，想到当年海商所经历的波涛跋涉，漂洋过海，从江西景德镇经过福建、广东的海岸，绕过马六甲海峡，进入印度洋，穿过波斯湾，到达埃及，再渡过地中海，迢迢万里，来到伊斯坦布尔，我开始体会朋友要“朝圣”的心情了。

御花园里传膳

伊斯坦布尔的天气干燥，又有阵阵海风扑面，虽然夏日正午的气温达到了三十度，只要躲在树阴底下，便觉清风入我襟，四肢百骸的毛孔都张开来，呼吸着清新的空气，舒爽如惬意的白云，飘浮在土耳其蓝宝石一样晶莹的天穹。奥斯曼帝国的托普卡陂老皇宫，地处博斯普鲁斯海峡、金角湾、马尔马拉海三处海域交会的半岛尖端，植满了森森古树，一进一进的宫殿连着大理石回廊，在习习海风的轻拂下，简直就是避暑胜地。回想一百多年前，苏丹王优游其中，后宫嫔妃佳丽袅袅婷婷围列左右，清风这么一拂动，镶嵌着红宝石绿宝石的纱巾就飘荡起来，显露出一张张倾国倾城的容貌，荡气回肠的眉山，勾人心魄的眼神，似笑非笑、似喜还怨的嘴角，那时刻，宫中的盛夏也一定是沁人心脾的。

在御膳房观赏了来自景德镇的青花瓷收藏，不禁拟想当年传膳的情景。一群戴着丝绒小帽的黑太监与披着细麻纱素布的白女奴，领头的摇着长柄的羽扇，后面跟着一长列传膳队伍，黑太监端着元波浪纹青花瓷大盘，白女奴捧着明山水人物青花小碗、镶金嵌绿宝石明青花执壶，迤逦穿过宫苑的回廊，向后宫传送当天的御膳。今天是串烤乳羊里脊、串烤金枪鱼、小茴香肉桂炖羊腿、凉拌茄子色拉、粗麦酷死酷死。用膳完毕，再收拾狼藉的杯盘碗壶，送返御膳房清洗。啊呀，一不小心，打破了一面元青花鱼藻纹大盘，白女奴浅绿色的瞳仁闪烁着惊恐的神情……

想着想着，肚子就饿了，参观后宫可以等到下午，五脏庙却得先拜祭一番。直奔最后一进宫苑，御花园东北角尽头依着山坡而建的宫殿，现在改成了餐厅，由当年曾经承担过御膳的康尼雅餐厅经营。菜当然是不错，炖羊腿入口即化，没有一丝膻味，隐隐可以尝到肉桂的香味，好像还有点薄荷的香气。素酿青椒的填料是油米饭，掺和着小加仑子、松仁、洋葱丁、洋芫荽末、五香作料，吃起来引人遐思，像走进了满植奇花异草的花圃，迎面姗姗而来一位蒙着刺绣纱巾的少女，袅袅婷婷侧身而过，裙裾轻轻拂摆着花草，牵动了羞涩却芬芳的战栗。

这家宫殿改装的餐厅，最出色的还不是提供味觉的享受，而是可以看到三处海域交会的海天一色，缀饰着远处红瓦黄墙的屋舍，清真寺耸立的唤礼塔，丛丛簇簇的松林，让视觉美感登入极乐境界。我突然对“天人合一”的理解，得到一种全新的视角与新鲜的体会，而且是与中国传统没有必然关系的心灵提示。山水人文，在这老皇宫一角，有一种具体实在、而非虚无缥缈的和谐，有一种人与自然相依相存的逍遥自在。

奥斯曼帝国老皇宫的御花园，的确不错，不但提供了口腹美味，还赏心悦目，展示了心灵的飨宴。

原文刊载于《书城》

2008 年 11 月号

俄罗斯行脚

莫斯科印象

莫斯科，阴郁的莫斯科，暴风雪无边无际铺满冰冻的大地上，一层一层的，掩埋了欢笑，掩埋了夏日曾有的风情。没去过莫斯科，却早已有了莫斯科印象，是人类坚忍不屈，在最艰困的情况下也能生存的见证。生存在漫漫的寒冬，面临无情的专制，只能以冷漠对抗冷酷，以粗粝对抗残暴，以伏特加对抗零下三十度的风雪。莫斯科在我心中最常浮现的印象，是战争，是宁为玉碎的意志对抗惨烈的现实，是为了无从探测的理念与信仰，展现不屈不挠的牺牲精神。在托尔斯泰的笔下，战争与和平的纠缠，是上帝试探人性深层矛盾的一场悲喜剧，而人类虽然处境如此卑微，却能显示痛苦之中的尊严与生存的欢乐。莫斯科这样严峻的生存环境，让我们看到人类处境的各种极端，可以是冷漠无情，可以是残忍暴烈，也可以是热情奔放，是圣洁虔诚。

我对莫斯科有一种潜在的恐惧，却也有着由衷的敬佩。时常想到的是，拿破仑意气洋洋攻进莫斯科，占据了一座空城，对着空荡荡的克里姆林宫叱咤风云，心里到底是个什么滋味。进城时的耀武扬威，不可一世，只是一场没有俄国观众，演给自己看的大戏，而最可怕的是，空荡荡的戏台是俄国人搭好了，等着法国军队来演的空城计。拿破仑是聪明人，什么时候开始认清了局面不妙，骑虎难下？一天，两天，三天，一个星期，一个月过去了，俄国大军到哪里去了？风雪终于来袭，生长在温暖地中海科西嘉小岛的拿破仑，这才见识到俄国人冰雪般坚韧而冷酷的性格。可惜晚了。我每次听柴可夫斯基《一八一二年序曲》，都会感到无比的震撼，当俄军反攻，打得法军丢盔卸甲，教堂钟声齐鸣，叮叮当当，旋律如飓风扫过大地，就会想，俄国人的深沉与长久郁积之后的爆发力，不但来自冰天雪地的磨砺，也来自严峻的生存环境所赖以依托的虔诚宗教信仰。

来到莫斯科，第一个印象是大，而且给人一种错觉，是大而无当。住进财经大学的宾馆，门楼空荡荡的，穿过三层又厚又重的大门，才进入阴暗的大厅。我尽量从合理的角度来推想，这是为了抵御严冬侵袭而设计的，表面上是浪费空间，而实质上是为了御寒而设置的多重保险。不过，我还是觉得整个设计极为笨拙，让人感到无助，好像身处荒漠，随时会有暴风雪来袭，有一种广袤而阴沉的空间压迫。也许是因为俄国地广人稀，习惯了空空荡荡，可以随时随地踢踢腿，打一趟拳，来个鹞子翻身。反正地方大，不必考虑呎价多少，爱怎么盖就怎么盖，让我们这种来自香港狭窄空间生活的鸽子笼动物，算是大开眼界。

莫斯科人动作缓慢，不知道是否跟天气寒冷有关，一动不如一静，因为一动就得消耗热量。给我办手续的妇人，大约四十来岁，胖墩墩的，拿了我的证件，翻来覆去地看，也不知道是找资料，还是没看过香港护照，得研究研究，或者只是新奇好玩。反正她时间多得很，而你的时间与她无关，后面有人排队也与她无关。就这么摆弄了五分钟，把证件还给我，递来一把钥匙，算是入住。

我不禁胡思乱想，当年俄国人跟拿破仑打仗，也是打的这种拖延战术，七拖八拖，就拖到严冬来临，暴风雪来袭，老天爷自会处理拿破仑，让他知道什么是逆天行事，报应就在眼前。对付希特勒，也是同样的方法，老天爷永远站在慢吞吞的俄国人一边，纳粹的闪电战再厉害，也不能逆天行事，一样是泥牛入海无消息。中国人当年跟日本人打仗，是以空间换取时间，让日本扩大战线，陷入泥淖，长期抗战，把日本拖死。俄国人更厉害，是既有时间又有空间，咱们耗着，就跟老顽童周伯通跟人比赛闭气一样，看谁耗得久，就是最后的胜利。

在莫斯科生活一段时间，或许能够学到沉潜制胜的生活方式。

涅瓦大街

在圣彼得堡参观了冬宫之后，同行的上海老崔一路上嚷嚷，要逛涅瓦大街。问他为什么要逛涅瓦大街，他也说不出个名堂，却挥舞着手臂，不断强调，说这是重要景点，很有名的，人人来到圣彼得堡，都得去看看，要不然回到上海，人家问起来，连涅瓦大街是什么样都说不清楚，岂不丢脸？来过圣彼得堡四五次的老刘说，没什么可看的，不过就像香港的尖沙咀、纽约的第五街、上海的南京路、北京的王府井，有一溜高档名牌店，是个花钱如流水的地方。名声在外了，不去看看好像有点说不过去，看看也就是那样，你老崔也花不起那个钱。反正我们得去喀山大教堂，就紧贴着涅瓦大街，到时走走就是了。也不必逛街，站在那里张望张望，也就行了。美女如云，来来往往，很养眼的。

老刘说涅瓦大街没什么看头，是开玩笑。其实，这条涅瓦大街历史悠久，是圣彼得堡最有文化价值的一条历史老街。紧贴着喀山大教堂不说，不远处就是顶着五彩斑斓洋葱头穹顶的滴血大教堂，运用一下童话故事的想象，就会冥想，高高的塔尖一定囚禁过美丽而忧郁的公主。循着这条街，可以找到果戈理和柴可夫斯基的故居，还能看到普希金决斗之前喝完最后一杯咖啡的甜品店。你想要徜徉在俄罗斯文学的氛围之中，在这里还可以呼吸莱蒙托夫与陀思妥耶夫斯基呼吸过的空气，徘徊在他们曾经踩过的路面，寻觅他们在文学中留下的足迹。

涅瓦大街在我们的文学联想中，最鲜明的印象，当然是来自果戈理的小说《涅瓦大街》。在他的笔下，描写十九世纪的这条街，呈现了上流社会的光彩，也是一般老百姓梦寐以求的美丽世界："最好的地方莫过于涅瓦大街了，至少在彼得堡是如此；对于彼得堡来说，涅瓦大街就代表了一切。……你在涅瓦大街上所看到的一切都合乎礼仪：男人们穿着长长的礼服，两手插在口袋里，女士们身穿粉红的、洁白的和淡蓝色的缎子做的长裾外衣，头戴呢帽。"

果戈理带有强烈反讽意味的笔触，写起俄罗斯女人爱美，让人忍俊不禁："一位少妇足蹬小巧玲珑、轻捷如烟的女鞋，就像向日葵跟着太阳转似的，不停地转动着小脑袋去看那五光十色的商店的橱窗……你在这里可以见到连做梦也不曾见过的腰肢，那样纤巧、细长，比瓶颈儿大不了多少，你若迎面相遇，准会毕恭毕敬地退到一旁，唯恐一不小

圣彼得堡喀山大教堂

心，让粗鲁的胳膊肘碰着了它；你在心里定然是又胆怯又担心，千万不可不在意地呼出一口气，吹折了那造化和艺术的绝妙的作品。你在涅瓦大街上还可以见到多么好看的妇人衣袖啊！噢，真是美艳极了！它们有点儿酷似两只气球，那淑女如果不是有一个男子搀着的话，准会忽然飘上天去。”

我跟老刘没有逛街，只是站在喀山大教堂前面的花圃中看风景，看着二十一世纪的俄国女子在眼前飘来飘去，真如老刘说的，美女如云，个个打扮入时，像是伸展台上的模特儿走着猫步。不禁想起了果戈理笔下的黑发美女与金发美女，你真不知道，在今天俄国的真实生活中，她们的真正面貌，是否还像果戈理看到的那样？

纪念普希金

走在莫斯科或圣彼得堡的街上，到处都会遇到普希金，不是普希金广场，就是普希金剧院、普希金书店、普希金咖啡馆。当然，普希金铜像也少不了，还有，到处都有普希金纪念馆。我时常觉得俄国人了不起，俄国民族是个伟大的民族，绝不是因为他们会制造原子弹，制造航空母舰，最早把人送上太空，还会把人送往西伯利亚劳改，而是因为他们对待文学与艺术的热情，对诗人的崇拜与虔敬。满街都是普希金，就是最好的见证。

我虽然没学过俄文，俄文字母还是懂得的，所以，就由我带路，领着老刘和老李出外探险，坐莫斯科地铁。没有目标的探险是很可笑的，在莫斯科盲目瞎逛尤其危险，于是，就选定了普希金纪念馆。怎么去呢？先到普希金广场，然后沿着公园大道，一直走到阿尔巴特大街，走到底就是普希金纪念馆了。老刘十分疑惑，说，你又没来过莫斯科，怎么知道方向，这样走不会迷路吗？我说，看过地图，有个大概的方向感，心中有个东西南北，大体不错的。在香港行山，荒郊野外没去过的地方，都是这么走的，不会迷路。莫斯科地铁标志还算清楚，按照地名指示，到了普希金广场。出了地铁，一开始有点晕头转向，心想麻烦了，千万别迷路，好在远远的有一尊铜像，是普希金。我们就像黑夜航船看到了灯塔，找到了公园大道。沿途经过一家颇有规模的剧院，很长的一串俄文字母，慢慢读下来，哦，是亚历山大·谢尔盖耶维奇·普希金剧院。真的，普希金就像护佑天使一样，护送着我们，一路向着他的纪念馆。

老刘说，他中学的时候读过普希金，现在还记得他的一首励志诗，叫《假如生活欺骗了你》，随口就背诵出来："假如生活欺骗了你，/不要悲伤，不要心急！/忧郁的日子里需要镇静：/相信吧！快乐的日子将会来临。"那一年他还在工厂里当工人，实在不知道自己的一生是否就要困在厂房里，像党委书记说的，"听快乐的机器在欢唱。"普希金的诗句给了他一些渺茫的安慰，后来恢复高考，他考进大学，好像应验了普希金的预言，让他一生忘不了这几句诗。老李说，他也记得一句普希金的名言。中学时，有位语文老师讲庄子的"吾生也有涯，而知也无涯。以有涯随无涯，殆已"。在讲解的时候，就举普希金的话"人的影响短暂而微弱，书的影响则广泛而深远"，说普希金的精神是昂扬向上的，年轻人应该多学习，对他产生了"广泛而深远"的影响，认真读书，

莫斯科普希金纪念馆

莫斯科普希金纪念馆里普希金的书桌（作者拍摄）

才成了今天的教授。

一路走一路聊，才发现普希金原来还影响了一整代中国人。我生长在台湾，俄国文学不是主流，到了美国才读普希金，年纪已经大了，读的是查良铮（穆旦）的中文翻译。虽然不能体会普希金俄文的美妙，但还是能感觉到诗人像云雀一般的自由翱翔，从天宇传来清脆嘹亮的歌声。他的抒情诗，表达感情的方式浪漫而优美，好似少女沐浴在清澈的山涧，吟哦着心底的爱恋。读起来，就像他诗句所说，“倾听着年轻姑娘的歌声，/ 老人的心也变得年轻。”俄国人说普希金，不只是俄国的，还是世界的。乍听像是学究的陈腔滥调，仔细想想，却很有道理。

莫斯科的普希金纪念馆是他的故居，是娶了俄国第一美女冈察诺娃之后的新家，虽然住的时间不长，却留下了一段浪漫旖旎的佳话。普希金为了捍卫自己的名誉与妻子的名节，在圣彼得堡与人决斗，负伤而死，那是以后的事了。在他死前不久，曾写过一首“纪念碑”，有这样的句子：“不，我不会完全死去——我的心灵将越出 / 我的骨灰，在庄严的琴上逃过腐烂；/ 我的名字会远扬，只要在这月光下的世界 / 哪怕仅仅有一个诗人流传。……我将被人民喜爱，他们会长久记着 / 我的诗歌所激起的善良的感情，/ 记着我在这冷酷的时代歌颂自由，/ 并且为倒下的人［们］呼吁宽容。”

诗人已去，诗歌永存。

谢尔盖修道院

到达谢尔盖修道院的时间很早，大概是七点来钟。因为莫斯科一带的纬度高，十月初已是深秋，天才蒙蒙亮。巴士停在小镇的边缘，在一面高坡上，俯瞰缓缓低落又逐渐高起的田野。俄罗斯的田野真是辽阔，无边无际的，延伸到视野的极致，让我想到杜甫说的“决眦入归鸟”。修道院就坐落在原野之中的小丘上，背景是灰蓝的天际，映出一大片洋葱形状的尖塔，参差耸立，高低错落，的确壮观。远远望过去，修道院像一座中古的城堡，占据了优越的战略地位，防御工事修筑得十分严整，高墙矗立，墙外是城壕一般的田野谷地。清晨的冷风吹来，像野马奔腾过原野，我拉紧了衣襟，不禁冥想，修道院草创于一三四五年，正是蒙古金帐汗国统治俄罗斯的时代，创始修道院的圣徒是否想过，此地后来会成为东正教的圣地，以虔诚的信仰抵拒异教的侵凌？导游说，我们是一个团，要到九点半才能进入修道院，只好在清冷的秋风里等待，磨砺着参观的信念。

谢尔盖修道院，全称是谢尔盖圣三一大修道院，说起来十分拗口，却是俄罗斯东正教教会最重要的寺院，现为莫斯科和全俄牧首公署所在地。修道院始建于十四世纪初，先是由谢尔盖和他的哥哥两人在荒野里建起简陋的住所与教堂，开始宗教苦修生活。荒野苦修实在太过辛苦，经常是饥寒交迫，哥哥忍受不了风霜雨雪的严峻考验，转去莫斯科的修道院。谢尔盖却坚持了下来，独自在荒野的磨炼中证道。慢慢的，谢尔盖信仰上帝的苦修与坚持传开了，有些修士受到感召，也来到这片荒野，逐渐扩大了修道院的规模。六百年下来，今天的谢尔盖修道院规模宏伟壮丽，不亚于一座皇城，

谢尔盖修道院

一九九三年被列入世界文化遗产名录。

有一个传说，讲谢尔盖的圣迹流传得很广，让修道院添上了神秘而庄严的色彩，使信众在此顶礼膜拜之时，感到自己可以接近上天的恩宠。据说有一天夜晚，当谢尔盖为修士们祈祷之时，突然听到天际传来一声“谢尔盖”。他十分惊奇，不知声音来自何处，打开窗子四望，渺无人迹。突然，天穹大放光明，从空中传来洪亮的昭示：“谢尔盖，上帝已经听到你的祈祷，三一的荣耀于此降临，着你点化修道之人。”接着，空中飞来白色的鸟群，停满了修道院的空地，声音又传来：“跟随你的修士，会多如鸟群，只要跟随你，他们就永不匮乏。”我总是怀疑，这个圣迹既然只有谢尔盖一个人亲历，应该是他自己传出的。不论如何，谢尔盖修道院有此圣迹，也就有了号召力，聚集有志修道的信众，蒸蒸日上，成为俄罗斯最大的修道院。

进入修道院，看到来来往往的修士们都穿着黑色的长袍，头上还顶着黑色的巾帽。古树下，门廊边，三三两两，聚精会神地讨论着什么。我不好意思凑近前去，何况凑到前头也听不懂他们的言语，于是就站得远远的，看他们讨论的姿态。有位白胡子老修士，态度特别沉稳优雅，说话时白胡子微微掀动，好像微风吹动了湖上的涟漪。旁边的中年修士点着头，露出微微的笑容，像是领会了什么奥义。清越的钟声响起，袅袅不绝，回荡在一座座教堂之间，缓缓散去。远处走来一位年高德劭的神甫，胸前挂着金色的十字架，氛围似乎也肃穆起来。有几位戴着头巾的妇女靠拢了神甫，屈身行礼，然后吻了他手上的戒指，再鞠躬而退。应对进退，有条不紊，一切都有规矩，一切都肃静安宁，的确是修道人精神提升的理想境地。

修道院最吸引观光客之处，还是那些各式各样的教堂金顶。有像洋葱的，像蘑菇的，有巍然耸立的，聚成一堆的，高低错落的。主要是金色，也有蓝底金星的、蓝底金环的，还有苍绿色的屋顶矗立着金色的尖塔。

太阳升起了，金光闪闪，神圣的三一荣光四射，修道院灿烂辉煌，像信众心里的天堂。

原文刊载于《书城》

2014年11月号

苏州行脚（五题）

文徵明画展

研究明清书画的老白来香港，在城市大学做了一系列精彩讲座之后，到上海图书馆去演讲，讲他擅长的书牍文化与文人交往。临行跟我说，最近苏州博物馆正举办文徵明书画大展，你要是来上海，别忘了跟我联络，我和你一起到苏州去参观。过了一个月，我到复旦大学讲学，打电话给老白，想抽出有空的一天去苏州。电话那头就嚷嚷起来，啊呀，你怎么现在才来，我已经去看过了，洋洋大观，真是好。可惜明天就得回美国，没法陪你再去一趟了，还好展览继续，您自个儿去参观吧。我说，没事，没事，已经跟苏州博物馆说了，馆长会亲自接待。

乘动车去苏州，本来以为行程是半个小时，可以打个盹，没想到二十四分钟就到了。眼睛才刚闭上，还没进入梦乡，就听到广播说苏州到了，只好匆匆下车。正在我晕头转向的时候，看到画院的老凌在车站出口向我招手，在他下颌短短的胡须上面，露出和煦的微笑。每次看到老凌，都有一种宁静祥和的感觉，因为他办事从容不迫，有条不紊，让人安心舒坦。他开了一辆大车，带我到南林饭店，帮我安顿好行李，说要先请我吃午饭，然后让我休息四十五分钟，再到苏州博物馆门口会面。博物馆方面，他已经跟馆长说好了，馆长亲自接待，还会安排一个专家导赏展览。我说十全街这一带我熟悉，附近的同德兴面馆有最好的苏州大面。他是风度儒雅的人，从来不争，于是两个人一道，每人都吃了一大碗红汤焖肉面，倒是十分满意。

回到饭店休息了半个多钟头，舒舒坦坦，招呼了一辆出租车去博物馆。苏州本地的出租车司机居然搞不清楚苏州博物馆在哪里，颇令我气闷。不过转回头来想想，香港的士司机也不一定非得知道文化博物馆的方位，也就释然。告诉他，紧邻着拙政园，靠西边。司机大概是新手，把我载到拙政园东边的停车场，害我走了好大一段路，穿行过拙政园前兜揽观光客的导游，一一摆脱他们的纠缠，像关老爷过五关斩六将那样，相当费神费事，结果当然是迟到，让老凌跟他美丽的夫人在博物馆门口痴痴地等了好一阵子。

坐在馆长室内，啜着细嫩的碧螺春，听馆长讲筹办文徵明大展的经过，倒是很惬意。不过，筹备的过程却相当辛苦，从二十多家国内外博物馆商借近七十件书画精品，听起来就不简单。其中的折冲樽俎，也不亚于外交使节在联合国大会上的工作。让我纳闷的是，除了苏州馆藏的一幅直轴与一批尺牍之外，其余的展品都是借来的，大量来自北京故宫博物院、上海博物馆、辽宁省博物馆、南京博物院，还有几幅来自夏威夷的檀香山博物馆与耶鲁大学美术馆。文徵明是苏州人，是吴门画派的领军人物，生于斯，长于斯，画于斯，在苏州的文学艺术界几乎活跃了一个甲子，不但画名满天下，而且子孙后代绵延瓜迭，富甲一方，怎么他的书画作品都流散四方，苏州本地反而留存不多呢？反过来想想，也可以解释说，因为文徵明名扬四海，书画作品都是艺术瑰宝，为人珍爱，各地藏家不惜巨资收藏，甚至流入内府，所以不胫而走，流传海内外。馆长还说，本来安排了向纽约大都会美术馆借展几件作品，结果因为时间仓促，没能安排，可惜了。这就让我想起国外是有不少文徵明的收藏，而且偶尔还会出现在拍卖场上，拍出一个天价，让我们这些穷教书匠徒叹奈何。记得二十多或三十年前，纽约苏富比拍出一幅文徵明的大直轴，落槌四十万美元，引得《纽约时报》做了报道，说是打破了中国画拍卖的最高价钱。算起来，也不过三百万人民币，放在今天，山西煤老板连眉头都不皱一下，就可以买上十幅。馆长说，那个时候中国穷啊，不要说三百万了，当时出了个万元户，就大张旗鼓，满世界报道，谁买得起文徵明？也难怪中国书画精品会流向海外，人往高处走，水往低处流，艺术精品归有钱人所有。现在中国总算是富起来，可以收购一些艺术精品了，苏州博物馆也会多收一些吴门画派作品的。

苏州博物馆开了三个展厅，让文徵明艺术追求的优雅与曼妙，能够尽量飞越过时空的限制，铺展在现代人的眼前。有些作品是我非常熟悉的，如故宫博物院藏的《惠山茶会图卷》(1518)，是文徵明中年时期的杰作，画他在清明时节，与蔡羽、汤珍、王宠等七人，在无锡惠山泉品泉试茗的情景。然而，过去我只看到文徵明的画，没看过画卷引首蔡羽写的长序，也不知道拖尾有蔡羽、汤珍、王宠的跋诗，洋洋洒洒，长度居然超过了画作本身的三倍。蔡羽的字十分工整娟秀，乍看有点像文徵明的小楷，如爽朗晴日悠游山林，很有高士风范。蔡羽序中说到，七个好朋友到了惠山："天忽霁，日午造泉所。乃举王氏鼎，立二泉亭下。七人者，环亭坐。注泉于鼎，三沸而三啜之，识水品之高，仰古人之趣，各陶陶然，不能去矣。"他的跋诗有《酌泉惠山》一首："惠麓烟中见，名泉拄杖寻。蔽亏多翠木，宛转向云林。世有煎茶法，人无饮水心。清风激修竹，山古得余音。"还有一首写给文徵明的《虎丘别征明》："与可难分手，流连到日西。且随青雀舫，同醉白公堤。晚霁春郊秀，时花驿路迷。兰陵星夜会，早听出关鸡。"蔡羽写了一长串五律，书赠同游的

文徵明《惠山茶会图卷》

朋友，共十四首，工工整整录在画卷的拖尾上，真是赏心悦目。后面还有汤珍八首及王宠九首吟作，也都聚精会神，各显书艺，题写在卷尾。我心想，真得感谢苏州博物馆用心的安排，展出了全卷，这才是欣赏画卷的真谛，不但看到文徵明的画，也看到好友们相聚唱和的情景，其乐也融融。

我一向喜欢文徵明的小楷，时常称赞香港艺术馆虚白斋收藏的文徵明小楷书法，百看不厌。这次展览也没让我失望，看到了一卷藏于江西省博物馆的“小楷铁崖诸公花游倡和诗”，写得真是漂亮，文采风流，不可一世。然而，这次真的让我大开眼界的，是上海博物馆藏的一卷“草书七律”，写的是正德十四年（1519）宁藩王朱宸濠造反失败被擒之事。这个朱宸濠谋反之初，曾处心积虑安排，延聘四方人才，吴中地区的唐寅、谢时臣都曾被他诱致门下，文徵明却拒绝礼聘，不肯前往。这卷草书，恣肆不羁，跳掷狂叫，大有怀素狂草之风，不类文徵明平素谨言慎行的风格，想来是看到宁藩王叛逆遭擒，不胜庆幸，从心底欢呼雀跃，自然流露了兴奋之情，也就冲决规范之网罗，狂他一把。此卷近收尾处，有四行字龙飞凤舞，精彩万分：“昨已到 / 梧桐。云迷八 / 骏应回辔，寒 / 入三边。”那最后的“入三边”三个字，像《逍遥游》里讲的鲲化为鹏，“水击三千里，抟扶摇而上者九万里”，真是令人目迷神摇，不敢仰视。

如此精彩的展览，匆匆看了一个下午，虽然过瘾，却因为还有一大批书画要留待第二次展览，不禁感到有点遗憾。老凌夫妇说，留点遗憾也好，下次还得来。他们恰好晚上有事，没法陪我。第二批书画要到元旦前后才开展，过年的时候再来参观吧，到时候再聚，总得好好请一顿地道的苏州美食。老凌和我握别，要我下次多留几天，看看他的新作品。然后，眼帘垂下来，默默地，不再说话，好像有什么心事。

苏州博物馆

参观苏州博物馆，徜徉在新馆的建筑之中，突然灵思一动，若有所悟，想跟贝聿铭商榷一下他设计此馆的得失。

苏州博物馆坐落在苏州古城的东北区，紧邻着拙政园，旧馆是太平天国时期的忠王府，新馆则是建筑大师贝聿铭的精心之作，落成于二〇〇六年。时常听人说，贝聿铭设计的苏州博物馆，优美典雅，让苏州引以为傲，是古典与现代最具典范的结合，是空间与时间最有默契的映照，是实用与审美最佳组合的实践，是东方与西方最为和谐的交融。这些赞誉之词，铺天盖地而来，的确令人陶醉，我听无数建筑界的朋友说过，足足听了五六年，逐渐渗入脑海，似乎成了无可置疑的真理。一想起来，就有点飘飘然，好像中国传统文化终于现代化了，而且融合了西方文化传统，从建筑与园林这个立足于审美的文化场域，开拓了中国文化的未来。

因为常去苏州，考察昆曲与园林之余，也经常参观苏州博物馆，算起来总不下五六次了。每次参观，都觉得贝聿铭的确别具匠心，在现代设计中融入了苏州园林的妙蕴。展览厅的设计符合现代美术馆的采光要求，同时又有传统复壁隔窗的设置，好像进入了古人书斋，感受到苏州历史文化的氛围，却又经过了现代建筑科技的整治，可以在亮亮堂堂的空间，观赏传世的艺术珍品。时常转过一道回廊，蓦然回首，就看到一扇轩窗，窗外映着翠绿的修竹，令人惊艳。走在长廊的尽头，居然会发现一座隐蔽的院落，茅茨覆盖的轩亭，让人有田园归隐之思，也不禁想到《红楼梦》大观园里的稻香村。

《红楼梦》第十七回，写稻香村的风光："隐隐露出一带黄泥墙，墙上皆用稻茎掩护……里面数楹茅屋，外面却是桑榆槿柘，各色树稚新条，随其曲折，编就两溜青篱。"一派田舍家风，却遭到贾宝玉的批评，说是违反天然，既无自然之理，也无自然之趣："分明是人力造作成的：远无邻村，近不负郭，背山无脉，临水无源，高无隐寺之塔，下无通市之桥，峭然孤出，似非大观。……正恐非其地而强为其地，非其山而强为其山，即百般精巧，终不相宜。"曹雪芹果然是兰蕙其心，短短的一段文字描述，就能一针见血，点中了园林建筑人工穿凿的要害。贾宝玉的批评，完全可以拿来探讨苏州博物馆的建筑，揭示贝聿铭设计所面临的难题。苏州博物馆的巧思，在于运用苏州园林的元素，具备一切中国园林建筑的文化符号，企图化人力为天工，是“得”。问题出在，元素都已应用，符号都已展现，却显得刻意雕琢，鼓着劲在那里展示苏州园林的“天然图画”。在我们眼前，每一个景都是硬造出来的，留下惨淡经营的痕迹，虽说是依据了传统营造的风格，却远离天工，十分不自然，是“失”。

明末的计成在《园冶》里说：“园林巧于因借，精在体宜，愈非匠作可为，亦非主人所能自主者；需求得人，当要节用。因者：随基势高下，体形之端正，碍木删桠，泉流石注，互相借资；宜亭斯亭，宜榭斯榭，不妨偏径，顿置婉转，斯谓‘精而合宜’者也。借者：园虽别内外，得景则无拘远近，晴峦耸秀，绀宇凌空；极目所至，俗则屏之，嘉则收之，不分町，尽为烟景，斯所谓‘巧而得体’者也。”计成强调“因借”，即是强调顺应自然形势，从奠基筑室，到迭山理水，都要从环境的整体来考虑，而且要配合山水地貌的生态，融入自然。贝聿铭设计苏州博物馆，应该参考了计成的造园传统，或许面对难以克服的现代城市规划，无法遵循古人的教训，只好筑起一道现代建筑的围墙，与外界隔绝，再铺排传统文化元素与符号，闭门造车，建起一座模拟自然的人造园林建筑。

计成说，“夫借景，林园之最要者也。如远借、邻借、仰借、俯借、应时而借，然物情所逗，自寄心期，似意在笔先，庶几描写之尽哉。”贝聿铭是否也想如此营造，却做不到呢？

雾起雾散

早上起来，天蒙蒙亮，看不清窗外的景色。走近落地窗边，望出去，海景依然罩了一层黑夜的纱幔。远处射来一些光线，零零散散，像是不协律的琴声，断断续续，从后台飘出，透过黑纱，变成星星点点的迷蒙幻象。晨曦像是得了重

苏州朴园

感冒的少女，闷闷的，无端无绪，慵懒地趴在床上，连欠个身都很不情愿。望着逐渐泛灰泛白的天色，朦朦胧胧，不禁想起昨晚收到的短信。

短信是由苏州发来的，告诉我，画家老凌跳楼了，享年五十九岁（注：朋友弄错了，其实是五十二岁）。赶紧打电话去问，怎么回事？我上个月还跟他一道，在苏州博物馆观赏了文徵明书画大展，告别的时候，他依依不舍握着我的手，说下次多留几天，有许多新作品给你看，有好多话要跟你讲。言犹在耳，怎么就撒手走了？而且是从高楼上跳下来，就那么一跃，人天永隔了。琼楼玉宇高处不胜寒，在冬至刚过的时节，真的就那么寒冷，真的就熬不过这一季冬天，必须在画笔舞动得酣畅的时候为生命创作惊世骇俗的高潮，给自己的人生做出断然的了结？

朋友在电话那头说，详情他也不清楚，只听说是忧郁症，从画院的办公楼上一跃而下的。老凌有忧郁症？我怎么不知道？跟他交往，总觉得他很开朗，对朋友诚恳热心，乐于助人，经常放下自己的工作，优先处理别人的事。他下颚留着短短的须茨，照顾得像公园里精心修剪的苗圃，头发却有点杂乱，像棕榈树朝天耸立，有点不修边幅的艺术气息。笑起来有点腼腆，却很优雅，使得他崚嶒阳刚的脸庞，显出一种别有意趣的温馨。他怎么会跳楼呢？在画院的办公楼上，在那雅致精美的小院，有着苍松红枫，掩映着亭台荷池的园林里，朝晖夕阴，晨雾暮霭，时时刻刻都让人感到舒心惬意，是城市纷扰之中的一方净土，到底是什么锥心刺骨的忧郁，逼得他跳楼呢？

他是画院的院长，管辖着这片静雅的园林，时常独自一人在画室里工作，悠游于艺术想象的天地。有时他也暂时离开自己手上的工作，偕同美艳的娇妻，在园中隐蔽于老松竹篁里的小阁，请我们喝茶，嗑嗑瓜子，吃苏州糕团，谈他欣赏的老苏州古典风格，以及自己潜心追求的艺术突破。我们会在茶香氤氲之中，观看临窗水池的荷荇，在微风中轻轻摇曳，构思如何为他安排来年的画展，构思展览的主题。还有一次请他做了安排，借了园中的小阁，会集我在苏州的学生助理，讨论苏州昆曲传承的研究计划，安排数据搜集的步骤与进度。他还专程来探看，说对不住，打扰了，只是要保证有足够的茶点，茶资已经付了，让我们可以心无旁骛，安心讨论。

上个月我乘火车去苏州，他说会安排司机，到车站来接我。到了苏州站，晕头转向的，不知从哪个出口出去，只好打电话再问。他说，往南出口，顺着大家走就是了。往前没走几步，就发现他站在南出口，冲着我笑，说我自己来，保证你丢不了。他开一辆大型的家庭旅游车，很时髦的那一款，把我载到十全街的南林酒店，说你整顿一下，我们一道吃午饭。我说，中午简单点，旁边有家著名的苏州面馆，我们吃面去。于是，两个人坐在临河的窗口，一人一大碗红汤焖肉面，又点了几个小菜，天南地北谈着。苏州小菜偏甜，一小碟清炒冬笋雪菜，大概放了两勺糖，像吃甜点一样。他听我抱怨，就笑，说苏州人的生活就是甜，人们喜欢过甜蜜蜜的日子。

看着眼前的迷雾蒙蒙，我实在不懂，为什么他就这么走了，而且走得这么惨烈？他说有好多话要跟我讲，是要讲什么呢？说他的日子并不像他的笑容，过得并不甜蜜吗？要告诉我，其实人生有许多纠结，艺术追求与现实会遭遇矛盾与困境，是笑容也排遣不了的吗？我实在想不通，只感到无限怅惘，一个好朋友就这样，晴天霹雳，消失了。

天慢慢亮了，雾气逐渐散去，眼前的海湾也清晰起来。我站在窗前，却陷入悲哀的迷雾。

苏州半日

大年初三，安排了半日之旅，计划得十分周密，要到苏州走亲戚，给老人家拜个年，顺便到苏州博物馆观赏文徵明大展的第二批书画，然后到艺圃喝茶，凭栏看一池午后的宁谧。艺圃藏身在阊门内的文衙弄，是文徵明曾孙、天启年间状元文震孟始建的，远离现代市嚣，不通汽车，要穿过曲曲折折的巷弄才能走得到，因此也就没有观光团前来亵渎。和园冶叶放一商量，他说艺圃地方好，不过下午有领导来参观他的南石皮巷小园，得招待一下，好在领导只是蜻蜓点水，不会久留，到时再联络，可以稍晚来喝茶，共进晚餐。昆曲名家周秦听说我来，更是大喜过望，说每年正月初三例有曲会，今年在沧浪亭，先来听听曲，然后再喝茶，不亦快哉。于是拟定了详细的行程：从上海乘高铁，十一点四十到苏州，乘出租车去十全街，到同德兴吃碗红汤的苏州焖肉大面。十二点半到博物馆，观赏文徵明，一个多小时足够，两点到沧浪亭听曲，点个卯，两点半给老人拜年，三点十五分到艺圃喝茶，偷得浮生半日闲。

没想到，事与愿违，现实总是不肯轻易就范。我精心策划的半日游，居然一到苏州就碰壁，撞了个头晕眼花。同德兴大门紧闭，上面贴了张红纸条："本店已放假，年后开张日，另行通知……"好个"另行通知"，气吞河岳，有魄力，有胆识，有派头，是我见过餐饮业过年放假最牛的通知。没办法，只好退而求其次。记得十全街一转角，不过五十米之遥，有间小面铺，虽然不及同德兴美味，也还可以。于是走向前去，一看，已经改为小菜馆了，而且人山人海，拥挤到了马路上，大呼小叫，比集市上叫卖还要喧闹。心想，我千里迢迢来到苏州，只想吃碗简单却地道的苏州大面，在二十分钟之内完成第一项计划，绝不能奋不顾身，对抗饥饿的群众，把时间耗在午饭上。就想到十全街有家老苏州，卖的是苏州家常菜，赶紧折返回去，解决吃饭问题。

到了老苏州，也是满堂客人，问问要等多久，答曰今天不接散客。咦，这家饭店从陆文夫参与经营以来，我就时常光顾，少说也有二十年了，从来没吃过这样板起铁面孔的闭门羹。没想到过年期间，是这样对待老顾客的。只好退入清冷的街道，寻寻觅觅，凄凄惨惨戚戚。还好灵机一动，想到往前再走五十米，在乌鹊桥街口有家面馆，或许还有温饱的机会。走过去一看，没错，是观振兴面馆，是间百年老店的分店，不幸的是，铁门深锁，也放年假，贴了红纸条，说初八才开。怎么办？带着精心设计的游览计划，老远跑到苏州，却寸步难行，连碗面条都吃不到。连番打击之后，只好向现实低头，满腹委屈，踏上观光羊群的道路，挤到集市中心地带，任人宰割吧。观前街或拙政园一带，游客蜂拥，既有麦当劳，也有肯德基，或许还有面馆开门。于是，打了辆出租车，往观前街的方向前去。正在车上抱怨吃不到面，商量去哪儿，司机听到了，就说，前面凤凰街不远，有家近水台，今天还开张的。于是，掉了头，转过弯，回到最初寻觅吃食不远，再往前一百米左右，看到了近水台面铺，店里人头涌动，知道有得吃了。

这家近水台面馆是百年老店，看起来普通，却颇有来历。游客到苏州餐饮，一般都去玄妙观前，不是松鹤楼，就是得月楼。松鹤楼是乾隆下江南，御驾亲临过的所在，现代群众告别革命之后，听说是皇帝老子赏光的地方，当然趋之若鹜。得月楼则是电影《满意不满意》里的饭店，本来是虚构的，却生活源于艺术，让唯心的艺术想象，转为唯物客观存在的生活现实，变成名闻遐迩的大饭店。真要强调艺术源于生活，就得知道，得月楼的真实样板，原来就是近水台。近水楼台先得月，没错的。到了店里，先给自己点了一客焖肉面，给太太一客猪肝面，犒赏饥寒交迫的胃肠。面上来了，白乎乎的躺在汤碗里，上面洒了细碎却十分雅致的青绿色葱花，看来很悦目。吃了一口，有嚼头，汤头也好，很不错。似乎还不过瘾，两个人又加了一块焖肉、一块爆鱼，吃得不亦乐乎。

吃完了面，已近两点。经过这么一折腾，原来的计划完成不了，只能拜年访友，听曲吃饭，博物馆与艺圃只好割爱，留待以后了。

沧浪亭听曲

大年初三到苏州探访亲友，恰好赶上苏州一年一度的沧浪亭曲会，曲家周秦在电话那头呵呵笑着，告诉我聚会的时间，要我必定参加，一来可以团聚拜年，同时也享受城市山林的雅趣，何乐而不为？

沧浪亭是我时常驻足之处，每次到苏州，经常就在沧浪亭出没，有时并不进去，只在园门外的石桥上停留一会儿，望望那一汪围绕院墙的池水，就感到内心出现一种恬静的乐趣，像池里冒出的水泡，带着古远的诗意，汩汩涌上心田。走近沧浪亭，心情会逐渐宁静，是相当神奇的心灵感悟。好像那一汪池水蕴含了古人造园的匠心，从园内的迭山，一直舒展到园外的理水，不但规划了清风明月驻足的雅境，还划分了心灵的地界。“阴阳割昏晓”，设计了一条水脉，像古代城堡外面的壕沟，可以抵挡红尘喧嚣的侵袭，更像桃花源外的流水，不经意流过俗世的纷纷攘攘，等待有缘的渔人来问津。

沧浪亭一名，来自春秋战国时期流行的《孺子歌》，在《楚辞·渔父》中引作渔父的唱词：“沧浪之水清兮，可以濯我缨；沧浪之水浊兮，可以濯我足。”选取“沧浪”作为园名，当然让人联想到屈原说的“举世皆浊我独清，众人皆醉我独醒”，为国家忧心，为世界憔悴，同时也想到渔父所说的举世滔滔，清者自清，浊者自浊，只能和光同尘，明哲保身。北宋时期苏舜钦遭到贬斥，在苏州初建沧浪亭，就感叹“仕宦溺人为至深”，连古代的“才哲君子”都一不小心就自身难保，陷于死地，也一定是想到了屈原的悲剧下场。所以，他花费了四万钱，买下了苏州文庙旁边的这块“崇阜广水”的野地，建起了沧浪亭，让“光影会和于轩户之间，尤与风月为相宜”。于是，有了这片栖息徜徉之地，就可以饮酒高歌，可以仰天长啸，爱坐就坐，爱躺就躺，“形骸既适则神不烦，观听无邪则道以明”。回想起自己过去在官场的生涯，亟亟于荣辱，担惊受怕，“日与锱铢利害相磨戛”，沧浪亭的清风朗月，不啻神仙生活。

冬日的沧浪亭有点落寞，园外的残荷连枯枝都已断尽，只能隐隐约约看到池底还有些残枝的痕迹。进得园来，沿着西边的墙垣而走，突然就看到一树淡粉色的花木，出人意料的灿烂缤纷。也不知是什么冒着冬寒盛开的花树，一簇簇花朵密集在墨绿的丛丛枝叶中，像是春天的杜鹃开错了时令，也开错了树种。倒是给人带来了意外的惊喜，在新春时节看到了比梅花还亮丽的绽放，让园林增添了几分莫测高深的美感。循着园西的回廊，穿过亭台轩厅，一直走到后园的明道堂、闻妙香室，都没见到曲会的朋友。再绕过一片竹林，到了看山楼，也没见到任何曲会的踪影，不禁起了疑惑，打电话询问。周兄又在电话那头呵呵起来，说你们一进园门就朝着西方，向右走，误入歧途，走了右派的道路。我们在园门东边，要靠左走，在假山前面，复壁长廊起始之处，就是唱曲的面水轩，临窗可以看见园外的一池涟漪，很有情调的。

于是我们绕过了假山，来到了面水轩，见到了雅集的曲友。周兄吹起昆笛，乐音袅袅，像清风，像明月，像山岚，像彩霞，让我想到苏东坡在《赤壁赋》里写的："如怨如慕，如泣如诉，余音袅袅，不绝如缕。"随后就有一位曲友唱了一段《牡丹亭·惊梦》里的"山坡羊"："没乱里春情难遣，蓦地里怀人幽怨……"水磨调曲折婉转，好听极了，散入曲曲折折的园林小径，散入层层迭迭的假山石峰，融入了沧浪亭冬日的风景光影。

原文刊载于《书城》

2014 年 4 月号

夏日烟云在苏州

一

苏州开车出城，往西南的方向，远远就看到了湖山交错，林木葱郁，一派郊野景象。朋友说，这一片是石湖景区，近来修整得不错，很有田园风味。我们要去的旺山村，离此不远了，就在湖后面靠山一带，可能也算是古代石湖地区的一部分。啊，石湖，那不是石湖居士范成大寓居的地方吗？读宋代文学，总是说范成大是田园诗人，写了许多田园诗，歌咏江南的农家风光。小时候还背过《夏日田园杂兴》中的一首，描绘农家儿童跟着大人学农活，自然天成，淳朴可爱："昼出耘田夜绩麻，村庄儿女各当家。童孙未解供耕织，也傍桑阴学种瓜。"朋友说苏州城里的风光我们都熟悉了，这次好不容易来苏州，只有半天时间，偷得浮生半日闲，应该到城外去呼吸点新鲜空气。有个依山傍水的旺山村，发展成了度假养生的生态园区，可以吃农家菜。他还在山村里发现了一家精致优雅的咖啡屋，咖啡不错，值得消磨初夏的永日。

旺山村的农舍一律白墙黑瓦，掩映着花木光影。村子当中是些两层的小楼，隐在浓密的树丛之中，间中有条后巷，可以看到家家都置备了中央空调，设备相当先进，像是一区现代的别墅群。我们去的农家饭庄颇有规模，完全不是过去的村俗饭堂，不但有着青砖院落，还有一条幽深的仄径，通往古色古香的篱门，引向雕梁画栋、十分堂皇的厅堂。进去之后，才发现厅堂后面是一排敞轩，沿着溪渚而建，可以临窗观赏山岚溪色，很像宋元山水画里的水榭。初夏时节，枇杷还不曾转黄，青青涩涩的，隐在叶丛中，芦苇与蒲草却在水边长得茂密。有个农妇隔着溪渚，在对岸水边打草，远远的，看不清楚她在收拾什么，也许她在那里收割初萌的茭白，捡拾暮春过后水渚所提供的初夏风情，让我们久候了一冬的味蕾向往，得以尝鲜。

农家菜不急，是晚餐项目，于是，先到山村的咖啡屋去歇歇。在村中蜿蜒的后巷七绕八绕，在一片树丛中见到一曲回廊，回廊后面是一面高耸的白墙，看来是传统的苏州园林建筑。曲尺形的回廊尽头，摆着两张方桌，围着五六把竹椅，平淡无奇的传统茶室布置。回廊当中开了一扇月洞门，当我们转身进入门后的院落，景色陡然一变，迎面是五彩缤纷的花草，浓郁纷杂的花香扑鼻袭来，让我一时回味不及，不知道是否穿越了时空，到了什么琅嬛仙境。院中开满了鲜花，有鲜红及粉黄的玫瑰，有橘红色号称洋牡丹的花毛茛，有鲜黄的雏菊，五颜六色的绣球花，报春花、三色堇、非洲堇、秋海棠，还有许多不知名的花草，争奇斗艳。围着屋厅是老式雕花木门与木头窗格，从屋檐垂吊下来的花盆，开满了像牵牛花又像凤仙花的红红绿绿，衬着垂下丝丝缕缕的茑萝，完全不是我过去习见的江南风景，倒像法国南方的普鲁旺斯。

初夏的阳光十分和煦，天是湛蓝的，偶尔飘过一两丝云缕，像画家随手涂抹的诗意。我们坐在院落中，悠悠闲闲，倚着漆成粉红色的桌椅，喝咖啡拿铁，喝奶茶。高高的白墙边上有一棵柚树，刚抽芽不久，叶脉嫩绿嫩绿的。树阴后面是黑瓦铺就的屋顶，有群麻雀在吱吱喳喳，后来又听到燕子啾啾，像田野的合唱。我记得范成大有首“鹧鸪天”词，上阕描写石湖一带的夏日风景：“嫩绿重重看得成，曲栏幽槛小红英。酴醾架上蜂儿闹，杨柳行间燕子轻。”

朋友笑着问说，这里好吧？我说，真是赏心悦目，舒适得像蜷曲在屋角晒太阳的猫咪，好像世界已经停止运转了。他说，这家咖啡屋自称“知味恋歌”，非常小资，有点像韩剧扭捏作态，我要发微信，你给起个名吧。我说，这里很特别，是山村里的南欧风味，江南的普罗旺斯。

二

夏日炎炎，却得顶着大太阳逛古镇、游园林；汗流浃背，依然穿梭在发烫的青石板路上，伫立在一块块发灰的石碑前，揣摩漫漶的字迹，从若隐若现的断句中，推想当年官府立碑的用意。摄氏三十七度的大热天，在观光客熙来攘往的通衢上读碑，好像是李成《读碑窠石图》的后现代反讽，既没有朔风呼啸过的寒林，又不关寂寞千秋的怅惘。读碑怀古的幽情，在二十一世纪的三伏天，即使是在经历了两千五百个春秋的苏州，也早已蒸发得一干二净。在那些举着手机到处拍照的新新人类眼里，我们这一群人，不去观赏小桥流水人家，一个劲趴在路边墙角，议论一块黑乎乎的大石头，大概是脑筋有点问题。

暑假期间，苏州大学为青年学者举办了两岸历史文化研习营，主题是江南文化。所以，只好由我们这一小撮死不悔改的资深教授，带着一大批传播封建遗毒的接班人，顶着炎炎烈日，循着古代文人墨客的足迹，穿梭在园林与古镇之间。在苏州织造府的故址（现在是苏州第十中学）上课，当然可以缅怀曹雪芹的爷爷当年在此饮酒赋诗打报告。实地进行文化古迹的考察，从苏州的沧浪亭、拙政园、留园、网师园、艺圃，远到扬州的个园、何园，更可以联系当时士大夫的高雅生活与社会经济发展的关系。考察文人诗酒风流的园林还好，幽径总有遮蔽的林阴，还有亭台楼阁的阴凉角落。考察古镇古街就不同了，不管是通衢还是窄巷，灼热的太阳总放不过你，由四面八方射来阿波罗的金箭。不论是从虎丘经七里山塘走入阊门，穿梭在陆巷古镇的六条巷道，走在用直沿河的石板路上，还是在瘦西湖寻觅乾隆皇帝下江南的遗迹，太阳总是死死地追着你，让你知道“万物生长靠太阳”的厉害。

考察期间，苏州本地的朋友听说我来，怕我热坏了，送了我一箱阳山水蜜桃，说可以解暑。阳山水蜜桃是无锡特产，个头不小，裹着一层红白绒毛的细皮，闻起来有一股清甜的香气，让人联想到裹着皮裘出塞的昭君。朋友说，完全熟透的时候，果肉嫩得像豆花，剥开一个小口，可以像吸食奶酪那样，把果肉一吸而尽。我试了一个，虽然不像朋友夸张得那么厉害，却真的是香甜软嫩无比，吃得汁液横流，满手都沾染了水蜜桃的芬芳。

过云楼的朋友也来了，要我给他们题个匾额。我说，没有顺手的毛笔，怎么写得出像样的字？他们说，不要紧，不要紧，总比我们自己写得好。我也不知道这算不算赞誉，只好找了一支还算顺眼的羊毫大楷笔，随意挥洒了几个字交差。他们围上前来，都说好。第二天，提了一箱梨来，说不成敬意，但是，这是本地最好的翠冠梨。别看它长得不怎么秀气，有点粗头愣脑的，表皮呈暗绿色，没有诱人的光泽，吃起来可是好格。我还真是孤陋寡闻，没吃过翠冠梨，于是，削了皮，试吃一个。这一入口，才知道天外有天，梨外有梨。不但比鸭梨脆，也比日本水晶梨丰润多汁，咬下去，满口芳香，而且有一股清灵的气息，好像喝清明前后的西山碧螺春，香气从口腔直冲上鼻窦，盘旋萦怀不散。朋友说，不错吧，这种翠冠梨就产在苏州城外的翠冠山，好吃极了，不但消暑解渴，生津养颜，还能止咳化痰。我说，的确好吃，真是梨不可貌相，大江南北，打遍天下无敌手，不但压倒天津鸭梨、日本水晶梨，甚至比同仁堂的梨膏还要好。朋友大笑，说哪有这样称赞法的。

在江南考察文化，印象最深刻的，居然是阳山水蜜桃与翠冠梨。

三

太湖千顷波涛，在浩荡苍茫之中，蕴育着秀丽的东山及西山二岛。东山岛因为湖沙淤积，大概从唐代以来，岛屿的北端就与陆地连接，成了东山半岛。西山则处在湖水环抱之中，与陆地保持一种矜持的距离，一直到十来年前，地方政府建了西山跨湖大桥，让苏州人不必荡舟就可以登岛。东山及西山，又称洞庭东山及洞庭西山，或称东洞庭、西洞庭，不熟悉苏州地区地理名称的人，时常望文生义，以为说的是湖南洞庭湖一带的地望。十几年前，我和一群“赏春茶、聆昆曲”的香港朋友，乘车到洞庭西山去实地观察碧螺春的制作，站在茶农家的院子里，用粗瓷茶碗品赏过刚刚炒好的春茶，还游览了林屋洞、包山寺、石公山。洞庭东山却一直没去过，直到前年，才因缘际会，住进了规格最高的东山宾

清人绘王鏊像

馆，听说是享受了国家领导人的同级待遇，可以从别墅房间，打开落地的玻璃门，在自己的阳台上，指点江山，一览浩瀚无边的太湖烟波。

最近再访东山，是带着两岸历史文化研习营的学员，考察明清江南文化去的。我们师生六七十个人，分乘两辆游览车，浩浩荡荡，到了东山的陆巷古村。古村大体上还保持了明清本色，不像大多数江南古镇已经彻底观光化了，到处卖些不伦不类的工艺品、批量生产的土产以及印上地名的T恤。陆巷当地人心目中，最显赫的古人，是明代弘治、正德年间的王鏊（1450–1524），因为他曾连捷解元、会元、探花，曾任户部尚书、文渊阁大学士，算是宰相级别的国家领导，光宗耀祖，让村民与有荣焉。在村里的石板巷道走一走，七绕八绕，总能看见三道木制牌楼，上题“会元”“解元”“探花”，所谓“三元牌楼”。村里人传说，王鏊本来应该中状元的，是因为有人嫉恨他的才华，向皇帝进谗言，才在殿试中名列第三。当地人还说，唐伯虎就是他的弟子，曾赞誉他为“海内文章第一，山中宰相无双”。传说得以流传，历久不衰，当然是出于爱护乡邦先贤的心理，倒并不奇怪。奇怪的是说，王鏊母亲姓陆，其村因此得名陆巷。不过，古村的导游却说，陆巷之名的来源很实际，说的是村子里的六条巷子，然后带着我们考察，一一指证。

其实，这个古村建于宋代，还出过一个更早的大人物，即是宋徽宗时的翰林学士、南渡之后的户部尚书叶梦得(1077–1148)。村子的尽头有个宝俭堂，据说始建于宋代，初名梦园，就是叶梦得故居。叶梦得晚年退居湖州石林，自号石林居士，不再回到陆巷，故居就在明初改称宝俭堂，世代为叶氏后裔所居。宝俭堂保持了苏州传统府第宅园相连的风貌，小巧玲珑，环水布置园林，虽然没有什么惊人的景色，却也能以小见大，十分精致细巧，不输于苏州城中的小型园林。可惜考察的时间有限，无法随兴徜徉，只能匆匆浏览，不过还是觉得，无边暑气之中透露了徐来的清风，令人心旷神怡。

我不禁想到，上海博物馆藏有赵孟頫的《洞庭东山图》，其中自题："洞庭波兮山嵯嶪，川可济兮不可以涉。木兰为舟兮桂为楫，渺余怀兮风一叶。”在太湖东山的古村中徜徉竟日，对比起苏州城里令人目迷的五光十色，再加上修建地铁日益堵车的现代化喧闹，真有扁舟缥缈之思。也就联想到，晚明的士大夫文人，经常来此游赏湖光山色，甚至建起乡野的别墅园林，时而退隐山林，以陶渊明自况，过起田园生活。

四

苏州人爱吃面，一大清早就要吃碗面，而且很挑剔，讲究的要赶在别人前头，吃一碗头汤面。顾名思义，这头汤面，就是下面的大汤锅里煮出来的第一碗面。要是动真格的，想吃一碗名符其实的真正头汤面，还真不容易，得在店门刚开，师傅才睁开惺忪的睡眼，穿戴齐整，烧开了第一锅滚水的时候，抢个头筹落单，点一碗白汤面或红汤面，另外配个焖肉，或是虾爆鳝浇头。假如你喜欢扁尖肉丝，喜欢酱汁肉排、雪菜黄鱼、狮子头、目鱼丝，当然悉随尊便。关键不在浇头，关键在那一碗面，要软硬适度，要清爽利落，像雨过天晴之后，天边出现一丝丝皎洁的白云，静静地，优雅地，谛观着人世间的流变。

这几年去苏州，总是到十全街上的同德兴吃面，特别喜欢店里的白汤枫桥大面，上面端端正正摆着一块焖肉。吃到嘴里，觉得一股爽气来自山峦深处，像魏晋高士写的山水诗，山是山，水是水，树脉是树脉，鸟鸣是鸟鸣，的历分明，让人吃得心旷神怡，不啻午后独坐，翻开一本谢灵运，清风徐来，水波不兴。跟苏州朋友说同德兴，好些人不肯去，嫌贵，说那里一碗面，在别处可以吃到两三碗呢。好吃固然是好吃，不是过日子的办法。我们每天早上要吃面的，一年三百六十五天，天天同德兴，日子还过不过？

朋友说的也有道理。吃面是日常生活的一部分，用阳明学派的说法，叫作"百姓日用"，正心诚意，知行合一，自然展现赤子良心，是极其朴实的圣贤之道，不是耍花头，不兴争奇斗艳的。一般人过日子，安安稳稳，平平实实，吃面就吃面，打工就打工，饥来饭饱困来眠，没有像我这样，丧家狗似的，寻寻觅觅，一门心思盘算哪一条街上的哪一家面店的哪一碗面，栖栖遑遑，不可终日。不就是一碗汤面吗？

这次来苏州，和一位苏州本地的司机聊天，当然还要说到苏州的面。司机师傅大约五十来岁，从小在苏州长大，听我说以前的苏州面馆都好，现在只剩同德兴了，点头称是，接着说，也不尽然。他说小时候人都老实，一板一眼的，按照老规矩来，一切都是手工的，亲自下手。做面条就好好做面条，一丝不苟，每一根面都是师傅的毕生心血，精雕细琢。吊汤就好好吊汤，真材实料，至少要吊上六个小时、八个小时，没听说放味精的。这样煮出来的面，就算不是头汤面，也强过现在连锁面馆的头汤面。他很担心，将来麦当劳会不会也卖起苏州面，那就是苏州人的世界末日了。还告诉我，书院巷有一家面馆，真材实料，绝不比同德兴差，价钱可是便宜一半，他每天都去吃的。

第二天一大早，和太太两个人，六点钟不到，就兴冲冲赶到书院巷的面馆。门是已经开了，服务员忙进忙出，擦桌子抹板凳的，还没开市，不禁大乐，有头汤面吃了。店员很客气，让我们进去坐着等，看他们进行最后的准备工作，像大戏开锣之前，弥漫着强为抑制的兴奋。六点钟一到，柜台打开了收款机，开了冷气，播放出呢呢哝哝、叮叮咚咚的弹词音乐，序幕开场了。我第一个走到柜台，说白汤焖肉面一碗，红汤虾爆鳝面一碗。柜台小姐说，我们浇头都是现做的，虾仁还没炒出来呢，爆鳝面好不好？我说，换扁尖肉丝吧。小姐又笑了，扁尖肉丝也还没炒好呢，等会儿才有。看来吃这个头汤面还真不容易，得等师傅把新鲜的浇头一个一个炒出来，真的是现炒现卖。最后决定，一碗白汤焖肉面，一碗红汤酱汁肉排面，扁尖肉丝也要，炒出来再上。

面上来了，清清爽爽一大碗，面条白白嫩嫩的，上面撒了深绿色细细的葱花，让人联想到许次纾在《茶疏》里说的，新茶初巡，如婷婷袅袅十三余。面汤清澈，带一点玉黄色，类似上等玻璃种翡翠的色调，香味浓郁，却丝毫不腻。拿筷子挑起一缕面条，像是搅乱了潇湘水云。吃了一口，就像古人盛赞诗文妙绝说的，烟霞弥漫，满室生香。正宗的头汤面，果然名不虚传。

五

最近听说，在杭州举办了首届中国面条文化节，评选出中国十大面条，汇聚全国各地的面条式样，一一甄选。此举由中国商务部、中国饭店协会等挑头赞助，可算是官方钦定之举。动作如此之大，把面条提升到文化领域，总是有什么弘扬国粹的伟大目的，让世界认识中国面条对人类的贡献。只是文化部没有参加，让人感到，商务部是否过于急切，有点越俎代庖了。最终选出中国十大面条：北京炸酱面、山西刀削面、武汉热干面、河南烩面、兰州拉面、杭州片儿川、昆山奥灶面、镇江锅盖面、四川担担面、吉林延吉冷面。

这十大面条，我都有幸吃过，而且觉得各有特色，好像武林中有十大门派，武功各有蹊径，难分轩轾。有朋友问，这昆山奥灶面是什么东西，过去没听说过啊？我说，其实这是苏州面条的一支，属于红汤面，由于汤头浓郁，制作精良，再配上一块香气四溢的爆鱼或卤鸭腿，很容易征服全国人民的舌尖，让口中的每一颗味蕾都俯首臣服。真要我来当评判，我就会提出，苏州白汤面类的枫桥白汤大面，口味清爽，焖肉糯而不腻，假如参加甄选，绝对可以入选中国十大面条之林。

不过，昆山奥灶面也实在好吃。我前年去昆山考察梁辰鱼故居遗址，蒙地方文联的朋友不弃，要我第二天一早准备好，到昆山老城中的奥灶馆，去吃碗奥灶面。我知道奥灶馆是家百年老店，没想到眼前的面馆好大的气派，雕梁画栋，连甍穿云，与我预期的一家面铺老店完全不同，简直就是个小阿房宫。坐在十分讲究的包厢里，面上来了，每人一碗红汤面、一碗白汤面，两根卤鸭腿，两块红油爆鱼。主人说，别客气，趁热吃。我看着一桌子的鸭腿与爆鱼，怯怯地问，还有朋友没到吧？主人说，就是我们这几个人，还要别的浇头吗？那一餐有如赤壁鏖兵，吃得轰轰烈烈，硝烟蔽日，火光遮天，一直到晚上还不觉得饿，打个嗝都还有袅袅不绝的鲜味。

朋友跟我说，正宗的奥灶面好，不但因为食材选得好，还讲究“五热三烫”。所谓“五热”，是碗热、汤热、油热、面热、浇头热。“三烫”则有特殊的讲究，一是面烫，捞面以后，不在温水中过水，而在沸水中过水；二是汤烫，配制好的面汤，放在铁锅里，一直用余火焖煮，保持其温度；三是碗烫，面碗洗净后，放在沸水中待用，既保温又卫生。我说，这个讲究的说法未免累赘，有点像口号，说到底，不就是个“烫”字吗？吃汤面，得趁烫吃，凉了不好吃。朋友大笑，说你去跟老板建议，以后把口诀改成“一烫到底”算了。

奥灶面的“奥灶”两字，十分拗口，据说本来讲的是“鏖糟”，是昆山土语，就是不太干净，有点龌龊的意思。地方上传说，奥灶面创始于清末，有一家又小又旧的面馆，黑漆麻乌的，主厨的陈老太年纪大了，手脚不麻利，眼睛也看不清楚，做的面有点鏖糟，但是鲜美异常，因此被老吃客戏称为“鏖糟面”。还有一个不太可靠的升级版传说，说乾隆皇帝下江南，微服出巡，途经昆山，肚子饿了，就来到陈老太的面店，吃了一碗红油爆鱼面，觉得鲜美无比。让随从打听是怎么烹制的。陈老太说的是昆山土话，随从听得似懂非懂，一头雾水，急中生智，面奏皇上："红油面味道好，主要是面灶上的奥妙。"乾隆一听，龙心大悦，哈哈笑道："面灶奥妙，奥妙面灶，奥灶面，奥灶面。"皇帝金口一开，从此就有了奥灶面的美称。传说归传说，且不去管它，奥灶面好吃，却是真的。

最近与苏州朋友一道吃面，发现一家著名的面馆打出新款面式的招牌，特别推荐新开发的红汤卤鸭面。面上来了，一吃，咦，不就是卤鸭奥灶面吗，只不过是昆山奥灶馆的翻版，何新之有？唯一的不同，就是太咸，师傅的手太重，缺少苏州的秀气。

原文刊载于《书城》

2014 年 12 月号

常州行脚

常州菜

中国民俗学会到常州去考察非遗，重点是常州烹饪的文化传承，邀请我参加点评。我跟邀请的朋友说，常州菜在中国烹饪系统中似乎有点冷僻，过去没机会吃到，实在说不出什么名堂，要我点评，总得先品尝了滋味，才有话说。主办的朋友说，不急不急，早已安排好了，过来住两天，每天早中晚，从早点到晚宴，都安排了地道的菜肴与小吃，让你吃个够。

常州在镇江与无锡之间，属于江南吴语地区。翻开地图看看，处于南京、扬州、苏州的大江南生活圈当中，生活饮食习惯受到扬州与苏州文化风俗的影响。扬州菜属于淮扬菜系，有北方色彩，稍稍偏咸；苏州菜则是江南典型，口味软糯，偏甜。夹在当中的常州菜，取其中庸之道，甜咸兼有，而且多以河鲜与湖鲜为食材，可以烹制出一些清淡鲜美的菜式。我久闻天目湖砂锅鱼头是道常州名菜，却一直无缘品尝，不知道与大路货的砂锅鱼头有什么差别，是否真的与众不同，出类拔萃，这一次到常州，总要亲口品尝，验明正身才是。

问主办的朋友，这次可以吃到什么特别出色的地道菜肴？他说，常州传统菜式，有糟扣肉、网油卷、糖蹄、甜饭等等，不过，我们这次的重点是河鲜与湖鲜，所以一定会品尝清炒虾仁、太湖三白。你向往的天目湖砂锅鱼头，我已经安排了，不必担心。还会让你吃到河鲜佛跳墙与红烧河豚，不错吧？听他讲到河豚，不由得想到苏东坡的《惠崇春江晚景》诗："竹外桃花三两枝，春江水暖鸭先知。蒌蒿满地芦芽短，正是河豚欲上时。"清明时节是河豚产卵的季节，由大海溯江而上，正是最肥美的时候。不过，河豚有毒，特别是内脏部分，吃了处理不当的河豚，会出现神经麻痹的症状，所以老饕有“舍命吃河豚”“拼死吃河豚”的说法。听说过去的渔户每年到了清明时节，都向地主奉上亲自调制的河豚，自己得先尝一口，以示处理得当，不会中毒。想来江南地区烹制河豚，从苏东坡时代算起，也有上千年的历史，年年都吃，必定是有传承可靠的手艺，可以列入非物质文化传承之林。

因为在台湾讲学，晚了一天抵达常州，与会的非遗专家们已经尝了一轮地方美食，心满意足，不断向我炫耀，说吃得真是好，光是热菜就有二十道，还不说那令人垂涎的八道冷菜呢，你没赶上，真是遗憾啊。我只好说，没关系，下一顿还有呢。

下一顿去了一家著名的餐厅，掌厨的是位国家一级厨师，得过不少大奖。一上来也是八个冷盘，红焖蚕豆、熏鱼、盐水肚条、干丝马兰头、酱炒螺蛳、拌莴笋、酱排骨、秘制红薯。每一样都是地道江南风味，甜咸适中，打开了胃口。然后上了第一道大菜，是十分复杂的甲鱼猪蹄一品砂锅，味道鲜美不说，猪蹄之糯烂润滑，比甲鱼的裙边更胜一筹，倒是我始料未及的。接着是清炒河虾，当然是入口爽脆，鲜美无比。味蕾还来不及一一品味入口的美味佳肴，就连着上了清炖河蚌狮子头、红烧河豚、脆皮黄牛肉、啤酒鸭、艾草青团、三鲜鱼丸、香椿炒土鸡蛋、火腿鲜菇炖豆腐、油焖春笋、鲜肉灌汤生煎包、酒香豆苗，一直到萝卜干炒饭、鲜奶酪，这顿饭才算结束。

美味纷至沓来，对打算细细品赏的味蕾来说，是莫大的压力。好像预期是杏花春雨，打了把小花伞去踏春，却遇上了十二级的台风雨，只好学学苏东坡，“莫听穿林打叶声，何妨吟啸且徐行”，他上他的菜，我按照我的品味速度，一一吃将过来。细品之下，觉得最好吃的是清炖河蚌狮子头和红烧河豚，最精彩的是清淡不腻，味道隽永，好像读陶渊明的诗，“此中有真意，欲辨已忘言”。此外，火腿鲜菇炖豆腐也令人惊艳，因为豆腐嫩若蛋清，却完全是传统老豆腐的滋味，隐约透出烟熏的香气，入口即化。炒饭的萝卜干也有独特风味，爽脆鲜美，倒是与众不同。

吃到艾草青团的时候，猛然觉得，清明时节快到了。

茶百戏

中国民俗学会在常州考察非物质文化遗产，我到得晚，错失了第一天下午主要的民俗活动。晚饭之前的最后一个考察点，是历史文化街区的吕宫府，观摩评弹、吟诵、书画、香道、茶道等传统文人的闲居雅兴。吕宫府地处常州市区中心，原来是常州明清古建筑群的一部分，十多年前常州大拆文物古建，践踏历史文化，进行都市改造，发展现代化商圈，吕宫府逃过了城市基建的浩劫，成了大规模拆除劫余的幸存。

以前有朋友告诉我，苏东坡晚年从海南贬谪放归，回到常州定居，逝世之处就在此地的“藤花旧馆”。但藤花旧馆也似乎难逃现代化的厄运，惨遭拆迁大队的荼毒，拆了之后又新建了现代古迹。因为我到得晚，无缘考察新修的藤花旧馆，也不知道保留了多少东坡的遗韵。不过，东坡一生波折甚多，经常遭贬，曾被朝廷“恩准常州居住”，在常州（宋代包括武进、无锡、宜兴、江阴、靖江）度过了一阵子闲置的岁月。他有一首“菩萨蛮”词，写于元丰七年（1084），说的就是归老常州的宜兴（阳羡）：“买田阳羡吾将老，从来只为溪山好。来往一虚舟，聊从物外游。有书仍懒着，水调歌归去。筋力不辞诗，要须风雨时。”两年之后，他重返政坛，早春再游常州，就兴致勃勃写了脍炙人口的题画诗《惠崇春江晚景》：“竹外桃花三两枝，春江水暖鸭先知。蒌蒿满地芦芽短，正是河豚欲上时。”虽然没看到新修的东坡故居，想到我的足迹能够覆盖东坡曾经亲炙过的这片土地，晚宴又吃到了令他口馋的河豚，也就心满意足了。

到达吕宫府的时候，闻香品茶已经到了尾声，大多数人都已意兴阑珊。老王与老季听说我到了，倒是兴奋得很，忙说研究茶的来了，给他玩玩宋朝的点茶。南京非遗文化研究所的朋友，有钻研宋代点茶的，把茶粉研磨得极细，用茶筅在黑漆茶碗里，模仿宋代点茶风尚，打出了厚厚的淡青色沫饽。老季是常州的著名书画家，拿了一根长长的竹签当画笔，蘸上浓绿的茶浆，居然有模有样地点画出一丛竹篁。他一边画一边抱怨，说茶沫会黏滞笔画，所以不能连笔，要用点画法来画。我们都说，画得不错，再画幅梅花吧。他又点画了山石梅花，居然还有枯枝寒梅的韵味，引来了一片赞誉。

五代北宋的《清异录》，托名陶穀所撰，书中有“生成盏”一则，说到有个福全和尚，能够在茶汤的沫饽上写诗。并排四只茶碗，他可以在每碗写一句诗，成一首绝句。福全在茶汤中写诗的本领远近知名，引来了大批观众，都要看他显示茶汤写诗的绝技。福全后来自嘲说：“生成盏里水丹青，巧画工夫学不成。却笑当时陆鸿渐，煎茶赢得好名声。”《清异录》还说：“茶至唐始盛。近世有下汤运匕，别施妙诀，使汤纹水脉成物象者，禽兽虫鱼花草之属，纤巧如画。但须臾即就散灭。此茶之变也，时人谓之‘茶百戏’。”我看老季在茶汤沫饽上画画，艺术效果虽然远逊宣纸上的挥洒，却有新奇可观之处，本领也不输于福全和尚。不知道古人在茶汤上写诗作画，是否也用竹签蘸点之法，还是用传统的毛笔，饱蘸墨汁，在茶汤沫饽上展现书画技巧。不管古人是用什么书写工具，我们过去总以为在茶汤上写诗画画，是匪夷所思

老季画梅花

作者写“姹紫嫣红”

的技艺，当作神迹来谈论的，居然让老季给掌握了，再现宋代点茶中“茶百戏”的奥秘，倒是让我大受启发。

老季画完了山石梅花，问我要不要试试，写几个字，在茶汤上留个墨宝？大家都起哄，说书法家总得留个字，算是给茶神陆羽上支香吧。于是，我也拿起竹签，蘸了浓浓的茶浆，在新打出来的沫饽上写了“姹紫嫣红”四个字。真如老季说的，沫饽的黏滞性极强，笔画不能连贯，只好断断续续，连点带写，勉强成书。南京的朋友又调制了赭红的茶浆，说可以用来画印章，于是，依从他们的主意，画了一方印章。画完看看，还真是有模有样的“茶百戏”，虽然入不了苏东坡的法眼，大概可以跟福全和尚别别苗头。

常州大麻糕

到常州考察非物质文化遗产，当地的负责人老季说，一定要品尝常州小吃，而小吃当中最有特色的就是大麻糕，其中浸润了常州地方的市井文化，是地地道道的非物质文化传承，已经名列江苏省非遗名录了。于是，晚宴之后，他就三令五申，告诉我们这批来自世界各地的考察团队，明天早上千万不要在酒店吃早饭，八点半他安排巴士，带我们去品尝常州小吃。来自美国与加拿大的民俗学家没听懂，频频回头问我，明天早上不吃早饭？酒店不供应早餐？八点半出发考察什么？在旁的日本专家会几句半咸不淡的中文，大概听懂了几个字，插进来问说，是不是要小小地吃，不可以大大地吃？我们日本人吃早饭，都是大大地吃，中国人早上不吃干饭，都是小小地吃。来自韩国的专家是哈佛女博士，师出名门，而且精通中文，白了日本专家一眼，用流畅的英文解释，明天早上不必在酒店用早餐，因为八点半出发，去吃本地最地道的美食早餐，而且还是属于非物质文化遗产的食品。美国朋友一听，乐了，原来早餐还有非遗可吃，真是早点不忘非遗，吃喝皆是学问，中国文化博大精深，名不虚传。

第二天一早，老季带我们去了正在翻修的双桂坊，说这里是明清时代最热闹的街区，多年来进行城市改造，成了现代都市商圈，灯红酒绿的。现在总算认识到文化遗产的真谛，是多元保护与传承，最好是原汁原味，起码也要重点提倡非遗，呈现地方文化特色，所以集中了常州地区的小吃，设法恢复当年繁华的市井风光。常州民俗学会特意为我们安排了小吃宴，一共上了十二道小吃，真是目不暇接，种类繁多。吃了五六道，已经是眼大肚小，肠胃开始抗议，逐渐体会北京填鸭的艰辛生命历程，可是口腔与舌尖却像中了蛊，依然贪恋源源不断上桌的美食，等着大麻糕。

终于上了大麻糕。一看，真是不愧其名，的确够大的。乍看是个大烧饼，色泽金黄，外表酥松像蛋糕，却在一层酥松的芝麻表皮之下，隐隐露出十分诡异的油酥馅，让你惴惴不安，知道它绝对不是易与之辈，整个吃下去要出问题的。老季看我一脸犹豫，就说，不必担心，切成小块，大家分着吃。大麻糕这么大，是有原因的，恰恰反映了常州的市井文化。常州大麻糕，从前没这么大，是跟江浙地区通行的袜底酥一样，薄薄的，酥酥的，两三口就吃完了。有圆形的，椭圆形的，有甜馅的，咸馅的，椒盐的，放点葱花的，常州人叫它“草鞋底”。大概是到了清末时期，常州的劳动人民，像伙夫、脚夫、纤夫、轿夫之类，嫌草鞋底太小，不过瘾，三个铜板买一块，不顶饱，后来做酥饼就用三块的料，合并做成一块大麻糕，卖九个铜板，也就成了常州的特色早餐了。不叫麻饼，叫麻糕，是因为口感不像烧饼，具有松、软、酥、脆、肥等特点。关键是在那个“肥”，不肥不好吃，不过瘾，太肥又油腻，也不好吃。如何做得肥而不腻，酥而不油，就是常州大麻糕的真功夫了。

吃了一块色泽金黄的大麻糕，入口酥软，蘸了芝麻的酥皮香脆爽口，油酥椒盐的馅儿，夹杂了葱花的香味，让我想起小时候在永和桥头吃到的油酥烧饼，却层次更为分明，口感更丰富，像秋天田野收成时节的阳光。老季说，喝碗豆腐汤搭配吧，我们常州人说的，“麻糕吃吃，豆腐汤搭搭”。

常州小吃

常州在历史上是个有名的地方，地处长江之南，太湖之滨，毗邻苏州、镇江，在春秋时期是楚国与吴国相互争胜的地望。春秋末期，吴王寿梦封第四子季札于此，所谓延陵季子，延陵作为地名，开始在历史上出现。因为改朝换代，历史地名有过不少更迭，先称作延陵、毗陵、晋陵，到了隋唐时期才称为常州。到了清代，常州领下还有八个县：武进、阳湖、无锡、金匮、江阴、宜兴、荆溪、靖江，辖区广大，有“中吴要辅，八邑名都”之称。民国以后，行政区划变化频繁，一直变到二十一世纪，常州像块俎上的肥肉，东切一块，西割一块，武进、阳湖不见了，无锡、宜兴、江阴、靖江分出去了，变到今天，人们已经搞不清常州到底管辖哪几块了。

不过，老百姓说起常州小吃，倒是一清二楚，有这有那的，似乎历史上的行政区划，只管政府的权力架构，管不着黎民百姓嘴里吃的。我们到常州考察非物质文化遗产，常州的朋友不断强调，来我们这里，就要品尝常州小吃，小吃是我们的文化特色，也是文化遗产。常州非遗考察，就是小吃美食之旅。我问，常州小吃的特色是什么呢？老季说，就是平民化，而且好吃。他去过台湾，考察过台湾小吃，学了一句台湾话“好呷又大碗”，回头一想，恰好可以形容常州的小吃。

我们一大清早乘了辆大巴，到了城中的老区（大概也就是延陵季札受封的地段吧），专程前来，享受常州非遗办公室准备的小吃宴。一张二十个座位的大圆桌，摆满了各式各样的点心，盘盘碗碗，五花八门，琳琅满目，有蒸的、有煮的、炖的、熬的，还有炒的、烤的、煎的、炸的、烘的、煸的，不一而足。外国专家像一群进了大观园的刘姥姥，啧啧称奇，问东问西，这是糯米的吗，那是豆沙的吗？这是豆腐吗，那是面条吗？老季说，不急不急，这些是看菜，摆在这里供观赏的。等会儿才一道一道地上，大家可以趁热吃。我看到桌上有菜单，拿起来一看，列了十二道小吃：蟹粉灌汤小笼包、寒食青团、四喜汤圆、半山亭大麻糕、鲜肉月饼、酒酿元宵、芝麻糊、豆腐汤、重阳糕、红豆网油卷、金钱饼、鳝丝银丝面。就跟洋专家们说，反正什么都有，爱吃什么吃什么，吃就是了。

餐厅的老板出来了，向我们介绍每一道小吃的来历，讲到大麻糕，兴致上来了，说人人都爱吃大麻糕，不分阶级的。轿夫、脚夫爱吃，书香门第的读书人也爱吃，著名史学家吕思勉就最喜欢吃大麻糕。吕思勉回忆小时候，生长在十字街、化龙巷一带，街西就是仁育桥，又称木桥头，记忆最深的就是那个仁育茶社的大麻糕。他从小到读书进学，每天早上都吃大麻糕当早饭。老板又讲到金钱饼，说别看这块油炸的小圆饼不怎么起眼，像炸馒头片似的，其实当中大有学问，从前是过年的时候拜祭祖先的供品。这块饼是“豆斋饼”，其中填的馅料却十分复杂，不同寻常的，要先将猪腿肉、虾仁分别剁茸，跟冬笋末拌和成泥，加入调料，作为填馅，先煎后炸，其间还得使用蛋清发糊，勾上口沿。虽然是小吃，工序却马虎不得。

我发现研究民俗的洋专家都是异形人类学者，问学考察与品味实践两不误，一边问，一边听，还一边吃，而且食量惊人，毫无忌讳，你上什么，他就吃什么。天上飞的，地下爬的，水里游的，没有不敢吃的，比广东人还厉害。我吃了五六道，就只好甘拜下风，宣称退出考察行列，敬陪末座。

后来又上了一道银丝面，看起来十分清爽，就鼓起余勇，夹了一筷子。只咬了一口，咦，竟然如此清爽滋润，而且细腻之中还有嚼头，兼有苏州面与山西面之长，不禁又吃了一口。快哉，是真正的鸡蛋面，而且调制得法，韧而不硬，绵密不软，吃起来，像白居易《琵琶行》里写的“间关莺语花底滑，幽咽泉流水下滩”，让我混淆了孔夫子的话，余味袅袅，绵绵不绝，三月不知肉味。

老季问我，常州小吃最喜欢什么，我说，银丝面，毫无疑问，是银丝面。

原文刊载于《书城》

2016 年 6 月号

关于郑培凯

鄢　秀

关于郑培凯，最准确、最精辟的评价出自他的“淑平大姐”，余英时先生的夫人。余师母告诉我们，她跟到访的朋友（也是我们的好友）说“郑培凯‘不食人间烟火’”，他们当时惊讶得下巴都快掉下来了！培凯听后大大地感叹：“知我者淑平大姐也！”我说，如果我跟人说你是“宅男”，别人肯定也很惊讶的！他心领神会地笑了。这里也有个典故，就是一次我们去普林斯顿看望余先生夫妇，余先生说，有人说他是“宅男”。那时候“宅男”这个词还比较新，他不太明白是什么意思。我想说的是，郑培凯从骨子里也是一个宅男。

说郑培凯“不食人间烟火”，指的是他做学问完全出于他对知识的兴趣，毫无功利之心。他绝不去做任何耽误他追求知识的事情。那些将已经弄明白的事情反复说、不停写（不管用英文还是中文）的“专家”行为，因为无助于提升自身认知，统统被视为浪费时间。他往往是把问题厘清、写篇文章之后，就去关注其他更有意思的问题了。他提出的观点，都是建筑在他阅读大量古今中外的材料之上的，很容易就能出本专著。但他宁愿用一篇文章或一个演讲跟大家讲清楚就算了，一分钟都不愿意再浪费了。若非必要，他连列出参考书目（reference）都不愿意，说“知道就知道，没必要列”。

他无时无刻不在看书，是最典型的传统“三上”(床上、车上、厕上)读书人。大家都知道他交游广阔，朋友来自五湖四海。但大家不了解的是，他是最能“宅”的。只要有一点食物，他多少天不出门都行。胡子拉碴地窝在那儿看书，是他最幸福的事情。家里就是一个图书馆：每一个房间都是书房，还是不够放。所以说，他骨子里是一个宅男。

郑培凯的“博学”是令大家佩服的。但正因为没有浪费时间去做无谓的重复和没有知识含量的“挖掘”，加之平时又极用功（每天4点即起，到上班时间9点他已经做了5小时功课了），他在文史哲众多学科上的功力，却比专家还专。

好友一时不解郑培凯怎么算是“不食人间烟火”，并不奇怪。如果有时间的话，他是可以做“吃喝玩乐部的部长”（台湾一朋友语）的。首先，他对于“吃”很有心得。朋友聚会，即使是别人请客，也总是让他点菜。他点的菜不贵，却好吃，往往宾主尽欢。他的记忆力惊人，有一次行山完毕，十多个人吃的是西餐，他在下一周见面的时候能把每个人点的前菜、汤、主菜、甜品、饮料一一写出来。大家都惊呆了，因为每个人自己都不太记得自己吃过了什么。对于食物的成分，他都能说出中英文来。弄得“当美食不让”、凡事都最严谨的林毓生先生，几次谦虚地说，“吃的方面郑培凯第一，我第二”。培凯还写了不少关于美食的文章，出了几本关于“吃”的书。

对于茶、酒方面的知识，说郑培凯博古通今，恐怕也不为过，因为他出过不少这方面的书籍，如《茶余酒后金瓶梅》《茶香与美味的记忆》，还有与朱自振先生合编的《中国历代茶书汇编校注本》。他对“喝”的文化可算是蛮有贡献。一来他很早就开始研究茶饮的历史了。他最早研究茶的时候，文化界还没什么人重视。现在倒是热门极了。二来，他花的时间多。尤其是他与朱自振先生编的《中国历代茶书汇编校注本》，用了六年时间。有位日本学者在研讨会上评价这套书说，“一千年都没人能超越”。虽然夸张了，但也是对他们努力的肯定。三来他研究的问题有趣。一般人们看《金瓶梅》看到的是“色”的禁忌，他偏偏出了本《茶余酒后金瓶梅》，谈茶谈酒，找到不少学术看点。

跟郑培凯出去玩，家人朋友都高兴得很。首先他帮你把路线安排得妥妥的。像做学问一样，他要清楚知道他所在的方位以及周边的环境。地图他是最爱读的。住在旅馆里，他日日夜夜捧着本地图看。出门游览，他则不需要地图了，因为已经印在脑子里了。我常说他要是带兵打仗，这个本事绝对用得着。即使是第一次去的地方，他都能毫厘不差地告诉你怎么走：怎么翻过一座小山就能到某个寺院，转过一个山口会有个公共洗手间……开车也无须卫星导向。他对购物毫无兴趣，但很随和地帮女士找商场，时常一口气找到三个大商场，开车带人去。只是他一到商场就开始催人家离开，说怕赶不上去下一个商场了……

他也爱逛店——旧书店，爱到了痴迷的程度。一次在日本，照旧早起，说出去转转，明知还有几个小时才开门，他竟然提出去旧书店作window shopping，看看橱窗也好——简直比女人爱买衣服还痴狂。

逛园子也是极喜欢的。在苏州，他一早起来吃了头汤面，就去逛园子，因为这时候没什么游人。对于园林的记忆，他也是天赋异禀。有次好友林海钟在微信中发了张照片，是一个园子的角落，毫无特征可言。郑培凯扫了一眼说，“是个园”。我将信将疑，发去问：“是个园吗？”果然是扬州的个园，把海钟小伙伴也惊呆了。

近年来他又多了一项好玩儿的，就是开他的个人书法展。开幕式上杜如松吹笛子，林海钟凭着笛音作画，郑培凯同时题诗、写字。他的字漂亮，除了因为从小被父亲逼着练，也是因为他对字的结构特别痴迷，没事就琢磨字形。加上平时的学养和对审美的追求，都反映在字里。难怪有朋友说看郑培凯的字，“书卷气扑面而来”。

郑培凯爱听戏，大家都知道。他一九七四年就开始研究汤显祖了。上世纪九十年代他来香港后，就常邀请内地的昆剧团来大学做示范演出。当时还有人不太理解，批评说郑培凯自己喜欢昆曲，就老邀请昆曲演员来。一直到昆曲被联合国教科文组织列为非物质文化遗产，大家才明白他推崇的是最雅、最高的艺术。其实他中外艺术都喜欢，在家常听西洋歌剧。以前在纽约住的时候他总是买季票，到现场看顶级的歌剧表演。他对于电影的研究也是下过功夫的，写过《在纽约看电影》等书籍。家里的电视有个频道常放好莱坞的老电影。无论何时打开电视，他都能说出影片和演员的名字。家中有满满一书架研究电影的书籍，从地面到天花板。为了向我证明他是对的，常常要爬上爬下拿出旧的电影读物，翻到那页给我看。此为乐也!

对郑培凯来说,“吃喝玩乐”俯拾皆学问。这也让朋友们觉得跟他在一起有趣味。我发现,无论老少,大家都喜欢他。他的老师也都对他特别好。史景迁是他的博士导师,他和金安平夫妇对他就像对朋友一样。好几次来香港、内地,都是因为培凯邀请,否则他们原本不想出远门的。余英时夫妇对他更是宠溺有加。听说当年郑培凯几乎每星期从纽约开到哈佛,途中都到余先生家休息一下,吃顿余师母做的好饭。吃着人家的八宝鸭,嘴巴却比煮熟的鸭子还硬,老跟余先生论辩。郑培凯平时随和,但争论起来却十分认真,不肯认输,直到今天还常如此。看着他辩论起来不肯善罢甘休的样子,便可以想见当年他在余先生面前“吾爱吾师”的情形。没想到余先生竟然特别喜爱他。去年元旦,我们从纽约去看余先生、余师母。他们那天本来有事的,却全部取消,请吃了中饭又吃晚饭,跟我们一起度过了新年的第一天。对于一个老学生来说,这是多么幸福的事!他自己如今也是在美国和大中华区都教了几十年书的人了，的的确确是桃李满天下了。近年常到内地，一群本科生孩子都亲热地称他“郑爷爷”。他们竟然也喜欢跟郑爷爷在一起，听他谈学问。

我们生活在香港，两人平时都太忙，吃喝玩乐基本上成了纸上谈兵。但跟他相伴过日子，一起读书做学问，每天都充满了乐趣。

图书在版编目（CIP）数据

多元文化与审美情趣 / 郑培凯著. —上海：文汇出版社，2017.7

(赏心乐事谁家院)

ISBN 978-7-5496-2076-0

Ⅰ. ①多… Ⅱ. ①郑… Ⅲ. ①中华文化－研究 Ⅳ. ① K203

中国版本图书馆 CIP 数据核字 (2017) 第 075146 号

赏心乐事谁家院：多元文化与审美情趣

作　　者　郑培凯

《书城》杂志出品

出 品 人　李　爽

策 划 人　含梅阁

责任编辑　陈今夫

策划编辑　齐晓鸽

助理编辑　钱　斌

书法题词　郑培凯

装帧设计　张志全

出版发行　文汇出版社

上海市威海路755号

(邮政编码200041)

排　　版　南京展望文化发展有限公司

印刷装订　上海中华商务联合印刷有限公司

版　　次　2017年7月第1版

印　　次　2017年7月第1次印刷

开　　本　889 × 1194　1/32

字　　数　195千

印　　张　13.875

ISBN 978-7-5496-2076-0

定　　价　58.00元